La Jeune Fille et la Nuit

ISBN : 978-2-7021-6363-4

Guillaume Musso

La Jeune Fille
et la Nuit

roman

CALMANN
LEVY

À Flora,
en souvenir de nos conversations,
cet hiver-là, pendant le biberon
de 4 heures du matin…

Le problème de la nuit reste entier.
Comment la traverser ?
Henri MICHAUX

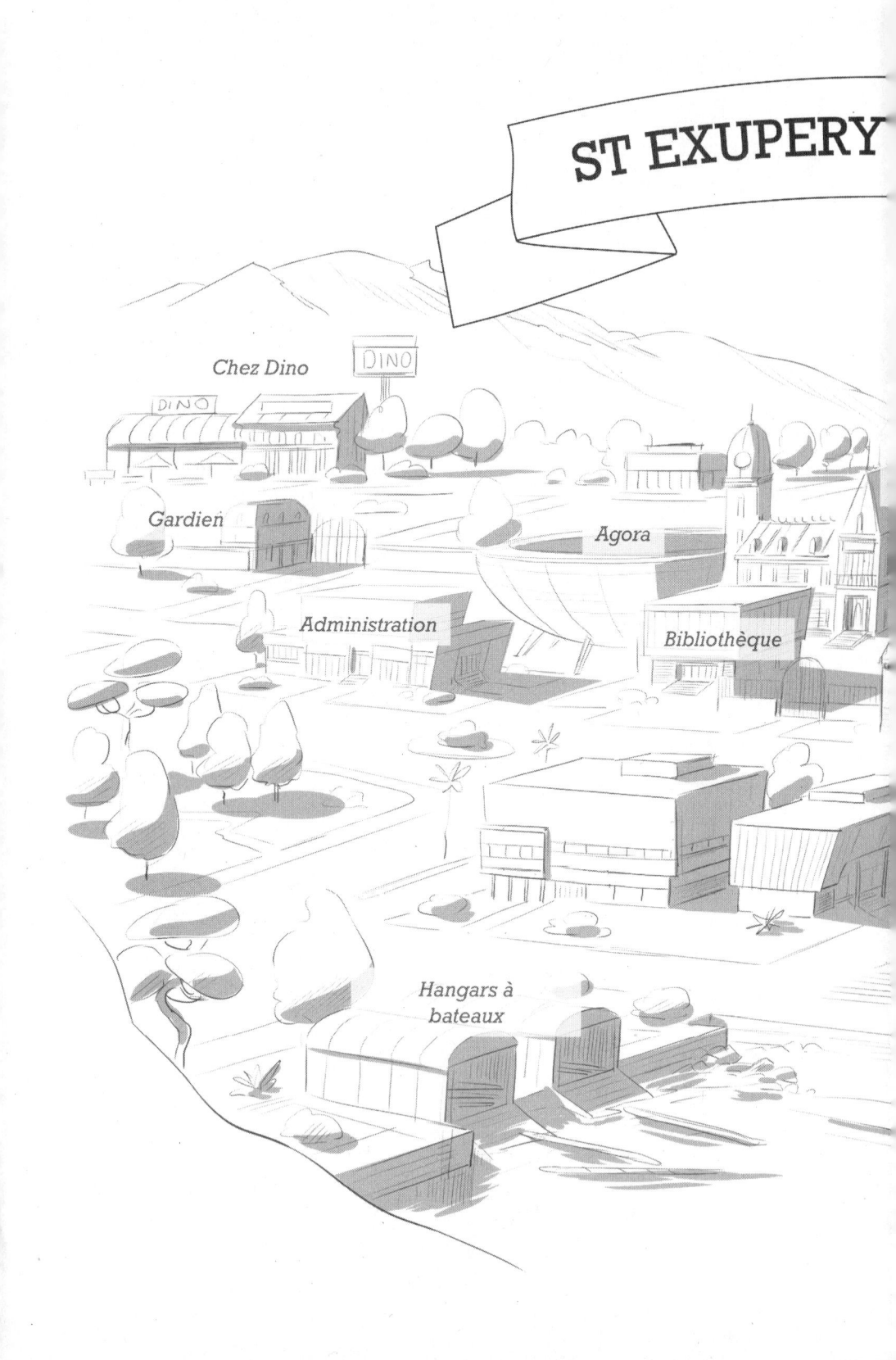

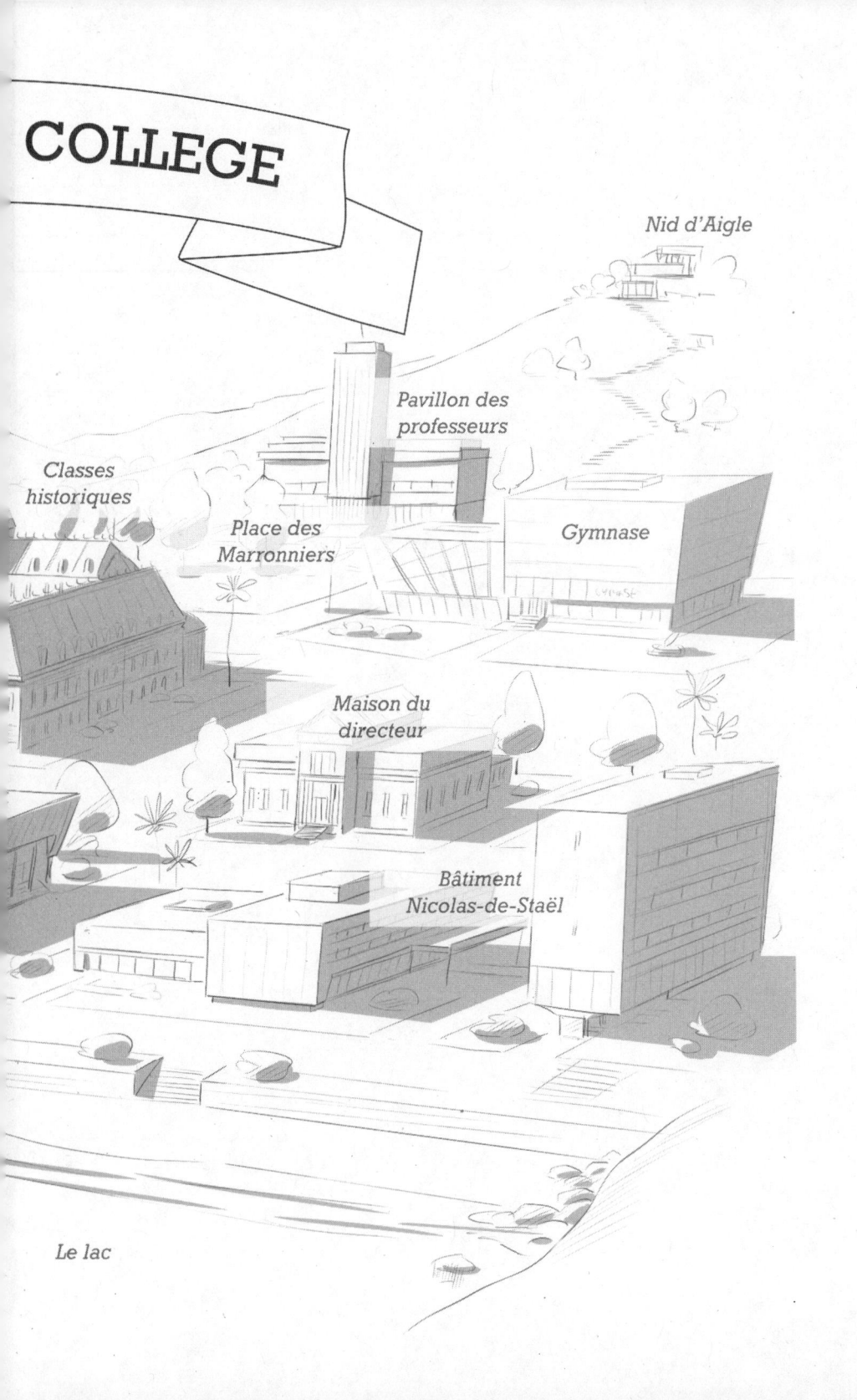

Le sentier des contrebandiers

La Jeune Fille :
Va-t'en, ah, va-t'en !
Disparais, odieux squelette !
Je suis encore jeune, disparais !
Et ne me touche pas !

La Mort :
Donne-moi la main, douce et belle
créature !
Je suis ton amie, tu n'as rien
à craindre. Laisse-toi faire !
N'aie pas peur
Viens sagement dormir dans
mes bras.

Matthias CLAUDIUS (1740-1815)
La Jeune Fille et la Mort

2017

Pointe sud du Cap d'Antibes. Le 13 mai.

Manon Agostini gara sa voiture de service au bout du chemin de la Garoupe. La policière municipale claqua la porte de la vieille Kangoo en pestant intérieurement contre l'enchaînement de circonstances qui l'avait conduite ici.

Vers 21 heures, le gardien d'une des plus luxueuses demeures du Cap avait téléphoné au commissariat d'Antibes pour signaler un pétard ou un coup de feu – en tout cas un bruit étrange – qui aurait été tiré sur le sentier rocheux jouxtant le parc de la propriété. Le commissariat n'avait pas fait grand cas de l'appel et l'avait redirigé vers les bureaux de la police municipale, qui n'avait rien trouvé de mieux que de la contacter *elle*, alors qu'elle n'était plus en service.

Lorsque son supérieur l'avait appelée pour lui demander d'aller jeter un œil sur le sentier côtier, Manon était déjà en tenue de soirée, prête à sortir. Elle aurait voulu lui répondre d'aller se faire voir, mais elle n'avait pas pu lui refuser ce service. Le matin même, le bonhomme avait accepté qu'elle conserve la Kangoo après ses heures de boulot. La voiture personnelle de Manon venait de rendre l'âme et, en ce samedi soir, elle avait absolument besoin d'un véhicule pour aller à un rendez-vous qui lui tenait à cœur.

Le lycée Saint-Exupéry, où elle avait été élève, fêtait ses cinquante ans et, à cette occasion, une soirée rassemblerait les anciens élèves de sa classe. Manon espérait secrètement y revoir un garçon qui l'avait marquée autrefois. Un garçon différent des autres, qu'elle avait bêtement ignoré à l'époque, lui préférant des types plus âgés qui s'étaient tous révélés de sombres crétins. Cet espoir n'avait rien de rationnel – elle n'était même pas certaine qu'il serait présent à la soirée, et il avait sans doute oublié jusqu'à son existence –, mais elle avait besoin de croire qu'il allait enfin se passer quelque chose dans sa vie. Manucure, coiffure, shopping : Manon s'était préparée tout l'après-midi. Elle avait claqué trois cents euros dans une robe droite en dentelle bleu nuit et en jersey de soie, avait emprunté un collier de perles à sa sœur et des escarpins à sa meilleure amie – une paire de Stuart Weitzman en daim qui lui faisait mal aux pieds.

Juchée sur ses talons, Manon alluma la torche de son téléphone et s'engagea sur le chemin étroit qui, sur plus de deux kilomètres, longeait la côte jusqu'à la Villa Eilenroc. Elle connaissait bien cet endroit. Lorsqu'elle était enfant, son père l'emmenait pêcher dans les petites criques. Autrefois, les gens du coin appelaient cette zone le chemin des douaniers ou des contrebandiers. Plus tard, le lieu était apparu dans les guides touristiques sous le nom pittoresque de « sentier de Tire-Poil ». Aujourd'hui, il répondait au nom plus plat, aseptisé, de sentier du littoral.

Au bout d'une cinquantaine de mètres, Manon buta sur une barrière assortie d'une mise en garde : « Zone dangereuse – accès interdit ». Il y avait eu une forte tempête en milieu de semaine. Des coups de mer violents avaient provoqué des éboulements qui rendaient la promenade impraticable sur certains secteurs.

Manon hésita un instant et décida d'enjamber la barrière.

1992

Pointe sud du Cap d'Antibes. Le 1er octobre.

Le cœur allègre, Vinca Rockwell sautilla en passant devant la plage de la Joliette. Il était 10 heures du soir. Pour venir jusqu'ici depuis le lycée, elle avait réussi à convaincre une de ses copines d'hypokhâgne, qui avait un scooter, de la déposer chemin de la Garoupe.

En s'engageant sur le sentier des contrebandiers, elle sentit des papillons qui volaient dans le bas de son ventre. Elle allait retrouver Alexis. Elle allait retrouver son amour !

Le vent soufflait à décorner les bœufs, mais la nuit était si belle et le ciel si clair qu'on y voyait presque comme en plein jour. Vinca avait toujours adoré ce coin, parce qu'il était sauvage et ne ressemblait pas à l'image estivale galvaudée de la *French Riviera*. Sous le soleil, on était subjugué par l'éclat blanc et ocre des roches calcaires, et par les variations infinies de l'azur qui baignait les petites criques. Une fois, en regardant en direction des îles de Lérins, Vinca avait même aperçu des dauphins.

Par grand vent, comme ce soir, le paysage changeait radicalement. Les rochers escarpés devenaient dangereux, les oliviers et les pins semblaient se tordre de douleur, comme s'ils cherchaient à s'arracher du sol. Mais Vinca s'en fichait. Elle allait retrouver Alexis. Elle allait retrouver son amour !

2017

Bordel de merde !

Le talon d'un des escarpins de Manon venait de se briser net. Bon sang ! Avant d'aller à sa soirée, elle devrait repasser par son appartement et, demain, elle se ferait engueuler par son amie. Elle enleva les chaussures, les glissa dans son sac et continua à avancer pieds nus.

Elle suivait toujours le tracé étroit mais bétonné qui surplombait les falaises. L'air était pur et vivifiant. Le mistral avait éclairci la nuit et constellé le ciel d'étoiles.

La vue époustouflante s'étendait des remparts du vieil Antibes jusqu'à la baie de Nice en passant par les montagnes de l'arrière-pays. À l'abri, derrière les pins, se trouvaient certaines des plus belles propriétés de la Côte d'Azur. On entendait les vagues projeter leur écume et on sentait toute la force et la puissance des flots.

Dans le passé, le lieu avait été le théâtre d'accidents tragiques. La houle avait déjà emporté des pêcheurs, des touristes ou des amoureux qui venaient se bécoter au bord de l'eau. Sous le feu des critiques, les autorités avaient été contraintes de sécuriser le chemin en construisant des escaliers en dur, en balisant le passage et en installant des barrières qui limitaient les velléités des randonneurs de trop s'approcher du bord. Mais il suffisait que le vent se déchaîne quelques heures pour que le site redevienne très dangereux.

Manon arriva justement à un endroit où un pin d'Alep s'était abattu, faisant sauter le garde-corps de la rampe et obstruant le passage. Impossible d'aller plus loin. Elle pensa rebrousser chemin. Il n'y avait pas âme qui vive, ici. La force du mistral avait dissuadé les promeneurs.

Barre-toi, ma fille.

Elle s'immobilisa et écouta le mugissement du vent. Il charriait une sorte de plainte, à la fois proche et lointaine. Une menace sourde.

Bien qu'elle fût pieds nus, elle s'élança sur un rocher pour contourner l'obstacle et continua sa progression avec pour seul éclairage la torche de son téléphone.

Une masse sombre se dessinait en contrebas de la falaise. Manon plissa les yeux. Non, elle était trop loin pour la distinguer. Elle essaya de descendre avec une grande prudence. Il y eut un craquement. L'ourlet de sa robe en dentelle venait de se déchirer, mais elle n'y prêta pas attention. À présent, elle voyait la forme qui l'avait intriguée. C'était un corps. Le cadavre d'une femme, abandonné sur les rochers. Plus elle s'approchait, plus elle était saisie d'horreur. Ce n'était pas un accident. Le visage de la femme avait été fracassé pour n'être plus qu'une bouillie sanguinolente. *Mon Dieu.* Manon sentit que ses jambes ne la portaient plus et qu'elle était sur le point de s'effondrer. Elle déverrouilla son téléphone pour prévenir les secours. Il n'y avait pas de réseau, mais l'écran indiqua néanmoins : *Urgences uniquement*. Elle allait lancer l'appel lorsqu'elle se rendit compte qu'elle n'était pas seule. Un homme en larmes était assis un peu plus loin. Effondré, il sanglotait, le visage entre ses mains.

Manon était terrifiée. À cet instant, elle regretta de ne pas être armée. Elle s'approcha prudemment. L'homme se redressa. Lorsqu'il leva la tête, Manon le reconnut.

— C'est moi qui ai fait ça, dit-il en pointant du doigt le cadavre.

1992

Gracieuse et légère, Vinca Rockwell sautait sur les rochers. Le vent soufflait de plus en plus fort. Mais Vinca aimait ça. La houle, le danger, la griserie de l'air marin, les à-pics qui donnaient le vertige. Rien dans sa vie n'avait été aussi enivrant que sa rencontre avec Alexis. Un éblouissement profond et total. Une fusion des corps et des esprits. Même si elle vivait cent ans, rien ne pourrait jamais rivaliser avec ce souvenir. La perspective de revoir clandestinement Alexis, de faire l'amour au creux des rochers la bouleversait.

Elle sentait le vent tiède qui l'enveloppait tout entière, soufflait autour de ses jambes, soulevant les pans de sa robe, comme un prélude au corps à corps attendu. Le cœur qui s'emballe, la vague de chaleur qui vous emporte et vous secoue, le sang qui pulse, les palpitations qui font frémir chaque centimètre de votre corps.

Elle allait retrouver Alexis. Elle allait retrouver son amour !

Alexis était la tempête, la nuit, l'instant. Au fond d'elle-même, Vinca savait qu'elle faisait une connerie et que tout ça finirait mal. Mais pour rien au monde elle n'aurait échangé l'excitation de ce moment. L'attente, la folie de l'amour, le délice douloureux d'être emportée par la nuit.

— Vinca !

Soudain, la silhouette d'Alexis se détacha dans le ciel clair où brillait une lune pleine. Vinca fit quelques pas pour rejoindre l'ombre. Dans un clignement de paupières, il lui sembla presque pouvoir ressentir le plaisir à venir. Intense, brûlant, incontrôlable. Les corps qui se mélangent et se dissolvent jusqu'à se fondre dans les vagues et le vent. Les cris qui se mêlent à ceux des mouettes. Les convulsions, l'explosion qui terrasse, le flash blanc et aveuglant qui vous irradie et vous donne l'impression que tout votre être s'éparpille.

— Alexis !

Lorsque Vinca étreignit enfin l'objet de son amour, une voix intérieure lui chuchota à nouveau que tout finirait mal. Mais la jeune fille se foutait du futur. L'amour est tout ou il n'est rien.

Seul comptait l'instant présent.

La séduction brûlante et vénéneuse de la Nuit.

Hier et aujourd'hui

(*NICE-MATIN* – lundi 8 mai 2017)

Le lycée international Saint-Exupéry fête son 50ᵉ anniversaire

L'établissement phare de la technopole de Sophia Antipolis soufflera ses 50 bougies le week-end prochain.

Créé en 1967 par la Mission laïque française pour scolariser les enfants d'expatriés, le lycée international est un établissement atypique sur la Côte d'Azur. Réputé pour l'excellence de son niveau, il est organisé autour d'un enseignement en langues étrangères. Ses sections bilingues permettent d'obtenir des diplômes internationaux et accueillent aujourd'hui près de mille élèves français et étrangers. Les festivités débuteront le vendredi 12 mai avec une journée portes ouvertes au cours de laquelle les élèves et le personnel enseignant présenteront leurs créations artistiques – expositions de photos, films, animations théâtrales – réalisées à l'occasion de cet événement.

La fête se poursuivra le lendemain à midi avec un cocktail rassemblant les anciens élèves et personnels de l'école. Au cours de cette cérémonie sera posée la première pierre d'un nouvel édifice baptisé la « Tour de verre », qui s'élèvera sur cinq étages en lieu et place de l'actuel gymnase, lequel sera rasé très prochainement. Ce bâtiment ultramoderne sera destiné à accueillir les élèves des classes préparatoires aux grandes écoles (CPGE). Et les promotions 1990-1995 auront l'honneur d'être les derniers utilisateurs du gymnase, le soir même, lors de la « boum des anciens ».

À l'occasion de cet anniversaire, la proviseure du lycée, Mme Florence Guirard, espère que le maximum de monde se joindra à la commémoration. « J'invite chaleureusement tous les anciens élèves et les membres du personnel à venir partager ce moment de convivialité. Les échanges, les retrouvailles, les souvenirs nous rappellent d'où l'on vient et sont indispensables pour savoir où l'on va », poursuit la proviseure dans une formulation un peu galvaudée avant de préciser qu'un groupe Facebook a été créé spécialement pour l'occasion.

Stéphane Pianelli

FOREVER YOUNG

1

Coca-Cola Cherry

*Quand on est assis dans un avion
qui s'écrase, on a beau attacher sa
ceinture, ça ne sert à rien.*
Haruki MURAKAMI

1.

Sophia Antipolis
Samedi 13 mai 2017

Je garai la voiture de location sous les pins, près de la station-service, à trois cents mètres de l'entrée du lycée. J'étais venu directement de l'aéroport après un vol New York-Nice pendant lequel je n'avais pas fermé l'œil.

La veille, j'avais quitté précipitamment Manhattan après avoir reçu par mail un article évoquant le cinquantième anniversaire de mon ancien lycée. Le courrier m'avait été envoyé via la messagerie de ma maison d'édition par Maxime Biancardini, qui était autrefois mon meilleur ami, mais que je n'avais pas vu depuis vingt-cinq ans. Il m'avait laissé un numéro de portable que j'avais hésité à composer avant d'admettre que je ne pouvais guère faire autrement.

— Tu as lu l'article, Thomas ? m'a-t-il demandé presque sans préambule.

— C'est pour ça que je t'appelle.

— Tu sais ce que ça signifie ?

Sa voix résonnait des intonations autrefois familières, mais elles étaient déformées par la fébrilité, l'urgence et la peur.

Je n'ai pas tout de suite répondu à sa question. Oui, je savais ce que cela signifiait. Que c'était la fin de nos existences telles que nous les avions connues. Que nous allions passer la prochaine partie de notre vie derrière des barreaux.

— Il faut que tu viennes sur la Côte d'Azur, Thomas, me lança Maxime au bout de quelques secondes de silence. Il faut que l'on mette au point une stratégie pour éviter ça. Il faut que l'on tente quelque chose.

J'ai fermé les yeux en mesurant les conséquences de ce qui allait se passer : l'ampleur du scandale, ses implications judiciaires, l'onde de choc se répercutant sur nos familles.

Au fond de moi, j'avais toujours su qu'il existait une probabilité pour que ce jour arrive. J'avais vécu près de vingt-cinq ans – ou fait semblant de vivre – avec cette épée de Damoclès au-dessus de la tête. Régulièrement, au milieu de la nuit, je me réveillais en sueur en repensant aux événements qui s'étaient déroulés à l'époque et à la perspective qu'on puisse un jour les découvrir. Ces nuits-là, j'avalais un Lexomil avec une lampée de Karuizawa, mais il était rare que je parvienne à me rendormir.

— Il faut que l'on tente quelque chose, répéta mon ami.

Je savais qu'il se berçait d'illusions. Car cette bombe qui menaçait de ravager le cours de nos existences, c'est nous qui en avions été les artificiers, un soir de décembre 1992.

Et nous savions tous les deux qu'il n'y avait aucun moyen de la désamorcer.

2.

Après avoir verrouillé les portières, je fis quelques pas jusqu'à la station d'essence. C'était une sorte de General Store à l'américaine que tout le monde appelait « chez Dino ». Derrière les pompes à carburant s'élevait une construction en bois peint, un bâtiment de style colonial qui abritait une petite boutique et un café agréable, avec une grande terrasse courant sous un auvent.

Je poussai la porte à battant. L'endroit n'avait pas tellement changé et possédait toujours un petit côté hors du temps. Au fond du magasin, des tabourets haut perchés entouraient un comptoir en bois cérusé au bout duquel des cloches de verre servaient d'écrin à des gâteaux colorés. Dans le reste de la salle se déployaient des banquettes et des tables qui s'échappaient jusque sur la terrasse. Sur le mur étaient accrochées des plaques en émail représentant de vieilles réclames pour des marques aujourd'hui disparues, ainsi que des affiches de la Riviera des Années folles. Pour installer plus de tables, on avait retiré le billard et les jeux d'arcade qui avaient tant de fois écorné mon argent de poche : *Out Run, Arkanoid, Street Fighter II.* Seul le baby-foot avait survécu, un vieux Bonzini de compétition au tapis usé jusqu'à la corde.

Mes mains ne purent s'empêcher de caresser le caisson du baby en hêtre massif. À cette même place, avec Maxime, nous avions refait pendant des heures tous les grands matchs de l'OM. Les images me revenaient en vrac : le triplé de Papin lors de la coupe de France 1989 ; la main de Vata contre Benfica ; l'extérieur pied droit de Chris Waddle contre le Milan AC, ce fameux soir où l'éclairage du Vélodrome avait disjoncté. Malheureusement, nous n'avions pas fêté ensemble la victoire que nous avions tant attendue – le sacre de la Ligue des champions en 1993. À cette date, j'avais déjà quitté la Côte d'Azur pour poursuivre mes études dans une école de commerce à Paris.

Je me laissai gagner par l'ambiance du café. Maxime n'était pas le seul avec lequel j'avais l'habitude de venir ici après les cours. Mes souvenirs les plus marquants étaient associés à Vinca Rockwell, la fille dont j'étais amoureux à l'époque. La fille dont tous les garçons étaient amoureux à l'époque. C'était hier. C'était il y a une éternité.

En avançant vers le comptoir, je sentais les poils de mes bras se hérisser à mesure que des instantanés se précisaient dans ma mémoire. Je me souvenais du rire clair de Vinca, de ses dents de la chance, de ses robes légères, de sa beauté paradoxale, du regard distancié qu'elle affectait de vouloir poser sur les choses. Je me souvenais que chez Dino, Vinca buvait en été du Cherry Coke alors que, l'hiver, elle commandait des tasses de chocolat chaud avec des petits Chamallows qui flottaient à la surface.

— J'vous sers quelque chose?

Je n'en crus pas mes yeux : le café était toujours tenu par le même couple italo-polonais – les Valentini – et, dès que je les aperçus, leurs prénoms me revinrent. Dino (bien sûr…) avait interrompu son nettoyage de la machine à expresso pour me parler, tandis qu'Hannah feuilletait le journal local. Il avait pris du poids et perdu ses cheveux, elle avait perdu sa blondeur et pris des rides. Mais avec le temps leur couple semblait mieux assorti. C'était l'effet normalisateur de la vieillesse : elle fanait les beautés trop éclatantes et donnait parfois de la patine et du lustre à des physiques plus banals.

— Je vais prendre un café, s'il vous plaît. Un double expresso.

Je laissai flotter quelques secondes, puis je provoquai le passé en convoquant le fantôme de Vinca :

— Et un Cherry Coke avec une paille et des glaçons.

Un instant, je crus que l'un des Valentini allait me reconnaître. Mon père et ma mère avaient été proviseurs de Saint-Ex entre 1990 et 1998. Lui s'occupait du lycée et elle des classes prépas et, à ce titre, ils bénéficiaient d'un logement de fonction dans l'enceinte du campus. J'étais donc souvent fourré ici. Contre quelques parties gratuites de *Street Fighter*, j'avais parfois aidé Dino à ranger sa cave ou à préparer ses fameuses *frozen custards* dont il tenait la recette de son père. Alors que sa femme avait toujours les yeux rivés à son journal, le vieil Italien encaissa ma monnaie et me tendit mes boissons, mais aucune étincelle n'illumina son regard fatigué.

La salle était aux trois quarts vide, ce qui était étonnant, même pour un samedi matin. Saint-Ex comptait beaucoup d'internes et, à mon époque, une bonne partie d'entre eux restaient au lycée le weekend. J'en profitai pour me diriger vers la table que Vinca et moi préférions : la dernière au bout de la terrasse, sous les branches odorantes des pins. Comme les astres se reconnaissent entre eux, Vinca choisissait toujours la chaise qui faisait face au soleil. Avec mon plateau dans les mains, je m'assis à ma place habituelle, celle qui tournait le dos aux arbres. J'attrapai ma tasse de café et posai le verre de Cherry Coke devant la chaise vide.

Le haut-parleur diffusait un vieux tube de R.E.M., *Losing my Religion*, dont la plupart des gens croyaient qu'il parlait de foi, alors qu'il évoquait simplement les tourments d'un amour douloureux et unilatéral. Le désarroi d'un garçon qui criait à la fille qu'il aimait : « *Hey*, regarde, je suis là ! Pourquoi ne me vois-tu pas ? » Un condensé de l'histoire de ma vie.

Un petit vent faisait trembler les branches, le soleil poudroyait sur les lattes du plancher. Pendant quelques secondes, la magie opéra et me projeta au début des années 1990. Devant moi, sous la lumière vernale qui transperçait les branchages, le fantôme de Vinca s'anima et l'écho de nos discussions passionnées revint à mes oreilles. Je l'entendais me parler avec ferveur de *L'Amant* et des *Liaisons dangereuses*. Je lui répondais en évoquant *Martin Eden* et *Belle du Seigneur*. C'est à cette même table que nous avions l'habitude de parler pendant des heures des films que nous avions vus le mercredi après-midi au Star, à Cannes, ou au Casino d'Antibes. Elle s'enthousiasmait pour *La Leçon de piano* et *Thelma et Louise*, j'aimais *Un cœur en hiver* et *La Double Vie de Véronique*.

La chanson toucha à sa fin. Vinca chaussa ses Ray-Ban, aspira à la paille une gorgée de son Coca et me fit un clin d'œil derrière ses verres colorés. Son image s'étiola jusqu'à disparaître tout à fait, mettant un terme à notre parenthèse enchantée.

Nous n'étions plus dans la chaleur insouciante de l'été 1992. J'étais tout seul, triste et essoufflé, en train de courir après les chimères de ma jeunesse perdue. Ça faisait vingt-cinq ans que je n'avais pas revu Vinca.

Vingt-cinq ans d'ailleurs que *personne* ne l'avait revue.

3.

Le dimanche 20 décembre 1992, Vinca Rockwell, dix-neuf ans, s'était enfuie à Paris avec Alexis Clément, son professeur de philosophie âgé de vingt-sept ans, avec qui elle entretenait une relation secrète. On les avait aperçus une dernière fois tous les deux, le lendemain matin, dans un hôtel du septième arrondissement, près de la basilique Sainte-Clotilde. Puis on avait perdu toute trace de leur présence dans la capitale. Plus jamais ils ne s'étaient manifestés, plus jamais ils n'avaient contacté leur famille ni leurs amis. Ils s'étaient littéralement évaporés.

Voilà pour la version officielle.

Je sortis de ma poche l'article de *Nice-Matin* que j'avais déjà parcouru une centaine de fois. Sous une apparence banale, il contenait une information dont les conséquences dramatiques allaient remettre en cause ce que tout le monde connaissait de cette affaire. On ne jure aujourd'hui que par la *vérité* et la *transparence*, mais la vérité est rarement ce qu'elle semble être et, dans ce cas précis, elle n'allait apporter ni apaisement, ni travail de deuil, ni véritable justice. La vérité n'allait charrier avec elle que le malheur, la chasse à l'homme et la calomnie.

— Oh ! Pardon, m'sieu !

En courant entre les tables, un lycéen mal dégrossi venait de faire valser le verre de Coca d'un coup de sac à dos. Un réflexe me permit de rattraper le récipient à la volée avant qu'il ne se brise. Avec plusieurs serviettes en papier, j'épongeai la surface de la table, mais le soda avait éclaboussé mon pantalon. Je traversai le café vers les toilettes. Il me fallut cinq bonnes minutes pour faire disparaître les taches et à peu près autant pour sécher complètement le vêtement. Mieux valait éviter de me pointer à la réunion des anciens élèves en laissant croire à tout le monde que je m'étais pissé dessus.

Puis je regagnai ma place pour récupérer ma veste accrochée au dos de ma chaise. Quand je jetai un coup d'œil sur la table, je sentis mon cœur s'accélérer. En mon absence, quelqu'un avait plié en deux la photocopie de l'article et posé dessus une paire de lunettes de soleil. Des Ray-Ban Clubmaster aux verres colorés. Qui m'avait joué cette mauvaise blague ? Je regardai autour de moi. Dino parlait avec un type près des postes à essence. Hannah arrosait ses géraniums de l'autre côté de la terrasse. À part les trois éboueurs qui prenaient leur pause, attablés au comptoir, les rares clients étaient des lycéens qui travaillaient devant leur MacBook ou chattaient sur leur téléphone portable.

Merde...

Il me fallut prendre les lunettes en main pour admettre que ce n'était pas une hallucination. Lorsque je les soulevai, je remarquai qu'on avait annoté la coupure de journal. Un simple mot tracé d'une écriture ronde et appliquée :

Vengeance.

2

Le premier de la classe
et les *bad boys*

Qui contrôle le passé contrôle l'avenir.
Aldous HUXLEY

1.

Paint It Black, No Surprises, One...

Dès l'entrée du campus, l'orchestre de l'école accueillait les visiteurs en reprenant des refrains des Stones, de Radiohead et de U2. La musique – aussi atroce qu'entraînante – vous accompagnait jusqu'au cœur du lycée, la place des Marronniers, où devaient se dérouler les réjouissances de la matinée.

À cheval sur plusieurs communes (dont Antibes et Valbonne) et souvent présentée comme la Silicon Valley française, Sophia Antipolis était un écrin de verdure au sein d'une Côte d'Azur trop bétonnée. Des milliers de start-up et de grands groupes spécialisés dans des secteurs de pointe avaient élu domicile sur ses deux mille hectares de pinède. L'endroit avait des atouts pour attirer les cadres du monde entier : un soleil radieux les trois quarts de l'année, la proximité de la grande bleue et des stations de ski du Mercantour, de nombreux équipements sportifs et des écoles internationales de qualité, dont le lycée Saint-Exupéry était justement le fer de lance. Le sommet de la pyramide éducative des Alpes-Maritimes. L'établissement dans lequel chaque parent espérait pouvoir un jour inscrire sa progéniture, confiant dans l'avenir promis par la devise de l'école : « *Scientia potestas est.* »

Après avoir dépassé la guérite du gardien, je longeai le complexe administratif et la salle des professeurs. Construits au milieu des années 1960, les bâtiments actuels de la cité scolaire commençaient à vieillir, mais l'ensemble du site restait exceptionnel. L'architecte qui l'avait conçu avait intelligemment tiré parti du cadre naturel unique du plateau de Valbonne. En ce samedi matin, l'air y était doux et le ciel bleu turquin. Entre pinède et garrigue, entre parois rocheuses et relief accidenté, les cubes et les parallélépipèdes d'acier, de béton et de verre s'intégraient harmonieusement au paysage vallonné. En contrebas, autour d'un grand lac et à demi cachés par les arbres, s'élevaient de petits immeubles colorés de deux étages. Les bâtiments de l'internat dont chaque unité portait le nom d'un artiste ayant séjourné sur la Côte d'Azur : Pablo Picasso, Marc Chagall, Nicolas de Staël, Francis Scott Fitzgerald, Sidney Bechet, Graham Greene...

Entre ma quinzième et ma dix-neuvième année, j'avais vécu ici, dans le logement de fonction qu'occupaient alors mes parents. Les souvenirs de cette époque étaient encore vivaces. En particulier l'émerveillement que je ressentais chaque matin en me réveillant face à la forêt de pins. De ma chambre d'adolescent, on avait la même vue d'enfer que je contemplais aujourd'hui : la surface étincelante du lac, son ponton en bois et ses hangars à bateaux. Après deux décennies passées à New York, j'avais fini par me faire croire que je préférais le ciel bleu électrique de Manhattan au chant du mistral et des cigales, l'énergie de Brooklyn et de Harlem à l'odeur des eucalyptus et de la lavande. *Mais au fond, est-ce toujours vrai ?* me demandai-je en contournant l'Agora (un bâtiment de verre construit au tout début des années 1990 autour de la bibliothèque et qui abritait plusieurs amphithéâtres, ainsi qu'une salle de cinéma). Puis j'arrivai devant les salles de classe historiques, des constructions en brique rouge d'influence gothique qui rappelaient certaines universités américaines. Ces bâtisses étaient totalement anachroniques et en décalage avec la cohérence architecturale de l'ensemble, mais elles avaient toujours fait la fierté de Saint-Ex, donnant à l'école une patine Ivy League, et aux parents d'élèves la fierté d'envoyer leurs rejetons dans le Harvard local.

— Alors, Thomas Degalais, on cherche l'inspiration pour son prochain roman ?

2.

La voix derrière moi me surprit et je fis volte-face pour découvrir le visage hilare de Stéphane Pianelli. Cheveux longs, barbichette de mousquetaire, lunettes rondes à la John Lennon et sac besace porté en bandoulière : le journaliste de *Nice-Matin* avait la même dégaine que lorsqu'il était étudiant. Seule concession à l'époque, le tee-shirt qu'il arborait sous son gilet sans manches de reporter était orné du célèbre *Phi*, le symbole de La France insoumise, le parti de Jean-Luc Mélenchon.

— Salut Stéphane, répondis-je en lui serrant la main.

Nous fîmes quelques pas ensemble. Pianelli avait le même âge que moi, et comme moi, c'était un enfant du pays. Nous avions été dans la même classe jusqu'à la terminale. Je me souvenais de lui comme d'une grande gueule, un brillant orateur avec un sens du syllogisme qui mettait souvent en difficulté nos enseignants. C'était l'un des rares élèves du lycée à avoir une conscience politique. Après le bac, alors que ses résultats lui permettaient de suivre une prépa Sciences-Po à Saint-Ex, il avait préféré continuer sa scolarité à la faculté de lettres de Nice. Une fac que mon père considérait comme « une usine à chômeurs » et ma mère, plus radicale encore, comme « un ramassis de branleurs gauchistes ». Mais Pianelli avait toujours assumé son côté frondeur. À Carlone – le campus de lettres –, il avait louvoyé entre MNEF et MJS et connu sa première heure de gloire un soir de printemps 1994, lors de l'émission de France 2, *Demain les jeunes*. Présenté par Michel Field, le direct avait donné la parole pendant plus de deux heures à des dizaines d'étudiants hostiles au CIP, le fameux « SMIC jeune » que cherchait à leur imposer le gouvernement Balladur. J'avais revu l'émission récemment sur le site de l'INA et j'avais été frappé par l'aplomb de Pianelli. On lui avait donné le micro à deux reprises et il s'en était servi pour interpeller et envoyer dans les cordes des personnalités aussi aguerries qu'Alain Madelin et Bernard Tapie. Une vraie tête de mule qui ne se laissait impressionner par personne.

— Ton avis sur l'élection de Macron ? me demanda-t-il tout à trac. (Il était donc resté intarissable sur la politique.) C'est une bonne nouvelle pour les gens comme toi, n'est-ce pas ?

— Les écrivains ?

— Non, les sales riches ! répondit-il l'œil brillant.

Pianelli était chambreur, souvent de mauvaise foi, mais je l'aimais bien quand même. C'était le seul élève de Saint-Ex que j'avais revu fréquemment, car il m'interviewait pour son journal chaque fois que je sortais un roman. À ma connaissance, il n'avait jamais eu l'ambition de faire carrière dans la presse nationale, il préférait rester un journaliste tout-terrain, un « couteau suisse », comme il se qualifiait lui-même. À *Nice-Matin*, il pouvait écrire sur tout ce qu'il voulait – la politique, la culture, la vie de la cité – et il appréciait cette liberté au-delà de tout. S'assumer comme un chasseur de scoops à la plume redoutée ne l'empêchait pas de garder une certaine objectivité. Je lisais toujours avec intérêt ses comptes rendus de mes romans, car il savait lire entre les lignes. Ses articles n'étaient pas systématiquement élogieux, mais même lorsqu'il avait des réserves, Pianelli n'oubliait pas que derrière un roman – et on pouvait dire la même chose d'un film ou d'une pièce de théâtre – se trouvaient souvent des années de travail, de doute, de remise en question que l'on pouvait critiquer, mais qu'il était cruel et vaniteux d'exécuter en quelques lignes. « Le roman le plus médiocre a sans doute plus de valeur que la critique qui le dénonce comme tel », m'avait-il d'ailleurs confié un jour en adaptant à la littérature la célèbre formule d'Anton Ego, le critique gastronomique du film *Ratatouille*.

— Blague à part, qu'est-ce que tu viens faire ici, l'artiste ?

En donnant l'impression de ne pas y toucher, le journaliste reniflait le terrain, lançait des perches et allait me travailler au corps. Il connaissait des bribes de mon passé. Peut-être sentait-il ma nervosité alors que je triturais dans ma poche les lunettes jumelles de celles de Vinca et la menace que l'on m'avait adressée un quart d'heure plus tôt.

— Ça ne fait jamais de mal de revenir vers ses racines, non ? Avec l'âge, on…

— Arrête ton baratin, me coupa-t-il en ricanant. Cette réunion d'anciens élèves, c'est tout ce que tu détestes, Thomas. Regarde-toi, avec ta chemise Charvet et ta Patek Philippe. Ne me fais pas croire que tu as pris un avion depuis New York pour venir chanter le générique de *Goldorak* en bouffant des Malabar avec des mecs que tu méprises.

— Là, tu te trompes. Je ne méprise personne.

Et c'était la vérité.

Le journaliste me dévisagea, sceptique. Imperceptiblement, son regard avait changé. Ses yeux brillaient comme s'il avait ferré quelque chose.

— J'ai compris, finit-il par me dire en hochant la tête. Tu es venu ici parce que tu as lu mon article !

Sa question me coupa la respiration, comme s'il venait de me balancer un direct à l'estomac. Comment pouvait-il être au courant ?

— De quoi tu parles, Stéphane ?

— Ne fais pas l'innocent.

J'affectai de prendre un ton léger :

— J'habite à TriBeCa. C'est le *New York Times* que je lis en buvant mon café. Pas ta feuille de chou locale. À quel article fais-tu allusion ? À celui qui annonçait les cinquante ans du bahut ?

À voir sa grimace et ses sourcils froncés, nous ne parlions pas de la même chose. Mais mon soulagement fut de courte durée, car il me balança :

— Je fais allusion à l'article sur Vinca Rockwell.

Cette fois, la surprise me figea.

— Donc, c'est vrai, tu n'es pas au courant ! conclut-il.

— Mais au courant de quoi, bordel ?

Pianelli hocha la tête et sortit son bloc-notes de sa besace.

— Il faut que j'aille bosser, dit-il alors que nous arrivions sur la grand-place. J'ai un article à écrire pour la feuille de chou locale, moi.

— Attends, Stéphane !

Content de son effet, le journaliste m'abandonna en m'adressant un petit signe de la main :

— On se reparle plus tard.

Dans ma poitrine, mon cœur battait la chamade. Une chose était certaine : je n'étais pas au bout de mes surprises.

3.

La place des Marronniers vibrait au rythme de l'orchestre et des discussions en petits groupes qui allaient bon train. S'il y avait bien eu des arbres majestueux ici autrefois, ils avaient depuis longtemps été décimés par un parasite. La place avait gardé son nom, mais était à présent plantée de palmiers des Canaries dont la silhouette gracieuse évoquait les vacances et le *farniente*. Sous de grandes tentes en drap écru, on avait dressé un buffet, installé des rangées de chaises et tendu des guirlandes fleuries. Sur l'esplanade, noire de monde, un ballet de serveurs en canotier et marinière s'affairait à ravitailler les invités en boissons.

J'attrapai une coupe sur un plateau, y trempai mes lèvres et balançai presque immédiatement la mixture dans un bac à fleurs. En guise de cocktail maison, la direction n'avait rien trouvé de mieux que de proposer une eau de coco dégueulasse mélangée à du *iced tea* au gingembre. Je m'approchai du buffet. Là encore, on avait visiblement opté pour une version *light* des agapes. On se serait cru en Californie ou dans certains endroits de Brooklyn où sévissait le règne du *healthy*. Oubliés les farcis niçois, les beignets de fleurs de courgettes et la pissaladière de Veziano. Il n'y avait que de tristes légumes en tranches, des verrines à la crème allégée et des toasts au fromage certifiés sans gluten.

Je m'éloignai des tréteaux pour m'asseoir en haut des grandes marches en béton ciré qui encerclaient une partie de la place, façon auditorium. Je chaussai mes lunettes de soleil et, à l'abri depuis mon poste d'observation, je contemplai mes condisciples avec curiosité.

Ils se congratulaient, se donnaient des tapes dans le dos, s'embrassaient, se montraient les plus belles photos de leurs bambins ou de leurs ados, s'échangeaient leurs mails, leurs numéros de portable, s'ajoutaient à leur liste d'«amis» sur les réseaux sociaux. Pianelli n'avait pas tort : j'étais extérieur à tout ça. Incapable même de faire semblant. D'abord, parce que je n'éprouvais aucune nostalgie envers mes années lycée. Ensuite, parce que j'étais fondamentalement un solitaire, ayant toujours un livre dans la poche, mais pas de compte

47

Facebook, un rabat-joie pas très adapté aux attentes d'une époque adepte des boutons *Like*. Enfin, parce que le temps qui passe ne m'avait jamais angoissé. Je n'avais pas flippé lorsque j'avais soufflé mes quarante bougies ni quand des fils d'argent avaient commencé à fleurir sur mes tempes. Pour être honnête, j'ai même été impatient de vieillir, parce que cela signifiait mettre de la distance avec un passé qui, loin d'être un paradis perdu, m'apparaissait comme l'épicentre d'un drame que j'avais fui toute ma vie.

4.

Première constatation en scrutant les anciens élèves : la plupart de ceux qui avaient fait le déplacement évoluaient dans ces milieux aisés où l'on veillait à ne pas trop prendre de poids. La calvitie par contre était le fléau numéro un chez les hommes. *N'est-ce pas, Nicolas Dubois ?* Lui avait raté ses implants. Alexandre Musca essayait de cacher sa tonsure sous une longue mèche rabattue sur le haut de son crâne. Quant à Romain Roussel, il avait carrément choisi de se raser la tête.

J'étais agréablement surpris par ma mémoire : parmi les invités de ma génération, je pouvais mettre un nom sur presque tous les visages. De loin, c'était drôle à regarder. Parfois même fascinant tant, pour certains, l'événement semblait avoir un goût de revanche sur le passé. Manon Agostini par exemple. La lycéenne ingrate et timide était devenue une jolie femme qui s'exprimait avec assurance. Christophe Mirkovic avait subi la même métamorphose. Le *nerd*, comme on ne disait pas encore à l'époque, n'avait plus rien du souffre-douleur acnéique et lunaire que j'avais gardé en mémoire, et j'en étais ravi pour lui. À l'américaine, il étalait sa réussite sans complexe, vantait les mérites de sa Tesla, parlait anglais avec sa petite amie de vingt ans sa cadette, qui captait beaucoup de regards.

Éric Lafitte en revanche avait bien morflé. Je m'en souvenais comme l'incarnation d'un demi-dieu. Une sorte d'ange brun : Alain Delon dans *Plein soleil*. Aujourd'hui, Éric the King était devenu un bonhomme triste et ventripotent, au visage grêlé, plus proche d'Homer Simpson que de l'acteur de *Rocco et ses frères*.

Kathy et Hervé Lesage étaient venus main dans la main. Ils étaient sortis ensemble en première S et s'étaient mariés à la fin de leurs études. Kathy (diminutif donné par son mari) s'appelait en réalité Katherine Laneau. Je me souvenais de ses jambes sublimes – qu'elle avait sans doute toujours, même si elle avait troqué sa minijupe écossaise contre un tailleur-pantalon – et de l'anglais parfait, très littéraire, qu'elle parlait alors. Je m'étais souvent demandé comment une fille pareille avait pu tomber amoureuse d'Hervé Lesage. Surnommé Régis – c'était la grande époque de *Les Nuls*, *l'émission* et de leur mantra « Régis est un con » –, Hervé avait un physique quelconque, un petit pois dans la tête, lançait des remarques malvenues,

49

posait aux profs des questions à côté de la plaque et, surtout, ne semblait pas se rendre compte que sa copine avait cent fois plus de classe qu'il n'en aurait jamais. Vingt-cinq ans plus tard, avec son blouson en daim et sa mine satisfaite, «Régis» avait toujours l'air aussi con. Pour aggraver son cas, il était venu avec une casquette du PSG. *No comment.*

Mais, question garde-robe, c'était Fabrice Fauconnier qui détenait la palme. Pilote de ligne à Air France, «Faucon» arborait son uniforme de commandant de bord. Je le regardais parader au milieu des chevelures blondes, des talons hauts et des seins refaits. L'ancien beau gosse ne s'était pas laissé aller : sa carrure restait athlétique, mais sa tignasse argentée, son regard insistant et sa vanité évidente lui collaient déjà l'étiquette de «vieux beau». Quelques années auparavant, je l'avais croisé sur un vol moyen-courrier. Comme si j'avais encore cinq ans, il avait cru me faire plaisir en m'invitant dans le cockpit pour la phase d'atterrissage...

5.

— Oh purée, il a pris cher «Faucon»!

Fanny Brahimi m'adressa un clin d'œil et m'embrassa chaleureusement. Elle aussi avait bien changé. D'origine kabyle, c'était une petite blonde aux yeux clairs et aux cheveux courts, juchée sur de jolis escarpins, les jambes moulées dans un jean ajusté. Les deux boutons défaits de son chemisier laissaient deviner la naissance de ses seins et son trench-coat cintré allongeait sa silhouette. Dans une autre vie, je l'avais connue en apôtre du *grunge*, traînant ses Doc Martens au cuir usé, noyée dans des chemises de bûcheron informes, des cardigans rapiécés et des 501 déchirés.

Plus débrouillarde que moi, Fanny était parvenue à trouver une coupe de champagne.

— Par contre, je n'ai pas réussi à dégotter du pop-corn, me dit-elle en s'asseyant sur la marche à côté de moi comme si nous allions assister à la projection d'un film.

Comme quand elle était lycéenne, elle portait autour du cou un appareil photo – un Leica M – et commença à prendre des clichés de la foule.

Je connaissais Fanny depuis toujours. Maxime, elle et moi avions été ensemble à l'école primaire du quartier de la Fontonne, celle que l'on appelait également la «vieille école» avec ses beaux bâtiments Troisième République, par opposition aux préfabriqués de l'école René-Cassin que la ville d'Antibes avait ouverte plus tard. Pendant notre adolescence, Fanny avait été pour moi une amie proche. C'était la première fille avec laquelle j'étais sorti, au collège, en classe de troisième. Un samedi après-midi, nous étions allés voir *Rain Man* au cinéma et au retour, dans le bus qui nous ramenait à la Fontonne, alors que nous avions chacun un des écouteurs de mon Walkman dans une oreille, nous avions échangé quelques baisers maladroits. Quatre ou cinq patins entre *Puisque tu pars* et *Pourvu qu'elles soient douces*. Nous étions sortis ensemble jusqu'en première, et puis nous nous étions éloignés, tout en restant amis. Elle faisait partie de ces filles mûres et libérées qui, à partir de la terminale, avaient commencé à coucher à droite à gauche sans s'attacher à personne. C'était rare à Saint-Ex, et beaucoup la condamnaient. Moi je l'avais toujours respectée, tant elle m'apparaissait comme l'incarnation d'une certaine forme de liberté. C'était une amie de Vinca, une élève brillante et une fille gentille, trois qualités qui me la rendaient chère. Après ses études de médecine, elle avait beaucoup bourlingué entre médecine de guerre et missions humanitaires. Je l'avais revue par hasard, quelques années plus tôt, dans un hôtel de Beyrouth où j'assistais au Salon du livre francophone, et elle m'avait confié son intention de rentrer en France.

— Tu as repéré d'anciens profs ? me demanda-t-elle.

D'un signe du menton, je lui désignai M. N'Dong, M. Lehmann ainsi que Mme Fontana, profs respectivement de maths, de sciences physiques et de sciences nat.

— Une belle brochette de sadiques, lâcha Fanny en les prenant en photo.

— Sur ce point, je ne peux pas te donner tort. Tu travailles à Antibes ?

Elle hocha la tête.

— Depuis deux ans, je bosse en cardiologie à l'hôpital de la Fontonne. J'y soigne ta mère. Elle ne te l'a pas dit ?

À mon silence, elle comprit que je n'étais pas au courant.

— Elle est suivie depuis son petit infarctus, mais ça va bien, assura Fanny.

Je tombais des nues.

— Ma mère et moi, c'est compliqué, dis-je pour évacuer le sujet.

— C'est ce que disent tous les garçons, non? demanda-t-elle sans chercher à en savoir davantage.

Puis elle pointa du doigt une autre enseignante.

— Elle, elle était cool! s'exclama-t-elle.

Il me fallut un moment pour la reconnaître. Mlle DeVille, une prof américaine qui enseignait la littérature anglaise en prépa littéraire.

— En plus, elle est encore canon! souffla Fanny. On dirait Catherine Zeta-Jones!

Mlle DeVille mesurait un bon mètre quatre-vingts. Chaussée de talons hauts, sanglée dans un pantalon de cuir et une veste sans col, elle avait des cheveux longs et raides qui tombaient sur ses épaules comme des baguettes. Avec son physique svelte et élancé, elle paraissait plus jeune que certaines de ses anciennes élèves. Quel âge avait-elle lorsqu'elle était arrivée à Saint-Ex? Vingt-cinq ans? Trente tout au plus. Comme j'étais en prépa scientifique, je ne l'avais jamais eue comme prof, mais je me souvenais qu'elle était très appréciée par ses élèves, en particulier par certains garçons qui lui vouaient une sorte de dévotion.

Pendant quelques minutes, Fanny et moi continuâmes à observer nos anciens condisciples en évoquant nos souvenirs. En l'écoutant, je me rappelai pourquoi j'avais toujours apprécié cette fille. Elle dégageait quelque chose de positif et d'énergique. Et elle avait de l'humour, ce qui ne gâchait rien. Pourtant, elle n'avait pas eu un début facile dans l'existence. Sa mère était une jolie blonde à la peau mate et au regard à la fois doux et tueur qui travaillait comme vendeuse à Cannes, dans un magasin de fringues de la Croisette. Quand nous étions au CP, elle avait quitté son mari et ses trois enfants pour suivre son patron en Amérique du Sud. Avant d'être admise en internat à Saint-Ex, Fanny avait vécu presque dix ans avec son père, paralysé après un accident de travail sur un chantier. Avec ses deux frères aînés – qui n'étaient pas franchement des lumières –, ils habitaient dans une HLM décrépite du boulevard du Val-Claret. Pas le genre d'endroit qui figurait sur les guides touristiques d'Antibes-Juan-les-Pins.

La cardiologue lâcha encore quelques missiles, faciles mais réjouissants («Étienne Labitte, il a gardé sa tête de gland»), puis me dévisagea avec un drôle de sourire aux lèvres.

— La vie a redistribué certains rôles, mais toi, tu es toujours le même.

Elle me pointa dans le viseur de son Leica et captura mon portrait en continuant sa tirade :

— Le premier de la classe, BCBG, propre sur lui, avec sa belle veste en flanelle et sa chemise bleu ciel.

— Venant de toi, je comprends bien que ce n'est pas un compliment.

— Détrompe-toi.

— Les filles n'aiment que les *bad boys*, non ?

— À seize ans, oui. Pas à quarante !

Je haussai les épaules, plissai les yeux et mis ma main en visière pour me protéger du soleil.

— Tu cherches quelqu'un ?

— Maxime.

— Notre futur député ? J'ai fumé une clope avec lui du côté du gymnase, là où doit avoir lieu notre soirée de promo. Il n'avait pas l'air pressé de venir faire campagne. Putain, t'as vu la gueule d'Aude Paradis ? Complètement décalquée, la pauvre ! T'es sûr qu'il n'y a pas de pop-corn, Thomas ? Je pourrais rester des heures, assise ici. C'est presque aussi bien que *Game of Thrones* !

Mais son enthousiasme fut subitement douché lorsqu'elle aperçut deux employés en train d'installer une petite estrade et un micro.

— *Sorry*, je vais zapper les discours officiels, m'annonça-t-elle en se mettant debout.

De l'autre côté des gradins, Stéphane Pianelli prenait des notes, en pleine conversation avec le sous-préfet. Lorsqu'il croisa mon regard, le journaliste de *Nice-Matin* m'adressa un signe de la main qui devait signifier quelque chose comme « *Bouge pas, j'arrive* ».

Fanny épousseta son jean et, dans son style bien à elle, décocha une dernière flèche :

— Tu sais quoi ? Je crois que tu es un des rares mecs sur cette place avec qui je n'ai pas couché.

J'aurais voulu répondre quelque chose de spirituel, mais rien d'approprié ne me vint parce que ses paroles ne cherchaient pas à être drôles. Elles étaient tristes et très exagérées.

— À l'époque, tu étais en adoration devant Vinca, se souvint-elle.

— C'est vrai, admis-je. J'étais amoureux d'elle. Un peu comme tout le monde ici, non ?

— Oui, mais toi, tu l'as toujours idéalisée.

Je soupirai. Après la disparition de Vinca et la révélation de son idylle avec l'un des profs du lycée, les rumeurs et les ragots s'étaient déchaînés pour transformer la jeune femme en une sorte de Laura Palmer azuréenne. *Twin Peaks* au pays de Pagnol.

— Fanny, tu ne vas pas t'y mettre, toi aussi.

— Comme tu voudras. C'est sans doute plus facile de faire l'autruche. *Living is easy with eyes closed,* comme chantait l'autre.

Elle rangea son boîtier dans son sac, regarda sa montre et me tendit sa coupe de champagne encore à demi pleine.

— Je suis à la bourre et je n'aurais pas dû boire ce truc. Je suis de garde cet aprèm. À la prochaine, Thomas.

6.

La directrice déroula son discours, un pensum creux dont certains cadres de l'Éducation nationale s'étaient fait une spécialité. Originaire de la région parisienne, cette Mme Guirard n'était pas en poste ici depuis longtemps. Elle n'avait qu'une connaissance livresque de l'établissement et récitait des banalités de technocrate. En l'écoutant, je me demandais pourquoi mes parents n'étaient pas venus. Ils avaient dû être invités, en tant qu'anciens proviseurs. Je les avais cherchés sans succès dans la foule et leur absence m'intriguait.

Après avoir terminé son couplet sur « les valeurs universelles de tolérance, d'égalité des chances et de dialogue entre les cultures que porte depuis toujours notre établissement », la directrice énumérait à présent les « personnalités éminentes » qui avaient fréquenté le lycée. J'en faisais partie, au milieu d'une dizaine d'autres, et lorsque mon nom fut cité et applaudi, quelques regards se tournèrent vers moi. J'esquissai un sourire un peu gêné avant d'ébaucher un vague « merci » de la tête.

— Ça y est, t'es grillé, l'artiste, me prévint Stéphane Pianelli en s'asseyant à côté de moi. Dans quelques minutes, on viendra te faire dédicacer des livres. On te demandera si le chien de Michel Drucker aboie entre les prises et on voudra savoir si Anne-Sophie Lapix est aussi sympa une fois que les caméras s'éteignent.

Je pris garde de ne pas relancer Pianelli, mais il continua son monologue :

— On te demandera pourquoi tu as fait mourir ton héros à la fin de *Quelques jours avec toi*. Et d'où te vient ton inspiration et...

— Lâche-moi un peu, Stéphane. De quoi voulais-tu me parler ? C'est quoi cette histoire d'article ?

Le journaliste s'éclaircit la voix :

— Tu n'étais pas sur la Côte d'Azur, le mois dernier ?

— Non, je suis arrivé ce matin.

— OK. Tu as déjà entendu parler des « cavaliers de mai » ?

— Non, mais j'imagine qu'on ne les voit pas courir à l'hippodrome de Cagnes-sur-Mer.

— Très drôle. En fait, il s'agit d'un phénomène de refroidissement qui se produit parfois au milieu du printemps et qui occasionne des gelées tardives...

Tout en parlant, il sortit une cigarette électronique de la poche de son blouson.

— Ce printemps, sur la Côte, le temps a été complètement pourri. Il a d'abord fait très froid, puis nous avons eu des pluies torrentielles pendant plusieurs jours.

Je le coupai :

— Sois bref, Stéphane. Tu ne vas pas me réciter le bulletin météo des dernières semaines !

D'un geste du menton, le journaliste désigna au loin les bâtiments colorés de l'internat que le soleil faisait briller de mille feux.

— Il y a eu des inondations dans les caves de plusieurs dortoirs.

— Ce n'est pas nouveau. T'as vu la pente du terrain ! Déjà à notre époque, ça arrivait une année sur deux.

— Oui, mais le week-end du 8 avril, l'eau est montée jusqu'aux halls d'entrée. La direction a dû ordonner des travaux dans l'urgence et faire vider entièrement les sous-sols.

Pianelli tira quelques bouffées sur sa « cigarette » et rejeta une sorte de vapeur d'eau qui sentait la verveine et le pamplemousse. À côté des cigares de Che Guevara, la vision du révolutionnaire en train de vapoter sa tisane avait quelque chose de ridicule.

— L'établissement s'est notamment débarrassé de dizaines de vestiaires métalliques rouillés qui étaient entreposés dans les caves depuis le milieu des années 1990. Une entreprise spécialisée dans les encombrants a été mandatée pour les transporter à la décharge, mais avant qu'elle intervienne, certains élèves se sont amusés à ouvrir les casiers. Et tu ne devineras jamais sur quoi ils sont tombés.

— Dis-moi.

Le journaliste ménagea son effet le plus longtemps possible.

— Sur un sac de sport en cuir qui contenait cent mille francs en billets de cent et deux cents balles ! Une petite fortune restée planquée ici depuis plus de vingt ans...

— Donc, les flics sont venus à Saint-Ex?

Je m'imaginai les gendarmes en train de débarquer dans l'établissement et toute l'agitation que cela avait dû provoquer.

— Ça, on peut le dire! Et, comme je le raconte dans mon article, ils étaient même très excités. Une vieille affaire, du pognon, un lycée prestigieux: il n'a pas fallu les pousser longtemps pour qu'ils passent tout au peigne fin.

— Pour quel résultat?

— L'info n'est pas encore sortie, mais je sais qu'ils ont trouvé sur le sac deux empreintes digitales parfaitement exploitables.

— Et?

— Et l'une d'elles était fichée.

Je retins mon souffle pendant que Pianelli préparait une nouvelle banderille. À voir la flamme qui dansait dans ses yeux, je compris que celle-ci allait faire très mal.

— C'était l'empreinte de Vinca Rockwell.

Je clignai des yeux plusieurs fois en encaissant l'info. J'essayai de réfléchir à ce que tout cela signifiait, mais mon cerveau tournait à vide.

— Quelles sont tes conclusions, Stéphane?

— Mes conclusions? C'est que j'avais raison depuis le début! s'emporta le journaliste.

À côté de la politique, l'affaire Vinca Rockwell était l'autre grande marotte de Stéphane Pianelli. Une quinzaine d'années plus tôt, il avait même écrit sur le sujet un livre au titre schubertien: *La Jeune Fille et la Mort*. Un travail d'enquête sérieux et exhaustif, mais qui n'apportait pas de révélations fracassantes sur la disparition de Vinca et de son amant.

— Si Vinca s'était vraiment fait la malle avec Alexis Clément, reprit-il, elle aurait emporté cet argent! Ou du moins elle serait revenue le chercher!

Son raisonnement me semblait léger.

— Rien ne dit que c'était *son* fric, rétorquai-je. Ce n'est pas parce qu'il y avait ses empreintes sur le sac que l'argent était à elle.

Il en convint, mais contre-attaqua:

— Avoue quand même que c'est dingue. D'où venait ce pognon? Cent mille francs! Dans ces années-là, c'était une somme énorme.

Je n'avais jamais bien compris quelle était sa thèse exacte à propos de l'affaire Rockwell, mais, pour lui, la version de la fugue ne tenait pas la route. Sans véritables preuves, Pianelli croyait dur comme fer que si Vinca n'avait jamais donné signe de vie, c'est parce qu'elle était morte depuis longtemps. Et qu'Alexis Clément était probablement son assassin.

— Qu'est-ce que ça implique au niveau judiciaire?

— Je n'en sais rien, répondit-il dans une moue vague.

— Ça fait des années que l'enquête sur la disparition de Vinca a été classée. Quoi qu'on trouve à présent, ça sera prescrit, non?

L'air pensif, il se frotta la barbe du revers de la main.

— Ce n'est pas dit. Il y a toute une jurisprudence complexe sur la question. Aujourd'hui, dans certains cas, le délai de prescription ne dépend plus de la commission de l'acte, mais de la découverte éventuelle d'un corps.

Alors qu'il me fixait dans les yeux, je choisis de soutenir son regard. Pianelli était certes un chasseur de scoops, mais je m'étais toujours interrogé sur l'origine de son obsession pour cette vieille affaire. Pour autant que je m'en souvienne, il n'était pas un intime de Vinca. Ils ne se fréquentaient pas et n'avaient guère d'atomes crochus.

Vinca était la fille de Pauline Lambert, une actrice née à Antibes. Une belle rousse aux cheveux courts – sosie presque parfait de Marlène Jobert – qui, dans les années 1970, avait tenu de petits rôles dans des films d'Yves Boisset et d'Henri Verneuil. Le point d'orgue de sa filmographie : une scène seins nus de vingt secondes avec Jean-Paul Belmondo dans *La Scoumoune*. En 1973, dans une boîte de nuit de Juan-les-Pins, Pauline avait rencontré Mark Rockwell, un pilote automobile américain qui avait brièvement tenu un volant de F1 chez Lotus, et avait couru plusieurs fois les 500 miles d'Indianapolis. Rockwell était surtout le dernier fils d'une famille influente du Massachusetts, principale actionnaire d'une chaîne de supermarchés très présente dans le

Nord-Est. Consciente que sa carrière piétinait, Pauline avait suivi son amoureux aux États-Unis où le couple s'était marié. Vinca, leur fille unique, était née dans la foulée, à Boston, où elle avait passé ses quinze premières années avant d'être scolarisée à Saint-Ex, à la suite du décès tragique de ses parents. Le couple Rockwell faisait partie des passagers tués lors d'une catastrophe aérienne, à l'été 1989. Leur vol avait subi une décompression explosive en quittant l'aéroport d'Hawaï. Le drame avait marqué les esprits, car à cause de l'ouverture accidentelle de la soute, les six rangées de sièges de la classe affaires avaient été déchiquetées et expulsées hors de l'appareil. L'accident avait fait douze victimes et, pour une fois, les plus riches avaient trinqué. Une anecdote qui n'avait pas dû déplaire à Pianelli.

De par ses origines familiales et son comportement, Vinca incarnait donc *en apparence* tout ce que Pianelli détestait : une fille à papa de la haute bourgeoisie américaine, une héritière élitiste et cérébrale, férue de philosophie grecque, du cinéma de Tarkovski, de la poésie de Lautréamont. Une fille un peu poseuse, à la beauté irréelle, qui ne vivait pas dans le monde, mais dans son monde. Une fille enfin qui, sans en avoir conscience, était vaguement méprisante par rapport aux jeunes types dans son genre.

— C'est tout ce que ça te fait, bordel ? m'apostropha-t-il soudain.

Je soupirai, haussai les épaules et jouai le détachement.

— C'est loin tout ça, Stéphane.

— C'est loin ? Pourtant, Vinca était ton amie. Tu étais en adoration devant elle, tu...

— J'avais dix-huit ans, j'étais un gamin. J'ai tourné la page depuis longtemps.

— Te fous pas de moi, l'artiste. Tu n'as rien tourné du tout. Je les ai lus, moi, tes romans : Vinca y est partout. On la retrouve dans la plupart de tes héroïnes !

Il commençait à m'agacer.

— Psychologie à deux balles. Digne de la rubrique astrologique de ton canard !

À présent que le ton était monté, Stéphane Pianelli était comme électrisé. Son exaltation se lisait dans ses yeux. Vinca l'avait rendu fou, comme elle avait sans doute rendu fous d'autres types avant lui, même si ce n'était pas pour les mêmes raisons.

— Tu peux dire ce que tu voudras, Thomas. Je vais reprendre l'enquête, sérieusement cette fois.

— Tu t'y es déjà cassé les dents il y a quinze ans, fis-je remarquer.

— La découverte de ce fric change tout ! Autant de liquide, qu'est-ce que ça cache d'après toi ? Moi, je n'y vois que trois possibilités : un trafic de drogue, de la corruption ou un méga-chantage.

Je me massai les paupières.

— Tu es en train de te monter un film, Pianelli.

— Pour toi, l'affaire Rockwell n'existe pas ?

— Disons qu'elle se résume à l'histoire banale d'une petite nana qui s'est tirée avec le mec qu'elle aimait.

Il grimaça.

— Même toi, tu ne crois pas une seconde à cette hypothèse, l'artiste. Retiens bien ce que je te dis : la disparition de Vinca est comme une pelote de laine. Un jour, quelqu'un va réussir à tirer le bon fil et toute la pelote se déroulera.

— Et qu'est-ce qu'on découvrira ?

— Quelque chose de plus énorme que tout ce qu'on avait imaginé.

Je me levai pour mettre fin à la conversation.

— C'est toi qui devrais écrire des romans. Je pourrais t'aider si tu cherches un éditeur.

Je regardai ma montre. Il était urgent que je trouve Maxime. Soudainement calmé, le journaliste se leva à son tour et me donna une tape sur l'épaule.

— À plus tard, l'artiste. Je suis sûr qu'on va se revoir.

Il avait ce ton qu'aurait employé un flic qui viendrait de lever ma garde à vue. Je boutonnai ma veste et descendis une marche. J'hésitai quelques secondes et me retournai. Pour l'instant, je n'avais pas commis de faux pas. Il ne fallait surtout pas lui donner le moindre grain à moudre, mais une question me brûlait les lèvres. J'essayai de la poser avec le plus de détachement possible.

— Tu m'as bien dit qu'on avait retrouvé l'argent dans un vieux vestiaire ?

— Ouais.

— Concrètement, c'était lequel ?

— Un vestiaire peint en jaune canari. La couleur de la résidence Henri-Matisse.

— Ce n'est pas le bâtiment où vivait Vinca ! m'écriai-je d'un air triomphant. Sa chambre d'étudiante était dans le pavillon bleu : la résidence Nicolas-de-Staël.

Pianelli approuva :

— T'as raison, j'ai déjà vérifié. T'as une sacrée mémoire, dis-moi, pour quelqu'un qui a tourné la page.

À nouveau, il me défia de ses yeux brillants comme s'il venait de me piéger, mais je soutins son regard et avançai même un autre pion.

— Et le casier, il y avait un nom écrit dessus ?

Il secoua la tête.

— Après toutes ces années, tu penses bien que tout a été effacé.

— Il n'y a pas d'archives sur les attributions des vestiaires ?

— À l'époque, on ne s'emmerdait pas avec ça, fit-il en ricanant. En début d'année, les élèves prenaient le casier qu'ils voulaient : premier arrivé, premier servi.

— Et dans ce cas précis, c'était quel casier ?

— Pourquoi tu veux savoir ça ?

— Par curiosité. Tu sais, ce truc dont les journalistes ne sont pas dépourvus.

— J'ai publié la photo dans mon article. Je ne l'ai pas sur moi, mais c'était le casier A1. Le premier compartiment en haut à gauche. Ça te dit quelque chose ?

— Rien du tout. *So long*, Stéphane.

Je tournai les talons et pressai le pas pour quitter la place avant la fin du discours.

Sur l'estrade, la proviseure terminait son allocution et évoquait à présent la destruction prochaine de l'ancien gymnase et la pose de la première pierre du « chantier le plus ambitieux qu'ait connu notre établissement ». Elle remerciait les généreux donateurs grâce à qui ce projet, qui était dans les tuyaux depuis plus de trente ans, verrait bientôt le jour : « l'édification d'un bâtiment réservé aux classes préparatoires, la création d'un grand jardin paysager et la construction d'un nouveau centre sportif doté d'une piscine olympique ».

Si j'avais encore des doutes sur ce qui m'attendait, ils venaient de se dissiper. J'avais menti à Pianelli. Je savais très bien à qui appartenait autrefois le casier dans lequel on avait retrouvé l'argent.

C'était le mien.

3

Ce que nous avions fait

*C'est quand les gens commencent
à dire la vérité qu'ils ont souvent
le plus besoin d'un avocat.*
P.D. JAMES

1.

Le gymnase était un parallélépipède en béton
construit sur un plateau encaissé en bordure de la
pinède. On y accédait par une rampe plongeante
bordée de gros rochers calcaires, blancs comme de
la nacre, qui réverbéraient la lumière aveuglante du
soleil. En arrivant sur le parking, j'aperçus une benne
et un bulldozer garés à côté d'une construction modu-
laire, et mon inquiétude monta d'un cran. L'Algeco
abritait toute une batterie d'outillage : des marteaux-
piqueurs, des brise-béton, des cisailles à métaux, des
grappins et des pelles de démolition. La directrice
n'avait pas menti : le vieux gymnase vivait ses dernières heures. Le début des travaux était imminent et,
avec lui, le début de notre chute.

Je contournai la salle de sport à la recherche de Maxime. Si je n'avais plus été en contact avec lui, j'avais suivi de loin son parcours avec une véritable fascination et une certaine fierté. L'affaire Vinca Rockwell avait eu sur la trajectoire de mon ami un effet opposé à celui qu'elle avait exercé sur la mienne. Si ces événements m'avaient anéanti et coupé dans mon élan, ils avaient fait sauter plusieurs verrous chez Maxime, le libérant d'une gangue et lui rendant la liberté d'écrire sa propre histoire.

Après *ce que nous avions fait*, je n'avais plus jamais été le même. J'avais vécu dans la terreur et un désordre mental qui m'avaient conduit à rater lamentablement mon année de math sup. Dès l'été 1993, j'avais quitté la Côte d'Azur pour Paris et, au désespoir de mes parents, je m'étais réorienté dans une école de commerce de deuxième zone. Une fois dans la capitale, j'avais végété pendant quatre ans. Je séchais un cours sur deux et passais le reste de mes journées dans les cafés de Saint-Michel, chez Gibert Jeune, à la Fnac Montparnasse et au 14 Juillet-Odéon.

En quatrième année, l'école obligeait ses élèves à partir six mois à l'étranger. Alors que la plupart de mes condisciples avaient trouvé un stage dans une grande entreprise, j'avais dû me contenter d'un poste plus modeste : j'avais été embauché comme assistant d'Evelyn Warren, une intellectuelle féministe new-yorkaise. À l'époque, Warren, pourtant âgée de quatre-vingts ans, continuait à donner des conférences dans des universités aux quatre coins des États-Unis. C'était une personnalité brillante, mais aussi une femme tyrannique et capricieuse qui se fâchait avec tout le monde. Dieu sait pourquoi, elle m'aimait bien. Peut-être parce que j'étais assez insensible à ses sautes d'humeur et qu'elle ne parvenait pas à m'impressionner. Sans se considérer comme une grand-mère de substitution, elle me demanda de rester à son service après mes études et m'aida à obtenir une carte verte. C'est ainsi que je demeurai son assistant jusqu'à sa mort, logé dans une aile de son appartement de l'Upper East Side.

Pendant mon temps libre – et j'en avais beaucoup –, je faisais la seule chose qui m'apaisait vraiment : écrire des histoires. À défaut de maîtriser ma vie, je m'inventais des mondes lumineux, délestés des angoisses qui me rongeaient. Les baguettes magiques existent. Pour moi, elles prenaient la forme d'un Bic Cristal. Pour un franc cinquante, on vous donnait accès à un instrument capable de transfigurer la réalité, de la réparer, voire de la nier.

En 2000, je fis paraître mon premier roman qui, grâce au bouche à oreille, entra dans les classements des meilleures ventes. Depuis, j'avais écrit une dizaine de livres. L'écriture et la promotion occupaient mes journées à plein temps. Mon succès était réel, mais aux yeux de ma famille, écrire de la fiction ne faisait pas partie des professions *sérieuses*. « Quand je pense qu'on espérait que tu deviendrais ingénieur », m'avait même lâché un jour mon père avec sa délicatesse habituelle. Peu à peu, mes visites en France s'étaient espacées et se limitaient à présent à une semaine de promo et de dédicace. J'avais une sœur et un frère aînés que je ne voyais presque jamais. Marie avait fait l'École des mines et occupait un poste important à la Direction nationale des statistiques du commerce extérieur. Je ne savais pas exactement quelle réalité recouvrait son boulot, mais je n'imaginais pas quelque chose de très *fun*. Quant à Jérôme, il était le véritable héros de la famille : chirurgien pédiatre, il travaillait depuis le tremblement de terre de 2010 en Haïti où il coordonnait les actions de Médecins sans frontières.

2.

Et puis, il y avait Maxime.

Mon ex-meilleur ami que je n'avais jamais remplacé. Mon frère de cœur. Je le connaissais depuis toujours : la famille de son père et celle de ma mère étaient originaires du même village italien, Montaldicio, dans le Piémont. Avant que mes parents obtiennent un logement de fonction à Saint-Ex, nous avions été voisins à Antibes, chemin de la Suquette. Nos deux maisons bâties côte à côte offraient une vue panoramique sur un bout de Méditerranée. Nos pelouses n'étaient séparées que par un muret de pierres sèches et accueillaient nos matchs de foot et les *barbecue parties* qu'organisaient nos parents.

Au lycée, contrairement à moi, Maxime n'était pas un bon élève. Pas un nul non plus, mais un garçon un peu immature, plus intéressé par le sport et les blockbusters que par les subtilités de *L'Éducation sentimentale* et de *Manon Lescaut*. L'été, il travaillait comme plagiste au Cap d'Antibes, à la Batterie du Graillon. Je me souvenais de son allure éclatante : torse sculpté, cheveux longs de surfeur, caleçon Rip Curl, Vans sans lacets. Il avait une candeur un peu rêveuse et la blondeur avant l'heure des adolescents de Gus Van Sant.

Maxime était le fils unique de Francis Biancardini, un entrepreneur de maçonnerie bien connu dans la région, qui avait bâti un empire local à une époque où les règles sur l'attribution des marchés publics étaient plus souples qu'aujourd'hui. Parce que je le connaissais bien, je savais que Francis était un être complexe, secret et ambigu. Mais aux yeux du monde, il apparaissait comme un rustre avec ses grosses mains de maçon, ses kilos en trop, sa dégaine de plouc et ses propos de bistrot qui reprenaient souvent la rhétorique du FN. Il ne lui en fallait pas beaucoup pour qu'il se lâche encore davantage. Les responsables de la décadence du pays s'alignaient dans son viseur : « les Arabes, les socialos, les gonzesses, les tarlouzes ». Le mâle blanc dominant, version gros beauf, qui n'avait pas compris que son monde avait déjà sombré.

Pendant longtemps, écrasé par un père qui lui faisait honte autant qu'il l'admirait, Maxime avait peiné à trouver sa place. Ce n'est qu'après le drame qu'il avait réussi à s'émanciper de son emprise. La métamorphose avait pris vingt ans et s'était réalisée par étapes. Autrefois élève médiocre, Maxime s'était mis à bûcher et avait obtenu un diplôme d'ingénieur du bâtiment et des travaux publics. Puis il avait repris l'entreprise de maçonnerie de son père pour mieux la transformer en leader local de construction écologique. Il avait ensuite été à l'initiative de Platform77, le plus grand incubateur de start-up du sud de la France. Parallèlement, Maxime avait assumé son homosexualité. Dès l'été 2013, quelques semaines après l'adoption de la loi sur le mariage pour tous, il s'était uni à la mairie d'Antibes avec son compagnon, Olivier Mons – encore un ancien de Saint-Ex –, qui dirigeait la médiathèque de la ville. Le couple avait aujourd'hui deux petites filles, nées d'une mère porteuse aux États-Unis.

J'avais glané toutes ces informations sur les sites Internet de *Nice-Matin* et de *Challenges*, ainsi que dans un article du magazine du *Monde* consacré à la « Génération Macron ». Jusque-là simple conseiller municipal, Maxime avait adhéré à En Marche ! dès sa création et avait été l'un des premiers à soutenir le futur président de la République, dont il avait animé le comité départemental pendant la campagne. Il briguait aujourd'hui le poste de député de la septième circonscription des

Alpes-Maritimes sous la bannière LREM. Traditionnellement ancrée à droite, la population élisait depuis
vingt ans au premier tour un républicain modéré et
humaniste qui faisait bien son job. Il y avait encore
trois mois, personne n'aurait imaginé que la circonscription pourrait changer de couleur politique, mais
en ce printemps 2017, une énergie nouvelle irriguait le
pays. La vague Macron menaçait de tout emporter sur
son passage. L'élection se jouerait sans doute au coude
à coude, mais Maxime paraissait à présent avoir toutes
ses chances face au député sortant.

3.

Lorsque j'aperçus Maxime, il était devant l'entrée du
gymnase, en pleine conversation avec les sœurs Dupré.
Je détaillai de loin sa silhouette drapée dans un pantalon de toile, une chemise blanche et une veste en lin.
Son visage était bronzé, légèrement buriné, son regard
clair, ses cheveux toujours décolorés par le soleil.
Léopoldine (Miss Serre-tête) et Jessica (Miss Bimbo)
buvaient ses paroles comme s'il était en train de leur
déclamer le monologue de Rodrigue, alors qu'il tentait
seulement de les convaincre que la hausse prochaine
de la CSG entraînerait une augmentation du pouvoir
d'achat de l'ensemble des salariés.

— Regardez qui voilà ! lança Jessica en m'apercevant.

J'embrassai les jumelles – qui m'expliquèrent qu'elles
étaient chargées de l'organisation de la soirée dansante

ici même – et donnai une accolade à Maxime. Peut-être mon cerveau me jouait-il des tours, mais il me sembla qu'émanait toujours de lui l'odeur de noix de coco caractéristique de la cire qu'il se mettait à l'époque dans les cheveux.

Pendant encore cinq minutes, il nous fallut endurer la conversation des frangines. À un moment, Léopoldine me répéta combien elle adorait mes romans « et en particulier *La Trilogie du mal* ».

— Moi aussi, j'aime bien cette histoire, dis-je, même si ce n'est pas moi qui l'ai écrite. Mais je transmettrai tes éloges à mon ami Chattam.

Pourtant prononcée sur le ton de l'humour, ma remarque mortifia Léopoldine. Il y eut un blanc puis, prétextant le retard dans l'accrochage des guirlandes lumineuses, elle entraîna sa sœur vers une sorte de remise où étaient entreposées les décorations pour la fête.

Enfin, j'étais seul avec Maxime. Libéré du regard des jumelles, son visage se décomposa avant même que je lui demande comment il allait.

— Je suis effondré.

Son inquiétude monta d'un cran lorsque je lui montrai les lunettes, et le message trouvé chez Dino en revenant des toilettes : *Vengeance.*

— J'ai reçu le même à ma permanence avant-hier, me confia-t-il en se massant les tempes. J'aurais dû te le dire au téléphone. Pardonne-moi, mais j'ai pensé que ça t'aurait dissuadé de venir.

— Tu as une idée de qui nous envoie ça ?

— Pas la moindre, mais même si on le savait, ça ne changerait pas grand-chose.

Il désigna de la tête le bulldozer et le préfab où étaient rangés les outils.

— Les travaux vont commencer lundi. Quoi qu'on fasse, on est foutus.

Il sortit son téléphone portable pour me montrer des photos de ses filles : Louise, quatre ans, et sa sœur Emma, deux ans. Malgré les circonstances, je le félicitai. Maxime avait réussi là où j'avais échoué : fonder une famille, tracer un chemin qui ait du sens et être utile à la collectivité.

— Mais je vais tout perdre, tu comprends ! me lança-t-il, affolé.

— Attends, ne pleurons pas avant d'avoir mal, dis-je sans parvenir à le rassurer.

J'hésitai un instant, puis ajoutai :

— Tu y es retourné ?

— Non, dit-il en secouant la tête, je t'attendais.

4.

Nous pénétrâmes tous les deux dans le gymnase.

La salle de sport était aussi grande que dans mon souvenir. Plus de deux mille mètres carrés divisés en deux parties bien distinctes : une salle omnisports avec un mur d'escalade et un parquet de basket entouré de gradins. En prévision de la soirée à venir – l'horrible «boum des anciens» dont parlait l'article –, on avait poussé et empilé les tatamis, les tapis de gym, les buts et les filets pour installer une piste de danse et une estrade sur laquelle se produirait un orchestre. Des nappes en papier recouvraient les tables de ping-pong. Des guirlandes et des décorations artisanales complétaient le tableau. En progressant dans la salle principale revêtue d'un sol synthétique, je ne pouvais m'empêcher de penser que ce soir, pendant que le groupe reprendrait les tubes d'INXS et des Red Hot Chili Peppers, des dizaines de couples allaient danser à proximité d'un cadavre.

Maxime m'accompagna jusqu'au mur qui séparait la salle polyvalente du parquet de basket et de ses gradins. Des gouttes de sueur perlaient sur ses tempes et, sous ses bras, deux auréoles sombres attaquaient sa veste en lin. Ses derniers pas furent chancelants, puis il se figea carrément comme s'il ne pouvait plus avancer. Comme si l'ouvrage en béton le repoussait à la manière du pôle identique d'un aimant. Je posai la main contre le mur en essayant de mettre mes émotions à distance. Ce n'était pas une simple cloison. C'était un mur porteur de presque un mètre d'épaisseur, entièrement maçonné, qui traversait toute la largeur du gymnase sur une vingtaine de mètres. À nouveau, crépitant dans ma tête, des flashs me déstabilisèrent : des photos de générations d'ados qui, depuis vingt-cinq ans, étaient venus s'entraîner et transpirer dans cette salle, sans savoir qu'un corps y était emmuré.

— En tant que conseiller municipal, j'ai pu parler à l'entrepreneur qui va démolir le gymnase, m'annonça Maxime.

— Concrètement, comment ça va se passer ?

— Dès lundi, les pelles mécaniques et les mâchoires des pinces de démolition vont se mettre en branle. Ces mecs sont des pros. Ils ont du personnel et des machines performantes. Il leur faudra moins d'une semaine pour raser l'édifice.

— Donc, en théorie, ils peuvent découvrir le corps après-demain.

— Ouais, répondit-il en chuchotant et en faisant un geste de la main pour m'inciter à parler plus bas.

— Y a-t-il une possibilité pour qu'ils passent à côté ?

— Tu rigoles ? Absolument aucune, soupira-t-il.

Il se frotta les paupières.

— Le corps était enroulé dans une double bâche de chantier. Même après vingt-cinq ans, on va retrouver quantité d'ossements. Les travaux seront immédiatement arrêtés et on entamera des fouilles pour recueillir d'autres indices.

— Combien de temps pour identifier le cadavre avec certitude ?

Maxime haussa les épaules.

— Je ne suis pas flic, mais entre l'ADN et les histoires de dentition, je dirais une bonne semaine. Le problème, c'est qu'entre-temps ils auront mis la main sur mon couteau et ta barre de fer ! D'autres objets aussi sans doute. On a tout fait dans la précipitation, putain ! Avec les moyens d'investigation modernes, on va retrouver des traces de nos ADN, peut-être également nos empreintes. Et même si elles ne sont pas fichées, on remontera jusqu'à moi à cause de mon nom gravé sur le manche de l'arme...

— Un cadeau de ton père..., me souvins-je.

— Oui, un couteau de l'armée suisse.

Maxime tira nerveusement sur la peau de son cou.

— Il faut que je prenne les devants ! se lamenta-t-il. Dès cet après-midi, je vais annoncer que je renonce à me présenter. Il faut que le mouvement ait le temps d'investir un autre candidat. Je ne veux pas être le premier scandale de l'ère Macron.

Je tentai de le calmer :

— Laisse-toi un peu de temps. Je ne dis pas qu'on va tout arranger en un week-end, mais il faut essayer de comprendre ce qui nous arrive.

— Ce qui nous arrive ? On a tué un mec, bordel ! On a tué un mec et on l'a emmuré dans ce putain de gymnase.

4

La porte du malheur

Alors, j'ai tiré encore quatre fois sur un corps inerte [...]. Et c'était comme quatre coups brefs que je frappais sur la porte du malheur.
Albert CAMUS

1.

Vingt-cinq ans plus tôt
Samedi 19 décembre 1992

La neige tombait depuis le début de la matinée. Des intempéries aussi inhabituelles qu'imprévues qui, en ce jour de vacances de Noël, créaient la confusion. Une «pagaille monstre», comme on disait ici. Sur la Côte d'Azur, un léger duvet blanc suffit généralement à paralyser toute activité. Mais là, ce n'était pas quelques flocons, c'était une véritable tempête. Du jamais vu depuis janvier 1985 et février 1986. On annonçait quinze centimètres de neige à Ajaccio, dix centimètres à Antibes et huit centimètres à Nice. Les avions décollaient au compte-gouttes, la plupart des trains étaient annulés et les routes difficilement praticables. Sans parler des coupures d'électricité intempestives qui désorganisaient la vie locale.

À travers la fenêtre de ma chambre, j'observais le campus vitrifié par le froid. Le paysage était surréaliste. La neige avait effacé la garrigue pour la remplacer par une vaste étendue blanche. Les oliviers et les agrumes ployaient sous la poudreuse. Quant aux pins parasols, ils semblaient avoir été transplantés dans les décors cotonneux d'un conte d'Andersen.

La plupart des internes avaient heureusement quitté le lycée la veille au soir. Les vacances de Noël étaient traditionnellement la seule période de l'année pendant laquelle Saint-Ex était désert. Dans l'enceinte du campus ne restaient que les rares pensionnaires qui avaient demandé une dérogation pour continuer à occuper leur chambre pendant les congés. Il s'agissait d'élèves des classes prépas qui visaient des concours très sélectifs, ainsi que de trois ou quatre professeurs résidents qui, à cause de la tempête de neige, avaient loupé leur avion ou leur train du matin.

Depuis une demi-heure, assis à mon bureau, j'avais le regard éteint, désespérément fixé sur l'énoncé d'un problème d'algèbre.

Exercice n° 1

Soient a et b deux réels tels que $0 < a < b$. On pose $u_0 = a$ et $v_0 = b$ puis, pour tout entier naturel n,

$$u_{n+1} = \frac{u_n + v_n}{2} \quad \text{et} \quad v_{n+1} = \sqrt{u_{n+1} v_n}.$$

Montrer que les suites (u_n) et (v_n) sont adjacentes et que leur limite commune est égale à

$$\frac{b \sin\left(\text{Arccos}\left(\frac{a}{b}\right)\right)}{\text{Arccos}\left(\frac{a}{b}\right)}$$

J'allais sur mes dix-neuf ans. J'étais en classe préparatoire scientifique. Depuis la rentrée de septembre, je vivais un enfer, avec l'impression d'être constamment sous l'eau, ne dormant souvent que quatre heures par nuit. Le rythme de la prépa m'éreintait et me démoralisait. Dans ma classe, sur une quarantaine d'élèves, quinze avaient déjà abandonné. J'essayais de m'accrocher, mais c'était peine perdue. Je détestais les maths et la physique et, à cause de mes choix d'orientation, je me retrouvais à devoir consacrer à ces deux disciplines l'essentiel de mes journées. Alors que mes centres d'intérêt tournaient autour de l'art et de la littérature, dans l'esprit de mes parents la voie royale – celle qu'avaient empruntée avant moi mon frère et ma sœur – passait obligatoirement par une école d'ingénieur ou des études de médecine.

Mais si la prépa me faisait souffrir, elle était loin d'être la seule cause de mes tourments. Ce qui me tuait vraiment, ce qui avait réduit mon cœur en cendres, c'était l'indifférence d'une fille.

2.

Du matin au soir, Vinca Rockwell occupait mes pensées. On se connaissait depuis plus de deux ans. Depuis que son grand-père, Alastair Rockwell, avait décidé de l'envoyer étudier en France pour l'éloigner de Boston après la mort de ses parents. C'était une fille atypique, cultivée, vive et pétillante, à la chevelure rousse, aux yeux vairons et aux traits fins. Ce n'était pas la plus belle fille de Saint-Ex, mais elle avait une aura magnétique et un certain mystère qui vous rendaient accro avant de vous rendre dingue. Ce truc indéfinissable qui vous ancrait dans la tête l'idée illusoire que si vous arriviez à posséder Vinca, vous posséderiez le monde.

Pendant une longue période, nous avions été complices et inséparables. Je lui avais fait découvrir tous les endroits que j'aimais dans la région – les jardins de Menton, la Villa Kérylos, le parc de la Fondation Maeght, les ruelles de Tourrettes-sur-Loup... Nous nous baladions partout et nous pouvions rester des heures à discuter. Nous avions crapahuté sur la *via ferrata* de La Colmiane, dévoré de la socca sur le marché provençal d'Antibes, refait le monde devant la tour génoise de la plage des Ondes.

Nous lisions littéralement dans les pensées l'un de l'autre et notre entente ne cessait de m'émerveiller. Vinca était la personne que j'avais attendue en vain depuis que j'avais l'âge d'attendre quelqu'un.

Du plus loin que je me souvienne, je m'étais toujours senti seul, vaguement étranger au monde, à son bruit, à sa médiocrité qui vous contaminait comme une maladie contagieuse. Un moment, je m'étais fait croire que les livres pouvaient me guérir de ce sentiment d'abandon et d'apathie, mais il ne faut pas trop demander aux livres. Ils vous racontent des histoires, vous font vivre par procuration des bribes d'existence, mais ils ne vous prendront jamais dans leurs bras pour vous consoler lorsque vous avez peur.

En même temps qu'elle avait mis des étoiles dans ma vie, Vinca y avait instillé une inquiétude : celle de la perdre. Et c'est bien ce qui venait de se produire.

Depuis la rentrée scolaire – elle était en hypokhâgne et moi en math sup –, nous n'avions plus guère l'occasion de nous voir. Surtout, j'avais l'impression que Vinca me fuyait. Elle ne répondait plus à mes appels ni aux mots que je lui écrivais, et toutes mes propositions de sortie restaient lettre morte. Des élèves de sa classe m'avaient prévenu que Vinca était subjuguée par Alexis Clément, le jeune professeur de philo des hypokhâgneux. Une rumeur prétendait même que leur badinage avait dérapé et qu'ils entrete-naient une liaison. Au début, j'avais refusé de la croire, mais à présent j'étais dévoré par la jalousie et il fallait absolument que je sache à quoi m'en tenir.

3.

Dix jours plus tôt, un mercredi après-midi, pendant que les khâgneux passaient un concours blanc, j'avais profité d'une heure de perm pour rendre visite à Pavel Fabianski, le gardien du lycée. Pavel m'aimait bien. Je venais le voir chaque semaine pour lui donner mon exemplaire de *France Football* lorsque je l'avais lu. Ce jour-là, alors que, pour me remercier, il allait cher-cher une canette de soda dans son réfrigérateur, j'avais subtilisé le trousseau de clés qui permettait d'accéder aux chambres des étudiants.

Muni du passe-partout, je m'étais précipité au pavillon Nicolas-de-Staël, le bâtiment bleu dans lequel logeait Vinca, et j'avais fouillé méthodiquement sa chambre.

Je sais, être amoureux ne donne pas tous les droits. Je sais, je suis un sale type et tout ce que vous voudrez encore. Mais, comme la plupart des gens qui vivent leur premier amour, je pensais que jamais plus je n'éprouverais un sentiment si profond pour quelqu'un. Et sur ce point, l'avenir devait malheureusement me donner raison.

Mon autre circonstance atténuante était de croire que je connaissais l'amour parce que j'avais lu des romans. Or seuls les coups dans la gueule vous apprennent réellement la vie. En ce mois de décembre 1992, j'avais quitté depuis longtemps les rives du simple sentiment amoureux pour dériver vers le territoire de la passion. Et la passion n'a rien à voir avec l'amour. La passion est un *no man's land*, une zone de guerre bombardée, située quelque part entre la douleur, la folie et la mort.

Alors que je cherchais des preuves d'une relation entre Vinca et Alexis Clément, j'avais feuilleté un à un les livres de la petite bibliothèque de mon amie. Coincées entre les pages d'un roman de Henry James, deux feuilles pliées en quatre étaient tombées sur le parquet. Je les ramassai, les mains tremblantes, et fus frappé par leur odeur : un mélange de notes tenaces, tour à tour fraîches, boisées et épicées. Je dépliai les feuilles. C'étaient des lettres de Clément. Je cherchais des preuves, je venais d'en trouver d'irréfutables.

Le 5 décembre

Vinca, mon amour,

Quelle divine surprise tu m'as faite hier soir, en prenant tous les risques pour venir passer la nuit avec moi ! Lorsque j'ai aperçu ton beau visage en ouvrant la porte de mon studio, j'ai cru que j'allais fondre de bonheur.

Mon amour, ces quelques heures furent les plus ardentes de ma vie. Toute la nuit, mon cœur s'est emballé, mon sexe s'est joint à ta bouche, mon sang a brûlé dans mes veines.

Ce matin, à mon réveil, j'avais le goût iodé de tes baisers sur la peau. Les draps avaient gardé ton odeur de vanille, mais toi tu n'étais plus là. J'en aurais pleuré. Je voulais me réveiller entre tes bras, je voulais encore m'ancrer dans ton corps, sentir ton souffle dans mon souffle, deviner dans ta voix l'ardeur de tes désirs. Je voulais qu'à nouveau, aucune parcelle de ma peau n'échappe à la douceur de ta langue.

Je voudrais ne jamais dégriser. Toujours être ivre de toi, de tes baisers, de tes caresses.

Je t'aime.

Alexis

Le 8 décembre

Vinca, ma chérie

Chaque seconde de cette journée, toutes mes pensées ont été sous ta seule emprise. Aujourd'hui, j'ai fait semblant de tout : de donner mes cours, de discuter avec mes collègues, de m'intéresser à la pièce de théâtre interprétée par mes élèves... J'ai fait semblant, mais mon esprit était tout entier absorbé par les souvenirs doux et brûlants de notre dernière nuit.

À midi, je n'en pouvais plus. Entre deux changements de salle, j'ai eu besoin d'aller fumer une cigarette sur la terrasse de la salle des professeurs et c'est là que je t'ai aperçue de loin, assise sur un banc en train de discuter avec tes amis. En me voyant, tu m'as adressé un signe discret qui a réchauffé mon pauvre cœur. Chaque fois que je te regarde, tout mon être tremble et le monde autour de toi se dissout. Un moment, au mépris de toute prudence, j'ai failli m'avancer vers toi et te prendre dans mes bras pour laisser éclater mon amour aux yeux du monde. Mais nous devons préserver notre secret quelque temps encore. Heureusement, la libération est proche. Bientôt, nous pourrons briser nos chaînes et retrouver notre liberté. Vinca, tu as fait disparaître les ténèbres autour de moi pour me redonner confiance en un avenir plein de lumière. Mon amour, chacun de mes baisers est éternel. Chaque fois que ma langue t'effleure, elle marque ta peau au fer de l'amour et dessine les limites d'un nouveau territoire. Une terre de liberté, féconde et

verdoyante, sur laquelle nous fonderons bientôt notre
propre famille. Notre enfant scellera nos deux destins
pour l'éternité. Il aura ton sourire d'ange et tes prunelles
d'argent.
   Je t'aime.
   Alexis

4.

La découverte de ces lettres m'avait anéanti. Je
ne bouffais plus, je ne dormais plus. J'étais brisé,
submergé par une douleur qui me rendait fou. Mes
notes en chute libre inquiétaient mes profs et ma
famille. Face aux interrogations de ma mère, je n'avais
pu faire autrement que de lui raconter ce qui m'accablait. Je lui avais parlé de mes sentiments pour Vinca
et des lettres que j'avais trouvées. Elle m'avait répondu
sans chaleur qu'aucune fille ne valait que je gâche ma
scolarité pour elle, et m'avait ordonné de me ressaisir
au plus vite.

J'avais la prémonition que jamais je ne sortirais vraiment de ce gouffre dans lequel j'avais chuté. Même
si j'étais loin d'imaginer la réalité du cauchemar qui
m'attendait.

Pour être franc, je comprenais que Vinca se sente
attirée par Clément. Je l'avais eu comme prof en terminale, l'année précédente. Je l'avais toujours trouvé
superficiel, mais je reconnaissais qu'il savait faire illusion. À cet âge de ma vie, le combat était déloyal.

À ma droite, Alexis Clément, vingt-sept ans, beau comme un astre, classé 15 au tennis, conduisant une Alpine A310 et citant Schopenhauer dans le texte. À ma gauche, Thomas Degalais, dix-huit ans, qui trimait en math sup, recevait de sa mère soixante-dix francs d'argent de poche par semaine, roulait sur une mobylette 103 Peugeot (au moteur même pas débridé) et passait l'essentiel de son maigre temps libre à jouer à *Kick Off* sur son Atari ST.

Je n'avais jamais considéré que Vinca était *à moi*. Mais Vinca était faite *pour moi* comme j'étais fait pour elle. J'étais certain d'être la bonne personne, même si ce n'était pas forcément le bon moment. Je pressentais que viendrait un jour où j'aurais ma revanche sur des types comme Alexis Clément, même s'il faudrait encore bien des années pour que la vapeur se renverse. En attendant que ce jour arrive défilaient dans ma tête des images de mon amie en train de coucher avec ce mec. Et cela m'était insupportable.

Lorsque le téléphone sonna cet après-midi-là, j'étais seul à la maison. La veille, date du début officiel des vacances, mon père était parti à Papeete avec mon frère et ma sœur. Mes grands-parents paternels vivaient à Tahiti depuis une dizaine d'années et nous y passions Noël une année sur deux. Cette année, mes résultats scolaires médiocres m'avaient incité à renoncer au voyage. Quant à ma mère, elle avait décidé de passer les congés de fin d'année dans les Landes, chez sa sœur Giovana qui se remettait difficilement d'une lourde opération chirurgicale. Son départ n'était prévu que le lendemain et, pour l'heure, c'est elle qui faisait office de directrice de la cité scolaire et qui tenait la barre du navire pris dans la tempête.

Depuis le matin, le téléphone n'arrêtait pas de sonner à cause des chutes de neige. À Sophia Antipolis, à cette époque, il ne fallait pas compter sur les saleuses ou les chasse-neige pour vous déblayer la route. Une demi-heure plus tôt, ma mère avait été appelée en catastrophe. Un camion de livraison s'était déporté en travers de la route verglacée et barrait l'accès à l'établissement au niveau de la guérite du gardien. En désespoir de cause, elle avait demandé de l'aide à Francis Biancardini, le père de Maxime, qui avait promis de venir le plus rapidement possible.

Je décrochai donc le combiné en pensant à une énième urgence liée à la météo ou à un appel de Maxime pour annuler notre rendez-vous. Le samedi après-midi, nous avions l'habitude de nous retrouver pour jouer au baby chez Dino, mater des séries en VHS, échanger des CD, squatter avec nos mobs devant le McDo, sur le parking du Carrefour d'Antibes avant de rentrer voir les buts du championnat de France dans *Jour de foot*.

— Viens, Thomas, s'il te plaît !

Mon cœur se serra dans ma poitrine. Ce n'était pas la voix de Maxime. C'était celle, légèrement étouffée, de Vinca. Alors que je la croyais repartie dans sa famille à Boston, elle m'expliqua qu'elle était encore à Saint-Ex, qu'elle ne se sentait pas bien et qu'elle souhaitait me voir.

J'avais bien conscience de tout ce que mon comportement pouvait avoir de pathétique, mais chaque fois que Vinca m'appelait, chaque fois qu'elle me parlait, je reprenais espoir et j'accourais. C'est bien sûr ce que je fis cette fois encore, maudissant ma faiblesse, mon manque d'amour-propre, et regrettant de ne pas avoir la force morale de jouer l'indifférence.

5.

Prévu pour la fin de l'après-midi, le redoux se faisait attendre. Le froid était mordant, renforcé par les bourrasques de mistral qui fouettaient les flocons cotonneux. Dans la précipitation, j'avais oublié d'enfiler des bottes ou des après-skis, et mes Air Max s'enfonçaient dans la neige. Emmitouflé dans ma doudoune, j'avançais, courbé face au vent, tel une sorte de Jeremiah Johnson à la poursuite d'un grizzly fantomatique. Malgré mon empressement et bien que les bâtiments de l'internat ne fussent qu'à une centaine de mètres du logement de fonction de mes parents, il me fallut presque dix minutes pour rejoindre la résidence Nicolas-de-Staël. Sous la tempête, la bâtisse avait perdu sa couleur céruléenne pour n'être plus qu'une masse grise et spectrale happée par un brouillard de nacre.

Le hall était aussi désert que glacial. On avait même fermé les portes coulissantes qui permettaient d'accéder à la salle commune des étudiantes. J'époussetai la neige collée à mes chaussures et montai l'escalier quatre à quatre. Dans le couloir, je frappai plusieurs fois à la chambre de Vinca. Comme je n'obtenais pas de réponse, je poussai la porte et avançai dans une pièce claire qui sentait la vanille et le benjoin, l'odeur caractéristique du papier d'Arménie.

Les yeux clos, Vinca était couchée au fond de son lit. Sa longue chevelure rousse disparaissait presque entièrement sous une couette éclaboussée par la réverbération laiteuse du ciel de neige. Je m'approchai d'elle, effleurai sa joue et posai la main sur son front. Il était brûlant. Sans ouvrir les yeux, Vinca marmonna quelques mots dans son demi-sommeil. Je décidai de la laisser dormir et jetai un coup d'œil dans la salle de bains, à la recherche d'un cachet pour faire baisser la fièvre. La boîte à pharmacie débordait de médicaments lourds, somnifères, anxiolytiques, antidouleurs, mais je n'y trouvai pas de paracétamol.

Je ressortis pour aller frapper à la porte de la dernière chambre du couloir. Le visage de Fanny Brahimi apparut dans l'embrasure. Je savais que je pouvais lui faire confiance. Même si on ne se voyait plus beaucoup depuis le début de l'année scolaire, enfouis dans nos études respectives, c'était une amie fidèle.

— Salut Thomas, dit-elle en retirant les lunettes de vue posées sur son nez.

Elle portait un jean déchiré, des Converse usées et un chandail XL en mohair. La grâce et la lumière de son regard étaient presque éteintes par le khôl charbonneux qui entourait ses yeux. Un maquillage raccord avec l'album de The Cure qui tournait sur sa platine.

— Salut Fanny, j'ai besoin d'un coup de main.

Je lui expliquai la situation et lui demandai si elle avait du paracétamol. Alors qu'elle allait m'en chercher, j'allumai le réchaud à gaz de la chambrette pour mettre de l'eau à chauffer.

— Je t'ai trouvé du Doliprane, dit-elle en me rejoignant.

— Merci. Tu pourras lui préparer du thé ?

— Oui, avec beaucoup de sucre pour qu'elle ne se déshydrate pas trop. Je m'en occupe.

Je retournai dans la chambre de Vinca. Elle ouvrit les yeux avant de se redresser sur son oreiller.

— Avale ça, dis-je en lui tendant deux comprimés. Tu es brûlante.

Elle ne délirait pas, mais elle était mal en point. Lorsque je lui demandai pourquoi elle m'avait appelé, elle éclata en sanglots. Même fiévreuse, même le visage défait et baigné de larmes, elle gardait un pouvoir d'attraction incroyable et dégageait une aura inexplicable, éthérée, onirique. Le son pur et cristallin d'un célesta dans un morceau folk des années 1970.

— Thomas..., balbutia-t-elle.

— Que se passe-t-il ?

— Je suis monstrueuse.

— N'importe quoi. Pourquoi tu dis ça ?

Elle se pencha vers la table de nuit et y attrapa quelque chose que je pris d'abord pour un stylo avant de me rendre compte qu'il s'agissait d'un test de grossesse.

— Je suis enceinte.

En regardant la petite barre verticale indiquant que le test était positif, je me rappelai certains fragments de la correspondance d'Alexis dont la lecture m'avait révulsé : « Nous fonderons bientôt notre propre famille. Notre enfant scellera nos deux destins pour l'éternité. Il aura ton sourire d'ange et tes prunelles d'argent. »

— Il faut que tu m'aides, Thomas.

J'étais trop bouleversé pour comprendre quel genre de réconfort elle attendait de moi.

— Je ne voulais pas, tu sais... Je ne voulais pas, bredouilla-t-elle.

Alors que je m'asseyais à côté d'elle sur le lit, elle me fit cette confidence entre deux sanglots :

— Ce n'est pas ma faute ! C'est Alexis qui m'a forcée.

Abasourdi, je lui demandai de répéter, et elle précisa :

— C'est Alexis qui m'a forcée. Je ne voulais pas coucher avec lui !

C'est la phrase exacte qu'elle a prononcée. Mot pour mot. *Je ne voulais pas coucher avec lui*. Ce salopard d'Alexis Clément l'avait contrainte à faire des choses dont elle n'avait pas envie.

Je me suis levé du lit, résolu à agir.

— Je vais tout arranger, ai-je assuré en me dirigeant vers la porte. Je reviens te voir plus tard.

Puis je suis ressorti en bousculant Fanny qui entrait avec son plateau de thé.

Je ne le savais pas encore, mais il y avait deux mensonges dans ma dernière phrase. D'abord, je n'allais rien arranger du tout, bien au contraire. Ensuite, je ne reviendrais pas voir Vinca. Ou plutôt, lorsque je reviendrais, elle aurait disparu pour toujours.

6.

Dehors, il ne neigeait plus, mais des nuages métalliques assombrissaient l'espace. Le ciel était bas, écrasant, prélude à la nuit qui ne tarderait pas.

J'étais traversé de sentiments contradictoires. J'étais sorti de la chambre furieux et révolté par la révélation de Vinca, mais avec une certaine détermination. Tout à coup, les choses reprenaient leur sens : Alexis était un imposteur et un violeur. Je comptais toujours pour Vinca, et c'est à moi qu'elle avait fait appel pour l'aider.

Le bâtiment dans lequel logeaient les profs n'était pas très loin. Alexis Clément avait une mère allemande et un père français. Il était diplômé de l'université de Hambourg et employé à Saint-Ex sous un contrat de droit local. En tant que professeur résident, il avait droit à un logement de fonction au sein d'un petit immeuble situé au-dessus du lac.

Pour m'y rendre, je coupai à travers le chantier du gymnase. Les dalles maçonnées, les fondations, les bétonnières, les murs de briques avaient presque disparu, masqués par une épaisse couche de neige encore immaculée.

Je pris tout mon temps pour choisir mon arme et optai finalement pour une barre de fer abandonnée par les ouvriers dans une brouette près d'un tas de sable. Je ne pourrais pas prétendre que mon geste n'était pas prémédité. Quelque chose s'était réveillé en moi. Une violence ancestrale et primaire qui me galvanisait. Un état que je ne connus qu'une seule fois dans ma vie.

Je me souviens encore aujourd'hui de cet air enivrant, à la fois glacé et brûlant, pur et salé, qui m'électrisait. À présent, je n'étais plus l'étudiant poussif qui soupirait devant son problème de maths. J'étais devenu un combattant, un guerrier qui montait au front sans faillir.

Lorsque j'arrivai enfin devant la bâtisse des professeurs, la nuit était presque tombée. Au loin, sur les eaux sombres du lac, le ciel tremblait de ses reflets d'argent.

Pendant la journée – le week-end y compris –, on pouvait accéder au hall d'entrée sans sonner ni en avoir la clé. À l'image de l'internat des élèves, la résidence était froide, silencieuse et sans vie. Je grimpai l'escalier d'un pas décidé. Je savais que le prof de philo était chez lui, car j'avais entendu le matin même ma mère lui répondre au téléphone lorsqu'il l'avait appelée pour la prévenir que le vol pour Munich était annulé à cause des intempéries.

Je cognai à la porte derrière laquelle résonnait le bruit de la radio. Alexis Clément m'ouvrit sans se méfier.

— Ah, bonjour Thomas !

Il ressemblait au tennisman Cédric Pioline : un grand brun aux cheveux bouclés qu'il avait laissés pousser jusqu'au bas de la nuque. Il me dépassait de dix bons centimètres et était bien plus costaud, mais à cet instant, il ne m'impressionnait pas du tout.

— Tu as vu ce temps ! s'exclama-t-il. Dire que j'ai prévu d'aller skier à Berchtesgaden. Je suis sûr qu'il doit y avoir moins de neige qu'ici !

La pièce était surchauffée. Un gros sac de voyage était posé près de la porte. De la chaîne hi-fi compacte s'élevait la voix de miel de Jean-Michel Damian : «*Les Imaginaires*, c'est terminé pour aujourd'hui, mais restez sur France Musique avec Alain Gerber et son Jazz...»

Alors qu'il venait tout juste de m'inviter à entrer, Clément aperçut ma barre de fer.

— Qu'est-ce que tu..., commença-t-il en écarquillant les yeux.

L'heure n'était plus à la réflexion ni à la discussion.

Le premier coup partit de lui-même, comme si quelqu'un d'autre l'avait donné à ma place. Il atteignit le prof en pleine poitrine, le fit vaciller et lui coupa le souffle. Le second lui fit exploser le genou, lui arrachant un hurlement.

— Pourquoi tu l'as violée, espèce de taré !

Alexis Clément essaya de se rattraper au bar qui servait de séparation entre la pièce principale et la kitchenette, mais il l'entraîna avec lui dans sa chute. Une pile d'assiettes et une bouteille de San Pellegrino se brisèrent sur le carrelage sans m'arrêter dans mon élan.

J'avais perdu tout contrôle de moi-même. Le prof était à terre, mais je continuais à le frapper sans lui offrir le moindre répit. J'enchaînais les coups méthodiquement, sous l'emprise d'une force qui me dépassait. Les coups de pied avaient succédé aux coups de barre. Dans ma tête, les images de ce salopard en train d'agresser Vinca alimentaient ma fureur et ma rage. Je ne voyais plus Clément. Je ne m'appartenais plus. J'avais conscience que j'étais en train de commettre l'irréparable, mais j'étais incapable de me ressaisir. Prisonnier d'un engrenage fatal, j'étais devenu une marionnette aux mains d'un démiurge exterminateur.

Je ne suis pas un meurtrier.

La voix résonna dans ma tête. Faiblement. L'esquisse d'une échappatoire. Le dernier appel avant le point de non-retour. Je lâchai soudain ma barre de fer et me figeai dans mon mouvement.

Clément profita de mon hésitation. Rassemblant ses forces, il m'attrapa par le mollet et, à cause de mes semelles glissantes, parvint à me déséquilibrer. À mon tour, je m'étalai sur le sol. Le prof était bien amoché, mais il fut sur moi en un éclair, basculant du statut de proie à celui d'agresseur. Il pesait sur moi de tout son poids et ses genoux m'enserraient comme une tenaille, paralysant mes mouvements.

J'ouvris la bouche pour crier, mais déjà Clément venait de se saisir d'un tesson de bouteille. Impuissant, je le vis lever le bras pour abattre sur moi le long morceau de verre brisé. Puis le temps se délita et je sentis ma vie s'échapper. Ce fut l'une de ces secondes qui donnent l'impression de durer plusieurs minutes. L'une de ces secondes qui font basculer plusieurs existences.

Et d'un coup, tout s'accéléra. Un flot brunâtre de sang tiède jaillit et inonda mon visage. Le corps de Clément s'affaissa et j'en profitai pour retirer mon bras et m'essuyer les paupières. Lorsque j'ouvris les yeux, mon regard était flou, mais au-dessus de la masse sombre du prof, je devinai la silhouette indécise et estompée de Maxime. Ses cheveux clairs, son survêt Challenger, son blouson Teddy en laine grise et cuir rouge.

7.

Maxime n'avait eu besoin que d'un seul coup de couteau. Un geste rapide, une lame brillante, à peine plus longue qu'un cutter, qui n'avait en apparence qu'effleuré la jugulaire d'Alexis Clément.

— Il faut appeler les pompiers ! criai-je en me relevant.

Mais je savais bien qu'il était trop tard. Clément était mort. Et moi, j'avais du sang partout. Sur mon visage, mes cheveux, mon pull, mes godasses. J'en avais même sur les lèvres et le bout de la langue.

Pendant un moment, Maxime resta comme moi : abattu, prostré, anéanti. Incapable de prononcer la moindre parole.

Ce n'étaient ni les pompiers ni une ambulance que nous allions appeler. C'était la police.

— Attends ! Mon père est peut-être encore là ! s'écria-t-il en sortant de sa léthargie.

— Où ça ?

— Près de la guérite du gardien !

Il quitta le studio de Clément et je l'entendis dévaler l'escalier, m'abandonnant avec le cadavre de l'homme que nous venions de tuer.

Combien de temps suis-je resté seul ? Cinq minutes ? Un quart d'heure ? Enveloppé d'une chape de silence, j'ai eu à nouveau cette impression que le temps s'immobilisait. Pour éviter de regarder le mort, je me souviens d'être demeuré le nez collé à la fenêtre. La surface frémissante du lac était à présent plongée dans le noir, comme si quelqu'un avait actionné un interrupteur pour l'éteindre. J'ai essayé de me raccrocher à quelque chose, mais je me suis noyé dans la réverbération de la neige.

Sa blancheur d'abîme me renvoyait à ce que serait désormais notre existence. Car je savais que l'équilibre de nos vies venait de se rompre à jamais. Ce n'était pas une page qui se tournait ni même la fin d'une époque. C'était le feu de l'enfer qui s'ouvrait brutalement sous la neige.

Soudain, il y eut du bruit dans l'escalier et la porte claqua. Escorté par son fils et par son chef de chantier, Francis Biancardini débarqua dans la pièce. L'entrepreneur en maçonnerie était fidèle à lui-même : cheveux poivre et sel en bataille, parka en cuir éclaboussée de gouttes de peinture, torse bombé, emprisonné dans ses kilos en trop.

— Ça va aller, petit ? me demanda-t-il en cherchant mon regard.

J'étais hors d'état de lui répondre.

Sa silhouette lourde donnait l'impression de remplir à elle seule tout l'appartement, mais sa démarche féline et décidée contrastait avec l'épaisseur de son physique.

Francis se planta au milieu de la pièce et prit le temps d'évaluer la situation. Son visage fermé ne laissait pas transparaître la moindre émotion. Comme s'il avait toujours su que ce jour viendrait. Comme si ce n'était pas la première fois qu'il avait à faire face à ce genre de drame.

— À partir de maintenant, je prends les choses en main, annonça-t-il en nous regardant alternativement, Maxime et moi.

Je crois que c'est en entendant sa voix, calme et posée, que je compris définitivement que le masque de bourrin facho que Francis Biancardini affichait en public ne correspondait pas à sa véritable personnalité. En ces heures sombres, l'homme que j'avais devant moi faisait plutôt penser à un implacable chef de gang. Francis m'apparaissait comme une sorte de *Parrain*, mais s'il y avait la moindre chance qu'il nous sorte de là, j'étais prêt à lui faire allégeance.

— On va nettoyer ça, dit-il en se tournant vers Ahmed, le chef de chantier. Mais d'abord, va chercher des bâches dans la camionnette.

Le Tunisien avait la mine pâle et les yeux terrifiés. Avant de s'exécuter, il ne put s'empêcher de demander :

— C'est quoi le plan, patron ?

— On va le foutre dans le mur, répondit Francis en désignant le cadavre d'un signe du menton.

— Quel mur ? demanda Ahmed.

— Le mur du gymnase.

5

Les derniers jours
de Vinca Rockwell

> *Rien ne ravive mieux le passé que*
> *l'odeur qu'on lui a autrefois associée.*
> Vladimir NABOKOV

1.
Aujourd'hui
13 mai 2017

— Je n'ai jamais reparlé de cet épisode avec mon père, assura Maxime en allumant une cigarette.

Un rayon de soleil fit briller la coque laquée de son briquet, un Zippo orné de la reproduction d'une estampe japonaise : *La Grande Vague de Kanagawa*. Nous avions quitté l'ambiance étouffante du gymnase pour les hauteurs du « Nid d'Aigle », une étroite corniche fleurie qui courait le long d'un éperon rocheux surplombant le lac.

— Je ne sais même pas à quel endroit il a emmuré le cadavre, poursuivit mon ami.

— Il serait peut-être temps de le lui demander, non ?

— Mon père est décédé cet hiver, Thomas.

— Merde, je suis désolé.

L'ombre de Francis Biancardini se profila dans notre conversation. Le père de Maxime m'avait toujours semblé indestructible. Un roc sur lequel venaient se fracasser tous ceux qui avaient l'inconscience de l'attaquer. Mais la mort est une adversaire particulière. Celle qui gagne toujours à la fin.

— De quoi est-il mort?

Maxime inhala une longue bouffée qui le fit cligner des yeux.

— C'est une histoire pénible, prévint-il. Ces dernières années, il passait une bonne partie de son temps dans sa maison d'Aurelia Park. Tu vois où c'est?

J'acquiesçai de la tête. Je connaissais bien sûr cette luxueuse résidence sécurisée sur les hauteurs de Nice.

— En fin d'année, le domaine a été la cible d'une vague de cambriolages parfois très violents. Les malfrats n'hésitaient pas à pénétrer dans les villas en présence de leurs occupants. Il y a eu plusieurs séquestrations, plusieurs saucissonnages.

— Et Francis en a été victime?

— Oui. À Noël. Il avait toujours une arme chez lui pourtant, mais il n'a pas eu le temps de s'en servir. Il a été ligoté et frappé par les cambrioleurs. Il est mort d'une crise cardiaque à la suite de l'agression.

Les cambriolages. Une des plaies de la Côte d'Azur, avec le bétonnage du littoral, les voies de circulation constamment engorgées, la surpopulation due au tourisme de masse...

— On a arrêté ceux qui ont fait ça ?

— Ouais, un gang de Macédoniens. Des mecs très organisés. Les flics en ont chopé deux ou trois qui sont sous les verrous.

Je m'accoudai à la rambarde. La terrasse minérale en demi-lune offrait une vue assez époustouflante sur le lac.

— À part Francis, qui est au courant du meurtre de Clément ?

— Toi et moi, c'est tout, assura Maxime. Et tu connais mon père : ce n'était pas le genre à se répandre…

— Ton mari ?

Il secoua la tête.

— Putain, c'est la dernière chose que je voudrais qu'Olivier apprenne sur moi. De toute ma vie, je n'ai jamais évoqué ce crime avec personne.

— Il y avait aussi Ahmed Ghazouani, le chef de chantier.

Maxime se montra sceptique :

— Il n'y avait pas plus mutique que lui. Et puis, quel intérêt aurait-il eu à parler d'un crime dont il était complice ?

— Il est encore en vie ?

— Non. Dévoré par le cancer, à la fin de sa vie, il est retourné mourir à Bizerte.

Je chaussai mes lunettes fumées. Il était presque midi. Très haut dans le ciel, le soleil éclaboussait notre Nid d'Aigle. Ceinturé d'un simple balconnet de bois, l'endroit était aussi dangereux qu'attractif. De tout temps, on en avait interdit l'accès aux élèves, mais en tant que fils du directeur, j'avais des passe-droits et je gardais des souvenirs assez magiques de soirées passées avec Vinca à fumer et à boire du mandarinello pendant que la lune se reflétait sur le lac.

— La personne qui nous envoie ces courriers sait forcément ce que nous avons fait ! s'exaspéra Maxime.

Il tira une dernière taffe qui consuma la cigarette jusqu'au filtre.

— Ce mec, Alexis Clément, il avait de la famille ?

Je connaissais l'arbre généalogique du prof par cœur :

— Clément était fils unique et ses parents étaient déjà vieux à l'époque. Ils ont dû passer l'arme à gauche, eux aussi. En tout cas, ce n'est pas de ce côté que vient la menace.

— De qui alors ? Stéphane Pianelli ? Ça fait des mois qu'il me colle aux basques. Depuis que je me suis engagé pour Macron, il enquête sur moi tous azimuts. Il rouvre les vieux dossiers sur mon père. Et puis, tu te souviens qu'il avait écrit ce livre sur Vinca ?

J'étais peut-être naïf, mais je n'imaginais pas Stéphane Pianelli aller aussi loin pour nous forcer à nous découvrir.

— C'est un fouineur, admis-je. Mais je ne le vois pas en corbeau, il nous rentrerait dedans plus directement s'il nous soupçonnait. En revanche, il a évoqué un truc qui m'a inquiété, cet argent qu'on a retrouvé dans un vieux casier.

— De quoi tu parles ?

Maxime était passé à côté de l'info. Je lui résumai la situation : les inondations, la découverte des cent mille francs dans un sac, le relevé des deux empreintes, dont l'une appartenait à Vinca.

— Le problème, c'est que l'argent a été retrouvé dans mon casier de l'époque.

Un peu perdu, Maxime fronça les sourcils. Je développai mes explications :

— Avant que mes parents soient nommés à Saint-Ex, j'avais postulé pour avoir une chambre que j'ai occupée pendant ma classe de seconde.

— Je m'en souviens.

— Lorsqu'ils ont obtenu leur mutation et le logement de fonction qui allait avec, mes parents m'ont demandé de restituer la chambre pour qu'un autre élève puisse en profiter.

— C'est ce que tu as fait ?

— Oui, sauf que le type en question n'utilisait pas son casier et ne m'a jamais réclamé la clé. Je l'ai donc conservée, sans en avoir un grand usage moi-même, jusqu'à ce que, quelques semaines avant sa disparition, Vinca me la demande.

— Sans te dire que c'était pour planquer du fric ?

— Évidemment ! Cette histoire de casier m'était complètement sortie de la tête. Même lorsque Vinca a disparu, je n'ai pas fait le moindre lien avec cet épisode.

— C'est quand même incompréhensible qu'on n'ait jamais retrouvé la trace de cette fille.

2.

Appuyé contre un muret de pierres sèches, Maxime avança de quelques pas pour me rejoindre au soleil. À son tour, il me servit l'antienne à laquelle j'avais déjà eu droit plusieurs fois depuis le début de la matinée.

— On n'a jamais *vraiment* su qui était Vinca.

— Si, on la connaissait bien. C'était notre amie.

— On la connaissait sans la connaître, insista-t-il.

— Tu penses à quoi, précisément?

— Tout prouve qu'elle était amoureuse d'Alexis Clément : les lettres que tu as retrouvées, les photos où on les voit ensemble... Tu te souviens de ce cliché pris au bal de fin d'année sur lequel elle le dévorait des yeux?

— Et alors?

— Alors? Pourquoi aurait-elle prétendu quelques jours plus tard que le type l'avait violée?

— Tu crois que je t'ai menti?

— Non, mais...

— Où veux-tu en venir?

— Et si Vinca était encore en vie? Et si c'était elle qui nous envoyait ces courriers?

— J'y ai pensé, admis-je. Mais pour quelle raison?

— Pour se venger. Parce qu'on a tué le mec qu'elle aimait.

110

Je sortis de mes gonds :

— Putain, elle avait peur de lui, Maxime ! Je te le jure. Elle me l'a dit. C'est même la dernière chose qu'elle m'a dite : *C'est Alexis qui m'a forcée. Je ne voulais pas coucher avec lui !*

— Elle racontait peut-être n'importe quoi. À l'époque, elle était souvent un peu *stone*. Elle prenait de l'acide et toutes les merdes qui lui tombaient sous la main.

Je mis fin au débat :

— Non, elle me l'a même répété. Ce mec était un violeur.

Le visage de Maxime se ferma. Un moment, son regard se perdit dans la contemplation du lac avant de revenir vers moi.

— Tu m'as toujours affirmé qu'à l'époque elle était enceinte ?

— Oui, c'est ce qu'elle m'a dit, preuve à l'appui.

— Si c'était vrai et si elle a accouché, son môme doit avoir vingt-cinq ans aujourd'hui. Il y a peut-être un fils ou une fille qui voudrait venger la mort de son père.

L'idée m'avait effleuré. C'était une possibilité, mais qui me paraissait plus romanesque que rationnelle. Un retournement de situation un peu éventé dans un roman policier. C'est ce que je répondis à Maxime sans le convaincre tout à fait. Puis je me résolus à aborder le sujet qui me semblait le plus important pour les heures à venir.

— Il y a autre chose que je dois te dire, Max. Début 2016, en revenant pour la promotion de mon nouveau bouquin, j'ai eu une altercation avec un officier des frontières à Roissy. Un connard qui s'amusait à humilier un transsexuel en l'appelant « monsieur ». L'affaire est allée assez loin, j'ai été en garde à vue quelques heures et…

— Ils ont pris tes empreintes ! devina-t-il.

— Oui, je suis dans le FAED. Ça veut dire qu'on n'aura pas le temps de se retourner. Dès qu'on découvrira le corps et la barre de fer, s'il reste une seule empreinte, mon nom sortira et on viendra m'arrêter et m'interroger.

— Qu'est-ce que ça change ?

Je lui fis part de la décision que j'avais prise dans l'avion la nuit précédente :

— Je ne te mouillerai pas. Ni toi ni ton père. Je prendrai tout sur moi. Je dirai que j'ai tué Clément tout seul et que j'ai demandé à Ahmed de m'aider à faire disparaître le corps.

— On ne te croira jamais. Et puis pourquoi tu ferais ça ? Pourquoi tu te sacrifierais ?

— Je n'ai pas de môme, pas de femme, pas de vie. Je n'ai rien à perdre.

— Non, ça n'a pas de sens ! balança-t-il en clignant des yeux.

Ses paupières étaient cernées de cendres et son visage défait comme s'il n'avait pas dormi depuis deux jours.

Loin de l'apaiser, ma proposition l'avait rendu encore plus nerveux. À force d'insister, j'en compris la raison.

— Les flics savent déjà quelque chose, Thomas. J'en suis certain. Tu ne pourras pas me dédouaner. Hier soir, j'ai reçu un appel du commissariat d'Antibes. C'était le divisionnaire lui-même, Vincent Debruyne, qui…

— Debruyne? Comme l'ancien proc?

— Ouais, c'est son fils.

Ce n'était pas spécialement une bonne nouvelle. Dans les années 1990, le gouvernement Jospin avait nommé Yvan Debruyne comme procureur de la République du tribunal de grande instance de Nice avec l'ambition affirmée de donner un coup de pied dans la fourmilière de l'affairisme azuréen. Yvan le terrible, comme il aimait qu'on le surnomme, avait débarqué en fanfare sur la Côte avec l'image d'un chevalier blanc. Il y était resté plus de quinze ans, guerroyant contre les réseaux francs-maçons et la corruption des élus. Le magistrat avait pris sa retraite récemment, au soulagement de certains. Pour être honnête, dans la région, beaucoup de monde détestait Debruyne et son côté Dalla Chiesa[1], mais même ses détracteurs lui

---

1. Le général Dalla Chiesa, préfet de Palerme et combattant anti-mafia, fut assassiné quelques mois après sa nomination, ainsi que son épouse et son garde du corps. Lino Ventura a interprété son rôle dans le film *Cent jours à Palerme*.

reconnaissaient une certaine forme de ténacité. Si son fils avait hérité de ses « qualités », nous allions avoir dans les pattes un flic retors, hostile aux élus et à tout ce qui de près ou de loin ressemblait à un notable ou à un « Marcheur ».

— Qu'est-ce que t'a dit Debruyne exactement ?

— Il m'a demandé de venir le voir d'urgence, car il avait des questions à me poser. Je lui ai répondu que je passerais cet après-midi.

— Vas-y dès que tu peux, que l'on sache à quoi s'en tenir.

— J'ai peur, m'avoua-t-il.

Je posai la main sur son épaule et je mis toute ma force de conviction à essayer de le rassurer :

— Ce n'est pas une convocation en bonne et due forme. Debruyne s'est peut-être fait intoxiquer. Il va sans doute à la pêche aux infos. S'il avait quelque chose de concret, il ne procéderait pas comme ça.

Sa fébrilité exsudait par tous les pores de sa peau. Maxime ouvrit un nouveau bouton de sa chemise et essuya les gouttes de sueur qui perlaient sur son front.

— Je n'en peux plus de vivre avec cette épée de Damoclès au-dessus de la tête. Peut-être que si on raconte tout à …

— Non, Max ! Essaie de tenir le coup, au moins pendant le week-end. Je sais que ce n'est pas facile, mais on cherche à nous faire peur et à nous déstabiliser. Ne tombons pas dans ce piège.

Il respira profondément et, au prix d'un réel effort, sembla retrouver son calme.

— Laisse-moi enquêter de mon côté. Tout se bouscule, tu vois bien. Laisse-moi le temps de comprendre ce qui est arrivé à Vinca.

— D'accord, acquiesça-t-il. Je vais passer au commissariat. Je te tiens au courant.

Je regardai mon ami descendre l'escalier en roche puis suivre le chemin qui serpentait à travers les plantations de lavande. En s'éloignant, la silhouette de Maxime rapetissait et devenait floue jusqu'à s'éteindre, avalée par le tapis mauve.

3.

Avant de quitter le campus, je m'arrêtai devant l'Agora, le bâtiment de verre en forme de soucoupe qui était venu s'arrimer à la bibliothèque historique. (Personne à Saint-Ex n'aurait utilisé l'acronyme de CDI pour désigner un lieu aussi symbolique.)

La sonnerie de midi venait de retentir, libérant une bonne partie des étudiants. S'il fallait désormais un badge pour accéder aux salles de lecture, je m'émancipai de cette contrainte en sautant par-dessus le portillon – un remake de ce que j'avais vu faire dans le métro parisien par les racailles, les étudiants fauchés ou les présidents de la République.

En arrivant aux abords de la banque de prêt, je reconnus Eline Bookmans, que tout le monde ici appelait Zélie.

D'origine néerlandaise, cette intello assez prétentieuse avait un avis définitif et plus ou moins argumenté sur tout. La dernière fois que je l'avais vue, c'était une quadra un peu poseuse qui jouait de son physique athlétique. Avec l'âge, la bibliothécaire ressemblait à présent à une sorte de Mamie Nova bohème : lunettes rondes, visage carré, double menton, chignon gris, pull blousant surmonté d'un col Claudine.

— Bonjour Zélie.

En plus de régner sur la bibliothèque, elle s'était occupée pendant des années de la programmation du cinéma du campus, de l'animation de la radio du lycée ainsi que de la Sophia Shakespeare Company, un nom ronflant pour désigner le club théâtre du lycée où s'était investie ma mère lorsqu'elle dirigeait les classes prépas.

— Salut, le scribouillard, me lança-t-elle comme si on s'était parlé la veille.

C'était une femme que j'avais toujours eu du mal à déchiffrer. Je la soupçonnais d'avoir brièvement été la maîtresse de mon père, mais dans mon souvenir, ma mère semblait l'apprécier. Pendant ma scolarité à Saint-Ex, la plupart des élèves ne juraient que par elle – Zélie par-ci, Zélie par-là –, la considérant tour à tour comme une confidente, une assistante sociale, une éveilleuse de conscience. Et Zélie – diminutif que je trouvais ridicule – jouait et abusait de cette position. « Forte avec les faibles, faible avec les forts », elle avait ses têtes, accordant une attention démesurée à certains élèves

– souvent les plus favorisés ou les plus extravertis – et négligeant les autres. Je me souvenais qu'elle adorait mon frère et ma sœur, mais que je ne lui avais jamais semblé être digne d'un quelconque intérêt. Ça tombait bien : cette antipathie était réciproque.

— Qu'est-ce qui t'amène, Thomas ?

Entre la dernière fois que l'on s'était parlé et aujourd'hui, j'avais écrit une dizaine de romans, traduits en vingt langues et vendus à des millions d'exemplaires à travers le monde. Pour une bibliothécaire qui m'avait vu grandir, ça aurait dû signifier quelque chose. Je n'attendais pas forcément un compliment, mais au moins une marque d'intérêt. Qui ne vint jamais.

— Je voudrais emprunter un livre, répondis-je.

— Je vais d'abord vérifier si ta carte est à jour, déclara-t-elle en me prenant au mot.

Poussant la plaisanterie un peu loin, elle se mit à chercher dans les archives de son ordinateur une hypothétique fiche de bibliothèque vieille de vingt-cinq ans.

— Ça y est, je l'ai ! C'est bien ce que je me disais, il y a deux livres que tu n'as jamais rendus : *La Distinction*, de Pierre Bourdieu, ainsi que *L'Éthique protestante et l'esprit du capitalisme* de Max Weber.

— Tu déconnes ?

— Oui, je déconne. Dis-moi ce que tu cherches.

— Le bouquin écrit par Stéphane Pianelli.

— Il a participé à un *Manuel de journalisme* publié chez...

— Pas ce livre-là, son enquête sur l'affaire Vinca Rockwell, *La Jeune Fille et la Mort*.

Elle tapa le titre sur son ordinateur.

— Celui-là, on ne l'a plus.

— Comment ça ?

— Le livre est paru en 2002, chez un petit éditeur. Le tirage est épuisé et il n'a pas été republié depuis.

Je la regardai calmement.

— Tu te fous de moi, Zélie ?

Elle fit mine de s'offusquer et tourna l'écran de son ordinateur vers moi. Je jetai un œil au moniteur pour constater que le livre n'était pas référencé.

— Ça ne tient pas debout. Pianelli est un ancien élève. À l'époque, vous aviez forcément acheté plusieurs exemplaires de son livre.

Elle haussa les épaules.

— Si tu penses qu'on achète plusieurs exemplaires des tiens.

— Réponds à ma question, s'il te plaît !

Un peu gênée, elle se tortilla dans son pull trop grand et ôta ses lunettes.

— La direction a récemment pris la décision de retirer le livre de Stéphane de la bibliothèque.

— Pour quelle raison ?

— Parce que, vingt-cinq ans après sa disparition, cette fille est devenue l'objet d'un culte parmi certains élèves actuels du lycée.

— Cette fille ? Tu parles de Vinca ?

Zélie hocha la tête.

— Depuis trois ou quatre ans, on a constaté que le livre de Stéphane était constamment emprunté. On en avait plusieurs exemplaires, mais la liste d'attente était longue comme mon bras. La figure de Vinca revenait souvent dans la conversation des élèves. L'année dernière, les Heterodites ont même monté un spectacle autour d'elle.

— Les Heterodites ?

— C'est un groupe de jeunes filles brillantes, élitistes, féministes. Une sorte de sororité qui reprend les thèses d'un groupe féministe new-yorkais du début du xxᵉ siècle. Certaines d'entre elles vivent dans le pavillon Nicolas-de-Staël et se sont fait tatouer le symbole que portait Vinca sur la cheville.

Je me souvenais de ce tatouage. Les lettres GRL PWR discrètement gravées sur sa peau. *Girl Power*. Le pouvoir aux femmes. Tout en continuant ses explications, Zélie ouvrit un document sur son ordinateur. C'était l'affiche d'un spectacle musical : *Les Derniers Jours de Vinca Rockwell*. Le poster me fit penser à la pochette d'un album de Belle & Sebastian : photo en noir et blanc, filtre rose pâle, lettrage chic et arty.

— On a eu droit aussi à des soirées de recueillement dans la chambre qu'occupait Vinca, à un culte morbide autour de certaines reliques ainsi qu'à la commémoration du jour de sa disparition.

— Comment tu expliques que les Millennials se passionnent pour Vinca ?

Zélie leva les yeux au ciel.

— J'imagine que certaines filles s'identifient à elle, à son histoire d'amour romanesque avec Clément. Elle incarne une sorte d'idéal trompeur de liberté. Et sa disparition à dix-neuf ans l'a figée dans un éclat d'éternité.

Tout en devisant, Zélie avait quitté sa chaise pour explorer les étagères métalliques qui s'étendaient derrière le long comptoir d'accueil. Elle finit par revenir avec l'ouvrage de Pianelli.

— J'en ai gardé un. Si tu veux le feuilleter, soupira-t-elle.

Je passai la paume de ma main sur la couverture du livre.

— Je n'arrive pas à croire que vous censuriez ce bouquin en 2017.

— C'est pour le bien des élèves.

— Tu parles ! Une censure à Saint-Exupéry : ce n'est pas du temps de mes parents qu'on aurait vu ça.

Zélie me fixa un instant, très tranquillement, avant de me balancer un scud :

— Le « temps de tes parents » ne s'est pas très bien fini si j'ai bonne mémoire.

Je sentis la colère déferler dans mes veines, mais parvins à garder une apparence de calme.

— Tu fais référence à quoi ?

— À rien, répondit-elle prudemment.

120

Je savais bien sûr à quoi elle faisait allusion. Le magistère de mes parents sur le lycée avait pris fin brusquement en 1998, de façon très injuste, lorsqu'ils avaient tous les deux été mis en examen dans une affaire obscure de non-respect des règles de passation des marchés publics.

C'était l'illustration parfaite du concept de «victimes collatérales». Yvan Debruyne, le procureur de la République de l'époque (et le père du flic qui s'apprêtait à interroger Maxime), s'était mis en tête de faire tomber certains élus de la région qu'il soupçonnait de recevoir des pots-de-vin, notamment de la part de Francis Biancardini. Depuis longtemps, le procureur avait l'entrepreneur dans son collimateur. Si la plupart des rumeurs qui couraient sur Francis étaient absurdes – on prétendait parfois qu'il blanchissait de l'argent pour la mafia calabraise –, d'autres semblaient plus fondées. Sans doute avait-il arrosé certains politiques pour obtenir des marchés publics. C'est donc en essayant de faire tomber Francis que le procureur vit apparaître le nom de mes parents au détour d'un dossier. Francis avait effectué plusieurs chantiers dans le lycée sans respecter tout à fait les règles des appels d'offres. Dans le cadre de l'enquête, ma mère avait passé vingt-quatre heures en garde à vue, assise sur un tabouret dans la sordide caserne Auvare, le commissariat du nord-ouest de Nice. Le lendemain, une photo de mes parents faisait la une du journal local. Le type de montage en noir

et blanc qui n'aurait pas dépareillé au milieu d'un dia-
porama sur les couples de tueurs en série. Quelque part
entre les amants sanguinaires de l'Utah et les fermiers
meurtriers du Kentucky.

Déstabilisés par cette épreuve à laquelle ils n'étaient
pas préparés, ils avaient tous les deux démissionné de
l'Éducation nationale.

Même si je ne vivais plus sur la Côte d'Azur à
l'époque, l'affaire m'avait affecté. Mes parents avaient
leurs défauts, mais ils n'étaient pas malhonnêtes. Ils
avaient toujours exercé leur métier dans l'intérêt de
leurs élèves et ne méritaient pas cette sortie infamante
qui jetait le soupçon sur tout ce qu'ils avaient accompli.
Un an et demi après l'ouverture de l'enquête, le dossier avait été reconnu comme vide et avait débouché
sur un non-lieu. Mais le mal était fait. Et aujourd'hui
encore, des abrutis ou des êtres sournois comme Eline
« Zélie » Bookmans pouvaient remuer cette merde, au
détour d'une petite phrase, sans avoir l'air d'y toucher.

Je la défiai du regard jusqu'à ce qu'elle baisse les yeux
vers son clavier d'ordinateur. Malgré son âge, malgré
sa bouille de mamie gâteau, je lui aurais volontiers fracassé la gueule à coups de clavier. (Après tout, moi
j'étais un vrai criminel.) Mais je n'en fis rien. Je rava-
lai ma colère en gardant mes forces pour avancer dans
mon enquête.

— Je peux l'emporter ? demandai-je en désignant le
livre de Pianelli.

— Non.

— Je te le ramène avant lundi, promis.

— Non, rétorqua Zélie, inflexible. Il appartient à l'établissement.

Sans tenir compte de sa remarque, je glissai le livre sous mon bras et tournai les talons en lui lançant :

— Je crois que tu te trompes. Vérifie dans la base de données. Tu verras que le livre n'est pas référencé !

Je sortis de la bibliothèque et contournai l'Agora. À mon tour, j'empruntai le chemin de traverse qui permettait de quitter le campus en coupant par les champs. La lavande était particulièrement précoce cette année, mais ses émanations florales ne cadraient pas avec mes souvenirs, comme si quelque chose s'était déréglé. Portés par le vent, les effluves métalliques et camphrés qui montaient jusqu'à moi avaient l'odeur entêtante du sang.

6

Paysage de neige

La vitesse, la mer, minuit, tout ce qui est éclatant, tout ce qui est noir, tout ce qui perd, et donc permet de se trouver.

Françoise SAGAN

1.

Dimanche 20 décembre 1992

Je me réveillai tard le lendemain du meurtre. La veille au soir, pour sombrer, j'avais avalé deux somnifères dénichés dans la salle de bains familiale. Ce matin, la maison était vide et glacée. Ma mère était partie dans les Landes bien avant l'aube, et les plombs avaient sauté, coupant les radiateurs. Encore dans le brouillard, je passai un gros quart d'heure à bidouiller le compteur électrique avant de parvenir à rétablir le courant.

Dans la cuisine, je trouvai sur le frigo un mot gentil de ma mère, qui m'avait préparé du pain perdu. Par la fenêtre, le soleil qui étincelait sur la neige me donnait l'impression d'être à Isola 2000, la station de ski du Mercantour où Francis avait un chalet dans lequel il nous invitait presque chaque hiver.

Machinalement, j'allumai *France Info*. Depuis la veille, j'étais devenu un assassin, mais le monde continuait à tourner : l'horreur de Sarajevo, les enfants somaliens qui crevaient de faim, le scandale du sang contaminé, le choc PSG-OM qui avait tourné à la boucherie. Je me fis du café noir et dévorai mon pain perdu. J'étais un assassin, mais je mourais de faim. Dans la salle de bains, je restai une demi-heure sous le jet de la douche où je vomis ce que je venais de manger. Puis je me brossai au savon de Marseille comme je l'avais déjà fait la veille, mais j'avais la sensation que le sang d'Alexis Clément s'était incrusté sur mon visage, sur mes lèvres et sur ma peau. Et qu'il y resterait toujours.

Au bout d'un moment, la vapeur bouillante me monta à la tête et je manquai de m'évanouir. J'étais agité, la nuque raide, les jambes flageolantes, l'estomac strié de brûlures acides. Mon esprit était submergé. Incapable de faire face et d'affronter la situation, je voyais mes pensées m'échapper. Il fallait que tout ça cesse. Jamais je ne parviendrais à vivre comme si rien ne s'était passé. Je sortis de la douche en ayant pris la décision d'aller me dénoncer au commissariat, puis je changeai d'avis presque dans la minute : si j'avouais quelque chose, je précipiterais également la chute de Maxime et de sa famille. Des gens qui m'avaient aidé et qui avaient pris des risques pour moi. Finalement, pour ne pas laisser l'angoisse me submerger, j'enfilai mon survêtement et je sortis courir.

2.

Je fis trois fois le tour du lac, sprintant jusqu'à l'épuisement. Tout était blanc et givré. J'étais fasciné par le paysage. Tandis que je fendais l'air, j'avais l'impression de faire corps avec la nature, comme si les arbres, la neige et le vent m'absorbaient dans leur cortex de cristal. Autour de moi, tout n'était que lumière et absolu. Une parenthèse glacée, un territoire vierge, presque irréel. La page blanche sur laquelle je me remis à croire que j'allais écrire les prochains chapitres de ma vie.

En revenant vers la maison, les membres encore engourdis par la course, je fis un crochet par le bâtiment Nicolas-de-Staël. La résidence désertée avait des allures de vaisseau fantôme. J'eus beau frapper, ni Fanny ni Vinca n'étaient dans leur chambre. Si la porte de l'une était close, celle de l'autre était restée ouverte, laissant penser à une absence passagère. J'y entrai et demeurai un long moment dans ce cocon ouaté où régnait une tiède chaleur. La pièce était pleine de la présence de Vinca. Il s'en dégageait une atmosphère mélancolique, intime, presque hors du temps. Le lit était défait, les draps portaient encore une odeur fraîche de Cologne et d'herbe coupée.

Tout l'univers de la jeune femme tenait dans ces quinze mètres carrés. Punaisées sur le mur, les affiches de *Hiroshima mon amour* et de *La Chatte sur un toit brûlant*. Des portraits d'écrivains en noir et blanc – Colette, Virginia Woolf, Rimbaud, Tennessee Williams. Une page de magazine illustrée d'une photographie érotique de Lee Miller par Man Ray. Une citation de Françoise Sagan recopiée sur une carte postale qui évoquait la vitesse, la mer et le noir éclatant. Posées sur le rebord intérieur de la fenêtre, une orchidée Vanda et la reproduction d'une statue de Brancusi, *Mlle Pogany*, que je lui avais offerte pour un anniversaire. Au-dessus de son bureau, quelques CD empilés en vrac. Du classique – Satie, Chopin, Schubert –, de la bonne vieille pop – Roxy Music, Kate Bush, Procol Harum – ainsi que des enregistrements plus hermétiques qu'elle m'avait fait écouter, mais que je trouvais imbitables : Pierre Schaeffer, Pierre Henry, Olivier Messiaen...

Sur la table de nuit, je repérai un livre que j'avais aperçu la veille : un recueil de la poétesse russe Marina Tsvetaïeva. Sur la page de garde, la dédicace plutôt bien troussée d'Alexis Clément me plongea dans un accablement profond.

> *Pour Vinca,*
> *Je voudrais n'être qu'une âme sans corps*
> *pour ne te quitter jamais.*
> *T'aimer, c'est vivre.*
> *Alexis*

J'attendis mon amie encore quelques minutes. Des picotements inquiets couraient dans mon ventre. Pour patienter, j'allumai la platine laser et lançai le CD. *Sunday Morning*, le premier titre de l'album mythique du Velvet Underground. Un morceau qui cadrait bien avec la situation. Diaphane, éthérée, toxique. J'attendis et attendis encore, jusqu'à ce que je comprenne confusément que Vinca ne reviendrait plus. Plus jamais. Comme un drogué, je restai un moment dans la chambre, humant et mendiant quelques bribes de sa présence.

Depuis toutes ces années, je me suis souvent interrogé sur la nature de l'emprise que Vinca exerçait sur moi, sur le vertige fascinant et douloureux qu'elle ouvrait en moi. Et j'en reviens toujours à la drogue. Même quand nous passions du temps ensemble, même lorsque j'avais Vinca tout à moi, la sensation de manque pointait déjà son nez. Il y eut des instants magiques : des séquences mélodiques et harmonieuses qui avaient la perfection de certaines chansons pop. Mais cette légèreté ne durait jamais longtemps. Au moment même où je les vivais, je savais que la grâce de ces moments était pareille à une bulle de savon. Toujours sur le point d'exploser.

Et Vinca m'échappait.

3.

Je rentrai à la maison pour ne pas louper le coup de fil de mon père qui, tout juste débarqué du long voyage entre la métropole et Tahiti, avait promis d'appeler juste avant 13 heures. Comme les communications étaient hors de prix et que Richard n'était pas très loquace, notre échange fut bref et un peu froid, à l'image de ce qu'avaient toujours été nos relations.

Puis je parvins à manger sans vomir la barquette de poulet au curry laissée par ma mère. Dans l'après-midi, je tentai tant bien que mal de repousser les pensées qui m'assaillaient en continuant ce que j'étais censé faire : des exercices de maths et de physique. Je réussis à résoudre quelques équations différentielles, mais bientôt, je lâchai prise, renonçant à essayer de me concentrer. J'eus même un début d'attaque de panique. Mon cerveau était envahi d'images du meurtre. En début de soirée, j'étais complètement à la dérive lorsque ma mère m'appela. Alors que j'étais résolu à tout lui avouer, elle ne m'en laissa pas le temps. Elle me proposa de venir la rejoindre dans les Landes dès le lendemain. Après réflexion, elle avait décidé que ce n'était pas une bonne idée pour mon moral de me lais-ser seul pendant quinze jours. Mes révisions seraient moins pénibles en famille, argumenta-t-elle.

Pour ne pas sombrer tout à fait, j'acceptai sa propo-sition. Je pris donc le train le lundi matin dans la nuit encore enneigée. Un premier trajet d'Antibes jusqu'à Marseille, puis un train Corail bondé qui arriva à Bordeaux avec deux heures de retard. Entre-temps, le dernier TER était parti et la SNCF fut obligée d'affréter des bus jusqu'à Dax. Journée de galère ordinaire qui me vit arriver en Gascogne à minuit passé.

Ma tante Giovana habitait dans un ancien pigeonnier perdu dans la campagne. Couverte de lierre, la bâtisse avait un toit très abîmé et prenait l'eau de toute part. Dans les Landes, en cette fin d'année 1992, la pluie tomba presque sans arrêt. Il faisait nuit noire à 5 heures de l'après-midi et le jour donnait l'impression de ne jamais vraiment se déployer.

Je n'ai pas de souvenirs très précis de ces deux semaines pendant lesquelles je partageai le quotidien de ma tante et de ma mère. Une ambiance étrange régnait dans la maison. Les journées s'enchaînaient, courtes, froides, tristes. Il me semblait que nous étions tous les trois en convalescence. Ma mère et ma tante veillaient sur moi autant que je veillais sur elles. Parfois, lors de ces après-midi alanguis, ma mère faisait des crêpes que nous mangions, avachis, sur le canapé devant de vieux épisodes de *Columbo*, d'*Amicalement vôtre* ou une énième rediffusion de *L'Assassinat du père Noël*.

De tout le séjour, je n'ai pas ouvert un cahier de maths ni de physique. Pour échapper à mes angoisses, pour échapper à mon présent, je fis ce que j'avais toujours fait : je lus des romans. Je n'ai pas de souvenirs très précis de ces deux semaines, mais je me souviens parfaitement de tous les livres que j'ai lus. Durant cette fin d'année 1992, j'ai souffert avec les jumeaux du *Grand Cahier* qui essayaient de survivre à la cruauté

LA JEUNE FILLE ET LA NUIT

des hommes dans un territoire ravagé par la guerre. À Fort-de-France, j'ai parcouru le quartier créole de *Texaco*, j'ai traversé la forêt amazonienne avec un *Vieux qui lisait des romans d'amour*. J'étais au milieu des chars, lors du Printemps de Prague, en méditant sur *L'Insoutenable Légèreté de l'être*. Les romans ne m'ont pas guéri, mais ils m'ont soulagé un instant de la pesanteur d'être moi. Ils m'ont offert un sas de décompression. Ils ont constitué une digue contre la terreur qui déferlait sur moi.

Pendant cette période où le soleil ne se levait jamais, j'avais chaque matin la certitude que je vivais mon dernier jour de liberté. Chaque fois qu'une voiture passait sur la route, j'étais persuadé que c'étaient les gendarmes qui venaient m'arrêter. L'unique fois où quelqu'un sonna à la porte, bien résolu à ne jamais aller en prison, je montai en haut du pigeonnier pour avoir le temps, au cas où, de me précipiter dans le vide.

4.

Mais personne ne vint m'arrêter. Ni dans les Landes ni sur la Côte d'Azur.

À Saint-Exupéry, lors de la rentrée de janvier, la vie reprit son cours normal. Ou presque. Si le nom d'Alexis Clément était sur toutes les lèvres, ce n'était pas pour déplorer sa mort, mais pour gloser sur ce que prétendait la rumeur : Vinca et son prof entretenaient depuis longtemps une liaison secrète et s'étaient enfuis ensemble. Comme toutes les histoires sulfureuses, celle-ci passionnait la communauté éducative. Chacun y allait de son commentaire, de sa confidence, de son anecdote. La meute prenait plaisir à défaire les réputations. Les langues se déliaient, pour se vautrer dans les ragots. Même certains profs dont j'admirais auparavant la hauteur de vue se laissaient aller aux commérages. Avec gourmandise, ils rivalisaient de prétendus bons mots qui me donnaient la nausée. Quelques-uns surent rester dignes. Parmi eux, Jean-Christophe Graff, mon prof de français, et Mlle DeVille, la prof de littérature anglaise des hypokhâgnes. Je n'assistais pas à ses cours, mais je l'entendis avoir cette formule dans le bureau de ma mère : « Ne nous abaissons pas à fréquenter la médiocrité, car c'est une maladie contagieuse. »

Je trouvai du réconfort dans cette sentence, et pendant longtemps, elle me servit de référence au moment de prendre certaines décisions.

Le premier à s'inquiéter réellement de la disparition de Vinca fut son grand-père et tuteur, le vieil Alastair Rockwell. Vinca me l'avait souvent décrit comme un patriarche autoritaire et taciturne. L'archétype de l'industriel *self-made man* qui voyait dans l'éclipse de sa petite fille un potentiel enlèvement et donc un acte d'agression par rapport à son clan. Les parents d'Alexis Clément commençaient également à se poser des questions. Leur fils avait prévu de passer une semaine au ski à Berchtesgaden avec des copains qu'il n'avait jamais rejoints, pas plus qu'il n'avait rendu visite à ses parents pour fêter comme de coutume le passage à la nouvelle année.

Si ces deux disparitions plongeaient les familles dans l'inquiétude, les forces de l'ordre mirent un temps fou à déployer des effectifs pour mener une enquête sérieuse. D'abord parce que Vinca était majeure, ensuite parce que la justice hésita longuement avant d'ouvrir une procédure. L'affaire était un sac de nœuds au niveau de la juridiction compétente. Vinca était franco-américaine, Alexis Clément de nationalité allemande. Le lieu de leur disparition n'était pas clairement défini. L'un d'entre eux était-il l'agresseur ? Ou étaient-ils tous les deux victimes ?

Après la rentrée, il se passa donc une bonne semaine avant que les gendarmes ne se déplacent à Saint-Ex. Et leurs investigations se bornèrent à poser quelques questions à l'entourage immédiat de Vinca et du prof de philo. Ils fouillèrent sommairement leurs deux chambres et y apposèrent des scellés, sans toutefois mobiliser de techniciens de la police scientifique.

Ce n'est que bien plus tard, à la fin du mois de février, après la venue en France d'Alastair Rockwell, que les choses s'accélérèrent. L'homme d'affaires fit jouer ses relations et annonça dans les médias qu'il avait engagé un détective privé pour retrouver sa petite-fille. Il y eut une autre descente de flics – cette fois des types de la SRPJ de Nice. Ils auditionnèrent plus de monde

– j'y eus droit, ainsi que Maxime et Fanny – et prati-
quèrent plusieurs prélèvements ADN dans la chambre
de Vinca.

Peu à peu, les témoignages et les documents saisis
permirent de mieux cerner le déroulement des journées
du dimanche 20 décembre et du lundi 21 décembre.
Les deux jours où Vinca et Alexis s'étaient évaporés
dans la nature.

Ce fameux dimanche, vers 8 heures du matin, Pavel
Fabianski, le gardien du lycée, affirmait ainsi avoir
levé la barrière qui barrait l'accès de l'établissement pour laisser sortir l'Alpine A310 conduite par
Clément. Fabianski était formel : Vinca Rockwell,
assise sur le siège passager, avait ouvert sa vitre et
lui avait fait un signe de la main pour le remercier.
Rebelote quelques minutes plus tard, au rond-point
du Haut-Sartoux, où deux employés communaux qui
déblayaient la neige avaient vu la voiture de Clément
légèrement patiner dans le carrefour avant de prendre
la direction d'Antibes. C'est d'ailleurs avenue de la
Libération, aux abords de la gare antiboise, que l'on
avait retrouvé l'Alpine de l'enseignant, garée devant
une laverie automatique. Dans le train en direction
de Paris, de nombreux voyageurs se souvenaient
d'une jeune femme rousse accompagnée d'un homme
portant une casquette de Mönchengladbach – le club
de foot préféré de Clément. Le dimanche soir, le veilleur de nuit de l'hôtel Sainte-Clotilde – situé rue

de Saint-Simon dans le septième arrondissement de Paris – avait lui aussi assuré que Mlle Vinca Rockwell et M. Alexis Clément étaient bien descendus pour une nuit dans l'établissement. Il avait réalisé des photocopies de leurs passeports. La réservation de leur chambre avait été effectuée la veille par téléphone et réglée sur place. Les consommations du minibar comprenaient une bière, deux paquets de Pringles et un jus d'ananas. Le veilleur de nuit se rappelait même que la demoiselle avait joint la réception pour demander s'ils avaient du Coca à la cerise, mais la réponse avait été négative.

Jusque-là, le scénario de la cavale amoureuse tenait la route. Ensuite, les enquêteurs perdaient la piste des deux amants. Vinca et Alexis n'avaient pas pris de petit déjeuner ni dans leur chambre ni dans la salle commune. Une femme de ménage les avait vus sortir dans le couloir, tôt le matin, mais personne ne se souvenait avec précision de leur départ. Un nécessaire de toilette – contenant aussi du maquillage, une brosse Mason Pearson et un flacon de parfum – avait été retrouvé dans la salle de bains et déposé dans un local de maintenance où l'hôtel conservait les objets oubliés par ses clients.

C'est là que s'arrêta l'enquête. Aucun témoignage crédible ne vint jamais rapporter la présence de Vinca et de Clément dans un autre lieu. À l'époque, la plupart des gens s'attendaient à les voir réapparaître une fois les feux de la passion éteints. Les avocats d'Alastair Rockwell s'obstinèrent néanmoins. En 1994, ils obtinrent que la justice ordonne une analyse génétique sur la brosse à dents et la brosse à cheveux trouvées dans la chambre d'hôtel. Les résultats confirmèrent qu'il s'agissait bien de l'ADN de Vinca, ce qui ne fit pas progresser l'enquête d'un pouce. Peut-être un flic obstiné ou obsédé avait-il depuis pris soin de relancer une investigation symbolique pour éviter que le dossier ne soit frappé de prescription, mais à ma connaissance, ce fut le dernier acte de l'enquête.

Alastair Rockwell tomba gravement malade et décéda en 2002. Je me souvenais de l'avoir rencontré quelques semaines avant le 11 septembre 2001 au quarante-neuvième étage du World Trade Center où son entreprise avait ses bureaux new-yorkais. Il m'avait confié que Vinca lui avait plusieurs fois parlé de moi et qu'elle me décrivait comme un garçon gentil, élégant et délicat. Trois adjectifs qui, dans la bouche du vieil homme, ne sonnaient pas comme des compliments. J'avais eu envie de lui répliquer que j'étais tellement délicat que j'avais défoncé un type qui me dépassait d'une tête avec une barre de fer, mais je n'avais évidemment rien dit. J'avais sollicité cette entrevue pour savoir si le détective qu'il avait engagé lui avait apporté des éléments nouveaux sur la disparition de sa petite-fille. Il me répondit par la négative sans que je sache si c'était la vérité.

Puis le temps passa. Au fil des années, plus personne ne se soucia vraiment de savoir ce qu'était devenue Vinca Rockwell. J'étais l'un des seuls à ne pas avoir tourné la page. Parce que je savais que la version officielle était fausse. Et parce qu'une interrogation n'avait cessé de me hanter depuis. La fuite de Vinca était-elle liée au meurtre d'Alexis Clément ? Étais-je responsable de la disparition de la fille que j'avais tant aimée ? Ça faisait plus de vingt ans que je cherchais un éclaircissement à ce mystère. Et je n'avais toujours pas le moindre début de réponse.

LE GARÇON DIFFÉRENT DES AUTRES

DES AUTRES

7

Dans les rues d'Antibes

Ce livre est peut-être un roman poli-
cier, mais moi je ne suis pas policier.
Jesse KELLERMAN

1.

En arrivant à Antibes, je me garai, comme j'en avais l'habitude autrefois, sur le parking du port Vauban. Là où étaient amarrés quelques-uns des plus beaux yachts du monde. C'est ici, lors du mois de juillet 1990 – j'allais avoir seize ans –, que j'avais effectué mon premier job d'été. Un boulot à la con qui consistait à soulever la barrière du parking après avoir délesté les touristes de trente francs pour leur permettre de parquer leur voiture sous un soleil de plomb. C'était l'été où j'avais lu *Du côté de chez Swann* – édition Folio classique, avec la cathédrale de Rouen peinte par Claude Monet en couverture – et où j'étais vaguement tombé amoureux d'une jeune Parisienne aux cheveux blonds ondulés, coupés au carré, qui répondait au beau prénom de Bérénice. Lorsqu'elle allait à la plage, elle s'arrêtait toujours devant la guérite du parking pour échanger quelques mots avec moi, même si j'avais compris assez vite qu'elle s'intéressait davantage à Glenn Medeiros et aux New Kids on the Block qu'aux tourments de Charles Swann et d'Odette de Crécy.

Aujourd'hui, une barrière automatisée avait remplacé les petits jobs d'été. Je pris mon ticket, trouvai une place près de la capitainerie et longeai les quais. Beaucoup de choses avaient changé depuis vingt ans : on avait redessiné complètement l'accès au port, élargi la chaussée, piétonnisé une bonne partie de la zone. Mais la vue restait la même. Pour moi, l'une des plus splendides de la Côte : le bleu de la mer au premier plan, la silhouette massive et rassurante du fort Carré qui émergeait derrière la forêt de mâts de bateaux, le ciel d'azur qui emportait tout et les montagnes discrètes que l'on devinait au loin.

C'était jour de mistral et j'adorais ça. Tout concourait à me reconnecter à mon passé et à me faire à nouveau prendre racine dans cet endroit que j'aimais et que j'avais quitté pour de mauvaises raisons. Je ne me faisais pas d'illusions : la ville n'était plus celle de mon adolescence, mais comme New York, je continuais à aimer l'idée que je me faisais d'Antibes. Une ville à part, préservée du clinquant de certains autres coins de la Côte. La cité du jazz, celle des Américains de la *Lost Generation*, celle que j'avais fait découvrir à

Vinca, celle qui, de façon extraordinaire, avait accueilli la plupart des artistes qui avaient compté dans ma vie. Maupassant y avait amarré son bateau, *Le Bel Ami*, Scott Fitzgerald et Zelda avaient dormi aux Belles Rives après la guerre, Picasso avait installé son atelier dans le château Grimaldi, à deux pas de l'appartement où Nicolas de Staël avait peint ses plus beaux tableaux. Keith Jarrett enfin – l'auteur de la bande originale de tous mes livres – continuait régulièrement à faire escale sur la scène de la Pinède.

Je passai sous la Porte marine, la ligne de démarcation entre le port et l'ancienne ville fortifiée. On était un week-end de printemps, assez animé, mais la marée touristique qui dénaturait l'essence de la ville n'avait pas encore déferlé. Dans la rue Aubernon, on pouvait mettre un pied devant l'autre sans se faire bousculer. Cours Masséna, les maraîchers, les fleuristes, les fromagers et les artisans provençaux commençaient à plier bagage, mais la halle couverte vibrait toujours de mille couleurs. Ça parlait patois, ça refaisait le monde dans une symphonie de senteurs : olives noires, agrumes confits, menthe, tomates séchées. Sur la place de la mairie, on célébrait le dernier mariage de la matinée. Un couple radieux descendait l'escalier sous les vivats et une pluie de pétales de rose. J'étais à mille lieues de tout ce tralala – se marier n'avait pour moi aucun sens aujourd'hui –, mais je me laissais contaminer par les cris de joie et les sourires qui éclairaient les visages.

Je descendis l'étroite rue Sade – où mon père avait vécu dans sa jeunesse – vers la place Nationale et je musardai jusqu'au Michelangelo, l'un des restaurants les plus emblématiques de la ville, que tout le monde ici appelait «Mamo», du nom de son patron. Il restait des places en terrasse. Je m'installai à une table et commandai la spécialité du coin : une citronnade au pastis et au basilic.

2.

Je n'ai jamais eu de bureau. Depuis les devoirs du CP, j'ai toujours aimé travailler dans des lieux ouverts. La cuisine de mes parents, les salles d'études des bibliothèques, les cafés du Quartier latin. À New York, j'écrivais dans les Starbucks, les bars d'hôtel, les parcs, les restaurants. Il me semblait que je réfléchissais mieux dans un environnement en mouvement, porté par le flux des conversations et le bourdonnement de la vie. Je posai le livre de Stéphane Pianelli sur la table et, en attendant mon apéritif, je consultai les messages sur mon téléphone. Il y en avait un, contrarié, de ma mère qui ne s'embarrassait pas de formules de politesse : «Zélie m'a dit que tu étais venu aux cinquante ans de Saint-Exupéry. Qu'est-ce qu'il t'a pris, Thomas ? Tu ne m'as même pas prévenue que tu étais en France. Viens donc dîner à la maison ce soir. On a invité les Pellegrino. Ça leur ferait plaisir de te voir.» « Je t'appelle plus tard, maman», lui répondis-je d'un texto laconique. Je profitai d'avoir mon iPhone en main pour télécharger l'application de *Nice-Matin*, puis j'achetai les numéros en ligne datés du 9 au 15 avril.

En les parcourant, je tombai rapidement sur l'article que je cherchais – celui signé par Stéphane Pianelli qui décrivait la découverte par des élèves du lycée d'un sac rempli de billets dans un casier abandonné. Sa lecture ne m'apprit rien de fondamentalement nouveau. J'étais surtout déçu de ne pas trouver d'images du sac de sport. Le papier était illustré d'une photo aérienne du campus, et d'une autre représentant le vestiaire rouillé, mais il était précisé que « certains élèves ont fait circuler des clichés du butin sur les réseaux sociaux avant que la police leur demande de les effacer pour le bon déroulement de l'enquête ».

Je réfléchis. Il en restait sûrement des traces quelque part, mais je n'étais pas assez calé pour les retrouver sans perdre du temps. L'agence antiboise de *Nice-Matin* était à deux pas, place Nationale, à côté de la gare des bus. Après une hésitation, je décidai d'appeler directement le journaliste.

— Salut Stéphane, c'est Thomas.

— Tu ne peux plus te passer de moi, l'artiste ?

— Je suis attablé chez Mamo. Si tu es dans le coin, je t'invite à partager une épaule d'agneau.

— Passe la commande ! Je termine mon article et je te rejoins.

— Tu écris sur quoi ?

— Le Salon de la retraite et du temps libre qui vient de s'achever au palais des congrès. Ce n'est pas avec ça que j'aurai le prix Albert-Londres, je te le concède.

En attendant Pianelli, je m'emparai de son bouquin et, comme chaque fois que je la regardais, je restai scotché par la fameuse photo de couverture. Celle qui représentait Vinca et Alexis Clément sur une piste de danse. Le cliché avait été pris lors du bal de fin d'année, à la mi-décembre, une semaine avant le meurtre du prof et la disparition de Vinca. Cette photo m'avait toujours fait mal. À l'acmé de sa fraîcheur et de sa beauté, Vinca dévorait des yeux son cavalier. Son regard débordait d'amour, d'admiration et de désir de plaire. Leur danse était une sorte de pas de twist que le photographe avait figé pour l'éternité dans une pose gracieuse et sensuelle. *Grease* revisité par Robert Doisneau.

Qui avait pris cette photo d'ailleurs ? Je ne m'étais jamais posé la question. Un élève ? Un prof ? Je cherchai le crédit au dos du livre, mais je ne trouvai rien d'autre que « *Nice-Matin*, tous droits réservés ». Avec mon portable, je pris en photo la couverture et balançai le cliché par SMS à Rafael Bartoletti. Rafael était un photographe de mode ultra-coté qui vivait dans la même rue que moi à TriBeCa. C'était surtout un véritable artiste. Il avait une grande culture de l'image, un œil qui scannait tous les détails et une analyse des choses singulière et souvent pertinente. Depuis des années, c'est lui qui faisait toutes mes photos de promo ainsi que celles qu'on voyait sur les quatrièmes de couverture. J'aimais son travail, car il parvenait chaque fois à aller chercher en moi une part de lumière dont j'avais sans doute été porteur il y a très longtemps, mais qui m'avait quitté. Ses portraits de moi me représentaient *en mieux*, en plus solaire, en moins tourmenté. L'homme que j'aurais pu être si ma vie avait été plus douce.

Rafael me rappela dans la foulée. Il parlait français avec un léger accent italien que beaucoup trouvaient irrésistible.

— *Ciao* Thomas. Je suis à Milan. Le shooting pour la campagne Fendi. C'est qui la beauté que tu m'as envoyée ?

— Une fille que j'ai aimée il y a très longtemps. Vinca Rockwell.

— Je me souviens, tu m'en as déjà parlé.

— Qu'est-ce que tu penses de la photo ?

— C'est toi qui l'as prise ?

— Non.

— Techniquement, elle est un peu floue, mais le photographe a su figer l'instant. Il n'y a que ça qui compte. *L'instant décisif.* Tu sais ce que disait Cartier-Bresson : « La photographie doit saisir dans le mouvement l'équilibre expressif. » Eh bien, ton gars, c'est ce qu'il a fait. Il a capté un moment fugace et l'a transformé en éternité.

— Tu me dis toujours que rien n'est plus trompeur qu'une photo.

— Et c'est vrai ! s'exclama-t-il. Mais ce n'est pas contradictoire.

Une musique monta à l'autre bout du fil. J'entendis une voix de femme qui pressait le photographe de raccrocher.

— Je dois y aller, s'excusa-t-il. Je te rappelle.

J'ouvris le livre et commençai à le feuilleter. Il regorgeait d'infos. Pianelli avait eu accès aux rapports de police. Il avait recoupé lui-même la plupart des témoignages obtenus par les enquêteurs. J'avais déjà lu le bouquin lors de sa sortie et j'avais moi-même mené ma propre enquête lors de mes années parisiennes, interrogeant tous les témoins possibles et imaginables. Pendant vingt minutes, je parcourus l'ouvrage en diagonale. Mis bout à bout, tous les souvenirs des différents témoins racontaient la même histoire qui, au fil du temps, était devenue la version officielle : le couple quittant Saint-Ex dans l'Alpine, la « jeune femme rousse aux cheveux de feu » dans le train vers Paris, le prof qui l'accompagnait, « coiffé d'une casquette d'un club de foot allemand au nom imprononçable », leur arrivée dans l'hôtel de la rue de Saint-Simon, « la petite demoiselle qui demande du Coca à la cerise », leur passage dans un couloir et leur disparition le matin suivant : « Lorsqu'il a relevé le veilleur de nuit, le réceptionniste a trouvé les clés de la chambre sur le comptoir d'accueil. » Le livre posait des questions et mettait en avant quelques zones d'ombre, mais sans jamais apporter d'éléments probants pour esquisser une piste alternative qui tienne vraiment la route. J'avais un avantage sur le journaliste : Pianelli n'avait que l'intuition que cette histoire était fausse, tandis que moi, j'en étais certain. Clément était mort, ce n'était pas lui qui avait accompagné Vinca lors de ces deux jours. Mon amie s'était enfuie avec un autre homme. Un fantôme que j'avais traqué sans succès depuis vingt-cinq ans.

3.

— Tu es plongé dans de saines lectures à ce que je vois ! me lança Pianelli en s'asseyant devant moi.

Je levai la tête du livre, encore un peu étourdi par mon immersion dans les méandres du passé.

— Tu savais que ton œuvre était blacklistée à la bibliothèque de Saint-Ex ?

Le journaliste piqua une olive noire dans une coupelle.

— Ouais, par cette vieille chouette de Zélie ! Ça n'empêche pas ceux qui veulent le lire de trouver le PDF sur Internet et de le faire circuler librement !

— Comment tu expliques l'engouement des étudiantes actuelles pour Vinca ?

— Regarde-la, dit-il en ouvrant au hasard le cahier photo de son bouquin.

Je ne baissai même pas les yeux. Je n'avais pas besoin de contempler ces clichés pour connaître précisément l'image de Vinca. Ses yeux en amande, son regard absinthe, ses cheveux coiffés-décoiffés, sa bouche boudeuse, ses poses mutines tantôt sages, tantôt provocantes.

— Vinca s'était construit une image bien particulière, résuma Pianelli. Elle personnifiait une sorte de chic français, quelque part entre Brigitte Bardot et Laetitia Casta. Et surtout, elle incarnait une certaine liberté.

Le journaliste se servit un verre d'eau avant de lâcher une formule :

— Si Vinca avait vingt ans aujourd'hui, ce serait une *it-girl* suivie par six millions de *followers* sur Instagram.

Le patron lui-même nous apporta notre viande et la découpa devant nous. Après quelques bouchées, Pianelli poursuivit sa démonstration.

— Tout ça, c'est quelque chose qui la dépassait, bien sûr. Je ne prétends pas l'avoir connue mieux que toi, mais honnêtement, derrière l'image, il y avait une fille assez banale, non ?

Comme je ne répondais pas, il me provoqua :

— Tu l'idéalises parce qu'elle s'est envolée à dix-neuf ans. Mais imagine un instant que vous vous soyez mariés à l'époque. Tu vois le tableau aujourd'hui ?

Vous auriez eu trois mômes, elle aurait pris vingt kilos, elle aurait les seins qui tombent et...

— Ta gueule, Stéphane !

J'avais haussé le ton. Il rétropédala, s'excusa et, pendant les cinq minutes qui suivirent, nous nous employâmes à faire un sort à l'épaule d'agneau et à la salade qui l'accompagnait. C'est moi qui finis par relancer la conversation.

— Tu sais qui a pris cette photo ? demandai-je en lui montrant la couverture.

Pianelli fronça les sourcils, puis son visage se figea comme si je venais de le prendre en faute.

— Eh bien..., admit-il en examinant à son tour le copyright. J'imagine qu'elle est dans les archives du journal depuis toujours.

— Tu pourrais vérifier ?

Il sortit son portable de la poche de son gilet et pianota un SMS.

— Je vais contacter Claude Angevin, le journaliste qui a suivi l'affaire en 1992.

— Il travaille encore au journal ?

— Tu rigoles, il a soixante-dix berges ! Il se la coule douce au Portugal. Au fait, pourquoi tu veux savoir qui a pris la photo ?

Je bottai en touche :

— Tant qu'on parle d'image, j'ai lu dans ton article que les gamins qui ont trouvé le sac avec les cent mille francs dans les casiers rouillés en ont posté des photos sur les réseaux sociaux.

— Ouais, mais les flics ont fait le ménage.

— Mais toi, tu les as récupérées...

— Tu me connais bien.

— Tu pourrais me les envoyer ?

Il chercha les clichés sur son téléphone.

— Je pensais que cette histoire ne t'intéressait pas, ironisa-t-il.

— Bien sûr qu'elle m'intéresse, Stéphane.

— C'est quoi ton mail ?

Alors que je lui dictais mon adresse, une évidence s'imposa. Je n'avais plus vraiment de réseau ou de contacts dans la région, tandis que Pianelli vivait ici depuis toujours. Si je voulais avoir une chance de découvrir ce qui était arrivé à Vinca, et qui nous menaçait, je n'avais pas d'autre choix que de faire équipe avec le journaliste.

— Une collaboration, ça t'intéresse, Stéphane ?

— Tu penses à quoi, l'artiste ?

— On enquête chacun de notre côté sur la disparition de Vinca, et on partage nos infos.

Il secoua la tête.

— Tu ne joueras jamais le jeu.

J'avais anticipé sa réponse. Pour le convaincre, je décidai de prendre un risque.

— Pour te prouver ma bonne foi, je vais te révéler quelque chose que personne ne sait.

Je sentis tout son être se tendre. Je savais que je marchais sur un fil, mais n'avais-je pas toujours eu cette impression de vivre ma vie en funambule ?

— Vinca était enceinte d'Alexis au moment de sa disparition.

Pianelli me regarda, mi-inquiet, mi-incrédule.

— Putain, comment tu sais ça ?

— C'est Vinca elle-même qui me l'a dit. Elle m'a montré son test de grossesse.

— Pourquoi tu ne l'as pas révélé à l'époque ?

— Parce que c'était sa vie privée. Et parce que ça n'aurait rien changé à l'enquête.

— Bien sûr que si, bon sang ! s'énerva-t-il. Les investigations n'auraient pas été les mêmes. Il y aurait eu trois vies à sauver au lieu de deux. L'affaire aurait été davantage médiatisée avec un bébé au milieu.

Il n'avait peut-être pas tort. Pour dire la vérité, jamais je n'avais pensé à ce trait vertical sur un morceau de plastique comme à un « bébé ». J'avais dix-huit ans...

Je le voyais cogiter en s'agitant sur sa chaise. Il ouvrit son bloc-notes pour griffonner ses hypothèses et mit un bon moment pour redescendre.

— Pourquoi tu t'intéresses tellement à Vinca si tu la trouvais si banale ?

Pianelli avait de la constance.

— Ce n'est pas Vinca qui m'intéresse. C'est celui ou ceux qui l'ont tuée.

— Tu crois vraiment qu'elle est morte ?

— On ne peut pas disparaître comme ça. À dix-neuf ans, toute seule ou presque, et sans ressources.

— C'est quoi ta thèse, au juste ?

— Depuis qu'on a retrouvé l'argent, ma conviction est que Vinca faisait chanter quelqu'un. Quelqu'un qui n'a probablement pas supporté d'être menacé et qui est devenu menaçant à son tour. Peut-être le père de son enfant. Clément, sans doute, ou quelqu'un d'autre...

Quand il referma son carnet, plusieurs tickets s'échappèrent d'un des rabats. Un sourire illumina le visage du journaliste.

— J'ai des places pour le concert de Depeche Mode ce soir !

— C'est où ?

— À Nice, au parc des sports Charles-Ehrmann. On y va ensemble ?

— Bof, je n'aime pas trop les synthés.

— Les synthés ? On voit bien que tu n'as pas écouté les derniers albums.

— Je n'ai jamais accroché.

Il plissa les yeux pour convoquer ses souvenirs.

— À la fin des années 1980, lors de la tournée 101, Depeche Mode était le plus grand groupe de rock du monde. En 1988, j'étais allé les voir au Zénith de Montpellier. Leur son, c'était de la bombe !

Des paillettes brillaient autour de ses pupilles. Je le taquinai :

— À la fin des années 1980, c'était Queen le plus grand groupe de rock du monde.

— Oh là là. Et t'es sérieux en plus, c'est ça le plus grave ! Tu m'aurais dit U2 à la rigueur, mais là…

Pendant quelques minutes, nous baissâmes la garde, lui et moi. Et pendant cet instant, nous eûmes à nouveau dix-sept ans. Stéphane essaya de me persuader que Dave Gahan était le plus grand chanteur de sa génération et je défendis la thèse qu'il n'y avait rien au-dessus de *Bohemian Rhapsody*.

Puis le charme se rompit, aussi brutalement qu'il avait opéré.

Pianelli regarda sa montre et se leva d'un bond.

— Merde, je suis à la bourre. Je dois filer à Monaco.

— Pour un article ?

— Oui, les essais du grand prix de formule E. Le championnat international des bagnoles électriques.

Il prit son sac besace et me fit un signe de la main.

— On se rappelle.

Resté seul, je commandai un café. J'avais l'esprit embrouillé et la sensation que je n'avais pas très bien négocié cette manche. Au bout du compte, j'avais fourni des munitions au journaliste et n'avais rien appris en échange.

Et merde…

Je levai la main pour réclamer mon addition. En attendant la note, je consultai mon téléphone pour jeter un œil aux photos que m'avait envoyées Stéphane. Je lui avais demandé les clichés par acquit de conscience, sans trop en attendre.

Je me trompais. Au bout de quelques secondes, ma main tremblait tellement que je dus reposer le téléphone sur la table.

Ce sac en cuir souple, je l'avais souvent vu traîner chez moi.

Le cauchemar continuait.

8

L'été du *Grand Bleu*

> *Tout n'est que souvenirs, sauf l'instant qu'on est en train de vivre.*
> Tennessee WILLIAMS

1.

Devant la courtine, l'esplanade du Pré-des-Pêcheurs était noire de monde. Dans une ambiance de carnaval, des chars multicolores se mettaient en branle pour la traditionnelle bataille de fleurs. Une foule dense et joyeuse se massait derrière les barrières en acier : des mômes avec leurs parents, des ados déguisés, de vieux Antibois qui avaient délaissé leur terrain de pétanque.

Quand j'étais enfant, la bataille de fleurs traversait toute la ville. Désormais, sécurité oblige, il y avait un flic tous les dix mètres et les chars tournaient en rond avenue de Verdun. L'air était chargé d'un mélange de joie et de tension. On aurait voulu s'amuser et se lâcher, mais le souvenir de l'attentat du 14 juillet à Nice était dans toutes les mémoires. J'éprouvais de la

peine et de la rage en regardant les enfants qui agitaient des bouquets d'œillets parqués derrière les
barricades. La menace d'attentat avait tué chez nous
la spontanéité et l'insouciance. Nous avions beau prétendre le contraire, la peur ne nous quittait jamais
vraiment et faisait planer sur toutes nos joies une
ombre indélébile.

Je fendis la foule pour regagner le parking du port
Vauban. La Mini Cooper était là où je l'avais laissée,
mais quelqu'un avait coincé une épaisse enveloppe
kraft derrière l'un des essuie-glaces. Pas de nom,
pas d'adresse. J'attendis d'être dans l'habitacle pour
prendre connaissance de son contenu. Mes crampes
d'estomac se réveillèrent tandis que je décachetais le
courrier. Les bonnes nouvelles arrivent rarement
par lettre anonyme. J'étais anxieux, mais loin de me
douter du séisme qui m'attendait.

L'enveloppe contenait une dizaine de photos légèrement jaunies et décolorées par le temps. Je regardai la
première et un gouffre s'ouvrit en moi. On y voyait
mon père en train d'embrasser Vinca à pleine bouche.
Mes tempes se mirent à bourdonner et un spasme me
souleva le cœur. J'entrebâillai la portière de la bagnole
pour cracher un peu de bile.

Putain...

En état de choc, j'examinai les photos plus en détail.
Elles étaient toutes du même acabit. Pas une seule
seconde je ne crus à un montage. Au fond de moi,

je savais que toutes les situations immortalisées par ces images avaient existé dans la réalité. Peut-être même qu'une part de moi n'en était pas si étonnée. Comme un secret dont je n'avais jamais été le dépositaire, mais qui était pourtant planqué en moi, dans les replis de mon inconscient.

Mon père était sur tous les clichés. Richard Degalais dit « Richard cœur de lion » ou « Rick » pour les intimes. Au début des années 1990, il avait l'âge que j'avais aujourd'hui. Sauf que je ne lui ressemblais pas. Il était beau, fin, racé. Une silhouette élancée, des cheveux mi-longs, une chemise largement déboutonnée sur son torse. Un sosie de Samy Frey période *César et Rosalie*. Belle gueule, beau parleur, flambeur et hédoniste, Rick n'était finalement pas très différent d'Alexis Clément. Avec quinze ans de plus. Il aimait les jolies femmes, les voitures de sport, les briquets laqués et les vestes Smalto. C'était triste à dire, mais sur les photos, Vinca et lui ne dépareillaient pas. Ils appartenaient tous les deux à la « race des seigneurs ». Des gens qui avaient toujours les premiers rôles dans la vie et qui, lorsque vous étiez avec eux, vous reléguaient directement au statut de figurant.

L'ensemble des images constituait une sorte de paparazzade dans au moins deux lieux différents. Je reconnus facilement le premier endroit. Saint-Paul-de-Vence hors saison : le Café de la Place, l'ancien moulin à huile, les remparts qui dominaient la campagne, le vieux cimetière où était enterré Marc Chagall. Vinca et mon père y déambulaient main dans la main dans une proximité amoureuse qui ne laissait aucun doute. J'eus plus de mal à identifier où avait été prise la deuxième série de clichés. Je distinguai d'abord l'Audi 80 cabriolet de mon père, garée sur un parking de fortune au milieu d'une forêt de rochers blancs. Puis des escaliers creusés dans la roche. Au loin, une île abrupte aux reflets de granit. C'est là que le déclic se fit. *Les calanques marseillaises.* Cette petite plage de sable abritée derrière une digue, c'était la plage de la baie des Singes. Une plage du bout du monde où mon père nous avait emmenés une ou deux fois en famille, mais qui visiblement lui avait aussi servi à accueillir cet amour clandestin.

Ma gorge était sèche. Malgré ma répulsion, je regardai les clichés le plus attentivement possible. Ils avaient quelque chose d'artistique, de très appliqué. Qui m'avait envoyé ces photos ? Qui les avait prises ? À l'époque, les zooms étaient beaucoup moins performants qu'aujourd'hui. Pour capter autant de détails, le photographe ne devait pas être très éloigné de ses cibles, à tel point que je me demandai un instant si les clichés avaient réellement été réalisés à l'insu des deux protagonistes. De mon père, c'était certain, mais de Vinca ?

Je fermai les yeux et élaborai un scénario. On avait dû se servir de ces clichés pour faire chanter mon père.

Ça expliquait ce que j'avais découvert quelques minutes plus tôt. En prenant connaissance des copies d'écran que m'avait envoyées Pianelli, j'avais en effet reconnu un fourre-tout façon croco qui – j'en aurais mis ma main à couper – appartenait autrefois à Richard. Si mon père avait donné à Vinca un sac contenant cent mille francs, c'est bien parce qu'elle le menaçait de rendre publique leur relation.

Peut-être même sa grossesse…

J'avais besoin d'air frais. Je mis le contact, décapotai et pris la direction du bord de mer. Je ne pouvais plus retarder mon affrontement avec mon père. En roulant, j'eus du mal à me concentrer sur la route. Les photos de Vinca restaient incrustées dans mon esprit. Pour la première fois, j'avais saisi une sorte de tristesse et d'insécurité dans son regard. Était-ce de mon père qu'elle avait peur ? Vinca était-elle une victime ou une manipulatrice diabolique ? Ou peut-être les deux…

Au niveau de La Siesta – la plus célèbre discothèque d'Antibes –, je m'arrêtai au feu tricolore qui régulait le passage vers la route de Nice. Le feu n'avait pas changé : il était toujours interminable. À quinze ans, sur ma vieille mobylette, il m'était arrivé *une seule fois* de le griller. Manque de bol, ce jour-là, les flics étaient là et m'avaient verbalisé. Une amende de sept cent cinquante francs dont on avait parlé pendant des mois à la maison. L'éternelle malédiction des gentils. Je chassai ce souvenir humiliant et une autre image apparut malgré moi dans ma tête. *Clic-clic.* La fille au Leica. *Clic-clic.* La fille qui faisait des photos de vous mentalement, même lorsqu'elle ne portait pas son appareil autour du cou. Quelqu'un me klaxonna. Le feu venait de passer au vert. Je savais qui avait pris les photos de mon père et de Vinca. J'enclenchai une vitesse et mis le cap sur l'hôpital de la Fontonne.

2.

Située sur les anciennes exploitations horticoles qui avaient fait jadis la renommée d'Antibes, la Fontonne était un quartier excentré à l'est de la ville. Sur une carte, on avait l'impression que l'endroit s'étalait en bord de mer, mais la réalité était moins idyllique. S'il y avait bien une plage, elle était de galets, en bord de route et séparée des habitations par la nationale et la voie ferrée. Au milieu des années 1980, j'avais fréquenté Jacques-Prévert, le collège du quartier, et je n'en gardais pas un très bon souvenir : le niveau de l'établissement était faible, le climat délétère, les actes de violence fréquents. Les bons élèves y étaient malheureux. Une poignée de profs héroïques tenaient tant bien que mal la baraque. Sans eux, et sans l'amitié de Maxime et de Fanny, je crois que j'aurais pu mal tourner. Quand nous avions été tous les trois acceptés à Saint-Ex, notre vie avait radicalement changé. Nous avions découvert que l'on pouvait aller à l'école sans la peur au ventre.

Depuis, le collège avait meilleure réputation et le quartier s'était complètement transformé. Du côté des Bréguières – l'un des accès à l'hôpital –, toutes les anciennes serres avaient disparu pour laisser la place à des lotissements et de petits immeubles de standing. Rien de touristique ici, mais un endroit résidentiel, irrigué de commerces de proximité, où habitaient beaucoup d'actifs.

Je me garai sur le parking en plein air de l'hôpital. Ce n'était pas la première fois depuis ce matin qu'un lieu m'évoquait instantanément des souvenirs. Pour l'hôpital, il y en avait deux. Un mauvais et un bon.

Hiver 1982. J'ai huit ans. En courant après ma sœur dans le jardin – elle m'a piqué mon Big Jim pour le transformer en esclave de sa Barbie –, je renverse accidentellement l'un des bancs en métal du salon d'été. En tombant, l'arête de la banquette me sectionne un bout de l'orteil. À l'hôpital, après m'avoir posé des points de suture, un interne incompétent oublie de mettre un bout de gaze avant de me coller un sparadrap à même la peau. La blessure s'infecte et, pendant plusieurs mois, je ne peux plus faire de sport.

J'en portais encore la cicatrice aujourd'hui.

Le deuxième souvenir était plus réjouissant, même s'il commençait mal. Été 1988. Un mec des quartiers chauds de Vallauris m'agresse sur un terrain de foot après que j'ai marqué un coup franc digne de Klaus Allofs. Il me casse le bras gauche et on me garde deux jours en observation parce que j'ai perdu connaissance lors du choc. Je me souviens de Maxime et de Fanny qui viennent me rendre visite. Ce sont les premiers à pouvoir écrire un mot sur mon plâtre. Maxime inscrit simplement «Allez l'OM!» et «Droit au but!» parce que, à ce moment, il n'y a rien de plus important dans la vie. Fanny y passe plus de temps. Je revois très précisément la scène. C'est la fin de l'année scolaire ou peut-être même le début des vacances. Juillet 1988. L'été du *Grand Bleu*. Je revois sa silhouette à contre-jour, penchée sur mon lit, les rayons du soleil éclaboussant ses mèches blondes. Elle m'écrit un petit bout du dialogue du film que nous avons vu tous les deux quinze jours plus tôt. La réponse de Johanna à Jacques Mayol, à la fin du film, juste après que le plongeur lui a dit: «Il faut que j'aille voir.» Ce moment où l'on comprend qu'il va plonger pour ne plus jamais remonter.

« Voir quoi? Il n'y a rien à voir, Jacques, c'est noir et froid, rien d'autre! Il n'y a personne. Et moi je suis là, je suis vivante, et j'existe! »

J'ai beau avoir plus de quarante ans, le truc me déchire le cœur chaque fois que j'y repense. Et aujourd'hui encore plus qu'avant.

3.

Composé d'une mosaïque de bâtiments hétéroclites, le centre hospitalier était un véritable dédale.

Je m'orientai tant bien que mal parmi la multitude de panneaux. À côté du pavillon principal, édifié en pierre de taille dans les années 1930, s'agrégeaient des unités construites au fil des décennies. Chacune offrait un échantillon architectural de ce que les cinquante dernières années avaient produit de meilleur et de pire : parallélépipède en brique sombre, bloc en béton armé posé sur pilotis, cube aux armatures métalliques, espace végétalisé…

Le service de cardiologie était situé dans le bâtiment le plus récent, un immeuble de forme ovoïde dont la façade mélangeait habilement le verre et le bambou.

Je traversai le hall lumineux jusqu'à la banque d'accueil.

— Vous désirez, monsieur ?

Avec sa chevelure peroxydée, sa jupe en jean effilochée, son tee-shirt XXS et ses collants léopard, la fille de l'accueil donnait l'impression que l'on avait cloné Debbie Harry.

— Je voudrais voir le Dr Fanny Brahimi, la chef du service cardio.

Blondie décrocha son téléphone.

— C'est de la part de qui ?

— Thomas Degalais. Dites-lui que c'est une urgence.

Elle me proposa de patienter dans le petit patio. J'avalai trois verres d'eau glacée à la fontaine avant de me laisser tomber dans l'un des canapés qui flottaient sur le parquet. Je fermai les yeux. Les images de mon père et de Vinca restaient incrustées sous mes paupières.

Le cauchemar m'avait pris au dépourvu, complexifiant et ternissant encore un peu plus le souvenir que je gardais de Vinca. Je repensai au refrain que tout le monde me renvoyait depuis ce matin : « Tu ne connaissais pas vraiment Vinca. » Ils tapaient à côté. Jamais je ne prétendrais connaître vraiment quelqu'un. J'étais un adepte de l'axiome de García Márquez : « Tout le monde a trois vies : une vie publique, une vie privée et une vie secrète. » Mais chez Vinca, je ne pouvais que constater que cette troisième vie s'étendait sur un territoire insoupçonné.

Je n'étais pas naïf. J'avais bien conscience que je conservais dans mon cœur une image construite dans la ferveur amoureuse de mon adolescence. Je savais très bien que cette image répondait à mon aspiration d'alors : celle de vivre un amour pur avec une héroïne romantique échappée du *Grand Meaulnes* ou des *Hauts de Hurlevent*. J'avais inventé une Vinca telle que j'aurais voulu qu'elle soit et non pas telle qu'elle était vraiment. J'avais projeté sur elle des choses qui n'existaient que dans mon imagination. Mais je ne pouvais me résoudre à admettre que j'avais eu faux sur toute la ligne.

— Merde, j'ai oublié mes clopes. Tu veux bien aller chercher mon sac dans mon casier ?

La voix de Fanny me sortit de mes ruminations. Elle envoya un trousseau de clés en direction de Debbie, qui l'attrapa à la volée.

— Alors, Thomas, on ne s'est pas adressé la parole pendant des années et d'un seul coup, tu ne peux plus te passer de moi ? me lança-t-elle en se dirigeant vers le distributeur de boissons.

C'était la première fois que je voyais Fanny dans son rôle de médecin. Elle portait un pantalon de coton bleu pâle, une chasuble à manches longues de la même couleur et une coiffe en papier qui retenait ses cheveux. Son visage était nettement plus dur que ce matin. Derrière ses mèches blondes, son regard clair brillait d'une flamme sombre et impétueuse. Une vraie guerrière de lumière en lutte contre la maladie.

Qui était Fanny ? Une alliée ou la main droite du diable ? Et si finalement Vinca n'était pas la seule personne de mon passé sur qui j'avais porté un jugement erroné ?

— Il faut que je te montre quelque chose, Fanny.

— Je n'ai pas beaucoup de temps.

Elle mit des pièces dans la machine. À fleur de peau, elle rudoya le distributeur parce que le Perrier qu'elle avait sélectionné ne descendait pas assez vite. D'un geste de la main, elle m'incita à la suivre dehors sur le parking du personnel. Là, elle libéra ses cheveux, retira sa blouse et s'assit sur le capot de ce qui devait être sa voiture : une Dodge Charger sanguine qu'on aurait cru sortie d'un vieil album de Clapton ou de Springsteen.

— Quelqu'un a laissé ça sur mon pare-brise, dis-je en lui tendant l'enveloppe kraft. C'est toi ?

Fanny secoua la tête, prit la pochette, la soupesa, sans paraître pressée de l'ouvrir, comme si elle savait déjà ce qu'elle contenait. Une minute auparavant, son regard tirait sur le vert, là il était gris et triste.

— Fanny, dis-moi si c'est toi qui as pris ces photos.

Brusquée par ma question, elle se résigna à sortir les clichés de leur étui cartonné. Elle baissa les yeux, jeta un œil aux deux premières images et me rendit l'enveloppe.

— Tu sais ce que tu devrais faire, Thomas : prendre un avion et repartir à New York.

— Ne compte pas trop là-dessus. C'est toi qui as pris ces photos, n'est-ce pas ?

— Oui, c'est moi. Il y a vingt-cinq ans.

— Pourquoi ?

— Parce que Vinca me l'avait demandé.

Elle remonta la bretelle de son débardeur et se frotta les yeux avec son avant-bras.

— Je sais que c'est loin tout ça, soupira-t-elle, mais tes souvenirs de cette période ne correspondent pas aux miens.

— Où veux-tu en venir ?

— Admets la vérité, Thomas. À la fin de l'année 1992, Vinca avait disjoncté. Elle était incontrôlable, complètement en roue libre. Souviens-toi : c'était le début des *rave parties*, la dope était partout dans le lycée. Et Vinca n'était pas la dernière à se défoncer.

Je me souvenais en effet des calmants, des somnifères, de l'ecsta et de la benzédrine que j'avais vus dans sa boîte à pharmacie.

— Un soir, en octobre ou novembre, Vinca a débarqué dans ma chambre. Elle m'a dit qu'elle couchait avec ton père et m'a demandé de les suivre pour prendre des photos. Elle...

Les pas de la standardiste l'interrompirent dans sa confession.

— Voilà ton sac, docteur! lança Debbie.

Fanny la remercia. Elle prit son paquet de clopes et son briquet et posa le sac à côté d'elle sur le capot. Un modèle en cuir tressé, blanc et beige, avec un fermoir en forme de tête de serpent dont le regard d'onyx semblait porteur d'une noire menace.

— Quel usage Vinca voulait-elle faire de ces photos?

Elle alluma sa cigarette en haussant les épaules.

— J'imagine qu'elle voulait faire chanter ton père. Tu as parlé de ça avec lui?

— Pas encore.

Je sentis la colère et la déception qui montaient en moi.

— Comment as-tu pu cautionner ça, Fanny?

Elle secoua la tête et inhala une bouffée de tabac. Son regard se voila. Elle plissa les yeux comme pour retenir ses larmes, mais je ne la lâchai pas :

— Pourquoi m'as-tu fait ça?

J'avais crié, mais elle cria plus fort que moi, sautant du capot pour me défier :

— Mais bordel, parce que je t'aimais !

Son sac était tombé par terre. Les yeux rougis par la colère, Fanny me bouscula :

— Je t'ai toujours aimé, Thomas, *toujours* ! Et toi aussi tu m'aimais, avant que Vinca ne vienne tout bousiller.

Furieuse, elle me donnait des coups dans la poitrine.

— Tu as tout abdiqué pour elle. Pour lui plaire, tu as renoncé à tout ce qui constituait ta singularité. Tout ce qui faisait que tu étais un garçon différent des autres.

C'était la première fois que je voyais Fanny perdre le contrôle. Était-ce parce que je savais qu'il y avait un fond de vérité dans ce qu'elle disait que j'encaissais les coups comme une punition ?

Lorsque j'estimai que la pénitence avait assez duré, je la pris doucement par les poignets.

— Calme-toi, Fanny.

Elle se dégagea et plongea la tête entre ses mains. Abattue, je la vis vaciller sur ses jambes.

— J'ai accepté de faire les photos parce que je voulais te les montrer pour discréditer Vinca à tes yeux.

— Pourquoi y as-tu renoncé ?

— Parce qu'à l'époque ça t'aurait brisé. Je craignais que tu ne fasses une connerie. Par rapport à toi, à elle ou à ton père. Je n'ai pas voulu courir ce risque.

Elle s'adossa contre la portière de la voiture. Je me baissai pour ramasser son sac en évitant de me faire mordre par le serpent. Il était resté ouvert et des objets s'étaient éparpillés sur le sol : un agenda, un trousseau de clés, un tube de rouge à lèvres. Alors que je remettais les objets dans le sac, mes yeux tombèrent sur un papier plié en deux. La photocopie du même article de *Nice-Matin* que m'avait fait parvenir Maxime. Il était barré des mêmes lettres, qui réclamaient *Vengeance* !

— Fanny, qu'est-ce que c'est ? demandai-je en me relevant.

Elle me prit le papier des mains.

— Un courrier anonyme. Je l'ai trouvé dans ma boîte aux lettres.

Tout à coup, l'air se densifia comme s'il se chargeait d'ondes négatives. Et je pris conscience que le danger qui nous menaçait Maxime et moi était encore plus sournois que prévu.

— Tu sais pourquoi tu as reçu ça ?

Fanny était à bout de forces, affaissée, proche de la rupture. Je ne comprenais pas pourquoi elle était visée par ce courrier. Elle n'avait rien à voir avec la mort d'Alexis Clément. Pourquoi celui qui nous traquait, Maxime et moi, s'en prenait-il aussi à elle ?

Sans la brusquer, je lui posai la main sur l'épaule.

— Fanny, réponds-moi s'il te plaît : est-ce que tu sais pourquoi tu as reçu cette lettre de menace ?

171

Elle leva la tête et j'aperçus son visage défait, chiffonné, livide. Un incendie s'était allumé au fond de ses pupilles.

— Putain, bien sûr que je le sais ! me rétorqua-t-elle.

À présent, c'est moi qui perdais pied.

— Et... pourquoi ?

— Parce qu'il y a un cadavre dans le mur du gymnase.

4.

Pendant un long moment, je fus incapable d'articuler le moindre mot.

La situation venait de m'échapper. J'étais tétanisé.

— Depuis quand es-tu au courant ?

Elle était K-O debout, comme si elle avait renoncé à lutter et s'était abandonnée à la noyade. Lasse, elle parvint à murmurer :

— Depuis le premier jour.

Puis elle s'effondra. Littéralement. Elle se laissa glisser le long de la voiture pour s'écrouler en pleurs sur le goudron. Je me précipitai pour l'aider à se redresser.

— Tu n'as rien à voir avec la mort de Clément, Fanny. C'est moi et Maxime qui en sommes responsables.

Un instant, elle releva les yeux vers moi, hagarde. Puis, de nouveau secouée de sanglots, elle s'assit à même le sol et enfouit son visage entre ses mains. À mon tour, je m'accroupis à côté d'elle et j'attendis qu'elle sèche ses larmes en regardant nos deux ombres immenses que le soleil projetait sur le bitume. Enfin, elle s'essuya les paupières du dos de la main.

— Comment ça s'est passé? demanda-t-elle. Comment est-il mort?

Au point où nous en étions, je lui racontai tout en détail, l'affranchissant de notre terrible secret. À nouveau je revécus le traumatisme de cet épisode qui, pour l'éternité, m'avait transformé en meurtrier.

Lorsque j'eus terminé, elle paraissait avoir retrouvé un semblant de calme. Cette confession nous avait mutuellement apaisés.

— Et toi, Fanny, comment étais-tu au courant?

Elle se releva, respira profondément et alluma une autre cigarette sur laquelle elle tira plusieurs bouffées, comme si le tabac permettait de convoquer les souvenirs lointains.

— Le jour de la tempête de neige, ce fameux samedi, le 19 décembre, j'avais travaillé très tard. À l'époque où je préparais médecine, j'avais pris l'habitude de ne dormir que quatre heures par nuit. Je crois que ça me rendait folle, surtout lorsque je n'avais pas un rond devant moi pour m'acheter à manger. Cette nuit-là, j'avais tellement faim que je ne parvenais pas à trouver le sommeil. Trois semaines plus tôt, Mme Fabianski, la femme du gardien, avait eu pitié de moi et m'avait donné un double des clés de la cuisine du réfectoire.

Le bip de Fanny sonna dans sa poche, mais elle fit mine de ne pas l'entendre.

— Je suis sortie dans la nuit. Il était 3 heures du matin. J'ai traversé le campus jusqu'à la cantine. À cette heure-ci, tout était fermé, mais je connaissais le code de la porte coupe-feu qui permettait de pénétrer dans le réfectoire. Il faisait un tel froid que je ne me suis pas attardée. J'ai dévoré sur place une boîte de biscuits, puis j'ai emporté la moitié d'un paquet de pain de mie et une tablette de chocolat.

Elle parlait d'un ton monocorde, comme si elle était dans un état proche de l'hypnose et que quelqu'un d'autre s'exprimait à travers elle.

— Ce n'est qu'en regagnant la résidence que j'ai véritablement pris conscience de la splendeur du paysage. Il ne neigeait plus. Le vent avait chassé les nuages, dévoilant des constellations et une lune pleine. Tout était tellement féerique que je suis revenue sans quitter le lac des yeux. Je me souviens encore du crissement de mes pas sur la neige et du reflet bleu de la lune à la surface de l'eau.

Ses paroles ravivaient mes propres souvenirs de la Côte d'Azur figée dans la glace. Fanny continua :

— Le charme s'est rompu lorsque j'ai aperçu une lumière inhabituelle au-dessus de moi. La lueur venait de la zone sur laquelle on construisait le gymnase. Plus je m'approchais, plus je comprenais que ce n'était pas une simple lueur. C'était le chantier dans son ensemble qui était éclairé. Il y avait même un bruit de moteur. Le vrombissement d'une machine. Une intuition me disait de ne pas m'approcher, mais j'ai cédé à la curiosité et…

— Qu'est-ce que tu as découvert ?

— J'ai vu une bétonnière qui tournait dans la nuit. J'étais abasourdie. Quelqu'un coulait du béton à 3 heures du matin dans un froid insoutenable ! Une présence m'a fait sursauter. Je me suis retournée et j'ai aperçu Ahmed Ghazouani, l'ouvrier de Francis Biancardini. Il m'a regardée, presque aussi terrifié que moi. J'ai hurlé, puis j'ai pris les jambes à mon cou pour me réfugier dans ma chambre, mais j'ai toujours su que, ce soir-là, j'avais vu quelque chose que je n'aurais pas dû voir.

— Comment as-tu deviné qu'Ahmed était en train d'emmurer le cadavre d'Alexis Clément ?

— Je ne l'ai pas deviné, c'est Ahmed lui-même qui me l'a avoué… presque vingt-cinq ans plus tard.

— À quelle occasion ?

Fanny se retourna pour désigner le bâtiment derrière elle.

— L'année dernière, il était hospitalisé ici, au troisième étage, pour un cancer de l'estomac. Ce n'était pas directement mon patient, mais parfois, le soir, je passais le voir avant de partir. En 1979, mon père avait travaillé avec lui sur le chantier du port de commerce de Nice et ils avaient gardé des liens. Ahmed savait que sa maladie était très avancée. Avant de mourir, il a voulu alléger sa conscience et c'est comme ça qu'il m'a tout raconté. Exactement comme tu viens de le faire.

Mon inquiétude était à son comble.

— S'il te l'a dit à toi, il l'a peut-être dit à quelqu'un d'autre. Tu te souviens de qui lui rendait visite ?

— Personne, justement. Personne ne lui rendait visite et il s'en plaignait. Il n'avait qu'une envie : rentrer dans la région de Bizerte.

Je me rappelais ce que m'avait dit Maxime : Ahmed était mort chez lui.

— C'est ce qu'il a fait, devinai-je. Il a quitté l'hôpital pour repartir en Tunisie...

— ... où il est décédé quelques semaines plus tard.

À nouveau, le bip de Fanny résonna sur le parking désert.

— Cette fois, il faut vraiment que je retourne au boulot.

— Bien sûr, vas-y.

— Tiens-moi au courant lorsque tu auras parlé à ton père.

J'acquiesçai de la tête et je me dirigeai vers l'espace de stationnement réservé aux visiteurs. En regagnant la voiture, je ne pus m'empêcher de me retourner. J'avais parcouru vingt mètres, mais Fanny n'avait pas bougé et me regardait fixement. En contre-jour, ses mèches blondes étincelaient comme les filaments d'une lampe magique. On ne distinguait pas ses traits, elle aurait pu avoir n'importe quel âge.

Pendant quelques secondes, dans mon esprit, elle fut encore la Fanny de l'été du *Grand Bleu*. Et je redevins moi aussi ce « garçon différent des autres ».

La seule version de Thomas Degalais que j'avais aimée dans ma vie.

9

Ce que vivent les roses

Où peut-on être mieux qu'au sein
d'une famille ? Partout ailleurs !
Hervé Bazin

1.

Avec ses routes sinueuses, ses bosquets d'oliviers et ses haies bien taillées, le quartier de la Constance m'évoquait toujours les arabesques de certains morceaux de jazz. Des ornements élégants qui, au détour d'un virage, se répétaient, s'enrichissaient et se répondaient dans un dialogue bucolique et nonchalant.

Le chemin de la Suquette – où résidaient mes parents – tenait son nom d'un terme occitan utilisé pour qualifier une butte, ou plus généralement toute élévation de terrain. Cette colline qui surplombait Antibes abritait autrefois le château de la Constance, un gigantesque domaine agricole à l'est de la ville. Au fil du temps, le château avait été transformé en clinique, puis en appartements privés. Sur les terrains

alentour avaient poussé quantité de villas et de lotissements. Mes parents – et ceux de Maxime – s'étaient
installés ici juste après ma naissance, à une époque
où l'artère n'était encore qu'un petit chemin fleuri et
peu fréquenté. Je me souvenais par exemple d'y avoir
appris à faire du vélo avec mon frère et, le week-end,
il n'était pas rare que les riverains y organisent des
parties de pétanque. Aujourd'hui, la route avait été
élargie et la circulation y était dense. Ce n'était pas la
nationale 7, mais on n'en était plus très loin.

Arrivé devant le numéro 74, l'adresse de la Villa Violette, j'abaissai ma vitre et sonnai pour m'annoncer.
Personne ne me répondit, mais le portail électrique
s'ouvrit dans la seconde. J'enclenchai une vitesse et
m'engageai sur l'étroite allée en ciment qui serpentait
jusqu'à la maison de mon enfance.

Fidèle à la marque Audi, mon père avait parqué son
break A4 à l'entrée de l'accès. Une façon pour lui de
pouvoir prendre la tangente à la minute où il l'aurait
décidé sans être tributaire des autres (je crois que tout
Richard Degalais tenait dans ce comportement). Je me
garai un peu plus loin, sur un parterre gravillonné, à
côté d'un roadster Mercedes qui devait appartenir
à ma mère.

Je fis quelques pas sous le soleil, cherchant à mettre
de l'ordre dans ce que je voulais faire ici en ce début
d'après-midi. La maison était située au sommet de
la colline et, chaque fois, j'étais hypnotisé par la vue : la

silhouette longiligne des palmiers, la pureté du ciel et de la mer, l'immensité de l'horizon. Ébloui par le soleil, je mis ma main en visière et, tournant la tête, j'aperçus ma mère, immobile, les bras croisés, qui m'attendait sous la véranda.

Je ne l'avais pas vue depuis presque deux ans. Tandis que je montais la volée de marches pour la rejoindre, je la détaillai en soutenant son regard. En sa présence, j'étais toujours vaguement intimidé. Mon enfance auprès d'elle avait pourtant été paisible et joyeuse, mais la fin de l'adolescence et l'âge adulte nous avaient éloignés. Annabelle Degalais – née Annabella Antonioli – était une beauté glaciale. Une blonde hitch-cockienne, mais dépourvue de la lumière de Grace Kelly ou de la fantaisie d'Eva Marie Saint. Tout en angles et en longueur, son physique s'accordait parfaitement avec celui de mon père. Elle portait un pantalon de coupe moderne et une veste zippée assortie. Ses cheveux blonds étaient désormais presque cendrés, mais pas encore blancs. Elle avait un peu vieilli depuis la dernière fois que je lui avais rendu visite. J'eus l'impression que sa prestance avait perdu de son éclat, mais elle faisait toujours largement dix ans de moins que son âge.

— Salut, maman.

— Bonjour Thomas.

Je crois que son regard de glacier n'avait jamais été aussi clair et tranchant. J'hésitais toujours à l'embrasser.

Chaque fois, j'avais l'impression qu'elle allait faire un pas en arrière. Cette fois, je décidai de ne même pas m'y risquer.

L'Autrichienne. Le surnom qu'on lui donnait à l'école, en Italie, lorsqu'elle était enfant, me revint en mémoire. L'histoire familiale d'Annabelle n'était pas facile et c'était bien la seule excuse que j'avais trouvée à sa froideur. Pendant la guerre, mon grand-père, Angelo Antonioli, un paysan piémontais, avait été enrôlé de force dans le corps expéditionnaire italien. Entre l'été 1941 et l'hiver 1943, deux cent trente mille soldats de la Péninsule avaient été déployés sur le front de l'Est : d'Odessa aux rives du Don jusqu'à Stalingrad. Plus de la moitié n'étaient jamais revenus. C'était le cas d'Angelo, qui avait été fait prisonnier par les Soviétiques après l'offensive Ostrogojsk-Rossoch. Condamné à être envoyé dans un camp de prisonniers, il avait rendu l'âme sur la route du goulag. Lui, l'enfant rayonnant du nord de l'Italie, était tombé dans le froid glacial de la steppe russe, victime d'une guerre qui n'était pas la sienne. Pour ajouter au malheur de sa famille, sa femme s'était retrouvée enceinte pendant son absence sans que cette grossesse puisse être expliquée autrement que par un adultère. Fruit des amours défendues de ma grand-mère et d'un travailleur saisonnier autrichien, ma mère était née dans l'odeur du scandale. Ce baptême du feu délicat lui laissa en héritage une force et un détachement peu communs.

182

Elle m'avait toujours donné l'impression que rien ne l'affectait ni ne l'ébranlait vraiment. Une attitude qui contrastait avec ma sensibilité.

— Pourquoi tu ne m'as pas dit que tu étais malade ?

La question était sortie de ma bouche presque malgré moi.

— Qu'est-ce que ça aurait changé ? demanda-t-elle.

— J'aurais bien aimé le savoir, c'est tout.

Elle n'avait pas toujours eu cette distance avec moi. En cherchant dans mes souvenirs d'enfant, je trouvais de vrais moments de complicité et de transmission, notamment autour des romans et des pièces de théâtre. Et ce n'était pas une reconstruction de mon esprit blessé : dans les albums photo, jusqu'à mon adolescence, j'avais vu quantité d'images où elle était souriante, visiblement heureuse de m'avoir comme fils. Puis les choses s'étaient gâtées sans que je comprenne vraiment pourquoi. À présent, elle s'entendait toujours très bien avec mon frère et ma sœur, mais nettement moins avec moi. J'en tirais une sorte de singularité malsaine. Au moins, j'avais quelque chose qu'ils n'avaient pas.

— Donc, tu as assisté aux cinquante ans du lycée ? Mais pourquoi aller perdre ton temps là-bas ?

— C'était sympa de revoir les copains.

— Tu n'avais pas de copains, Thomas. Tes seuls amis, c'étaient les livres.

C'était la vérité bien sûr, mais, exprimée ainsi, je la trouvais violente et triste.

— Maxime est mon ami.

Elle resta immobile et me regarda sans ciller. Dans le halo moiré du soleil, sa silhouette ressemblait à la statue des madones en marbre qu'on peut voir dans les églises italiennes.

— Pourquoi es-tu revenu, Thomas ? reprit-elle. Tu n'as pas de livre à promouvoir en ce moment.

— Tu pourrais faire semblant d'être contente, non ?

— Tu fais semblant, toi ?

Je soupirai. On tournait en rond. Nous avions accumulé de la rancœur des deux côtés. Un instant, je fus à deux doigts de lui balancer la vérité. J'avais tué quelqu'un dont le corps était emmuré dans le gymnase du lycée et, dès lundi, on pouvait me jeter en prison pour ce meurtre. *La prochaine fois que tu me verras, maman, ce sera entre deux gendarmes ou derrière la paroi vitrée d'un parloir.*

Je ne l'aurais sans doute pas fait, mais de toute façon elle ne m'en laissa pas le temps. Sans m'inviter à la suivre, elle venait de s'engager dans l'escalier qui menait au rez-de-chaussée. Visiblement, elle avait eu sa dose, et moi aussi.

Je restai seul un instant sur la terrasse dallée de grands carreaux de terre cuite. Lorsque j'entendis des éclats de voix, je m'avançai vers le balcon en fer forgé pris d'assaut par le lierre. Mon père était en grande conversation avec Alexandre, le vieux jardinier qui faisait également office de pisciniste. La piscine avait une fuite. Mon père pensait qu'elle se situait au niveau des skimmers alors qu'Alexandre était plus pessimiste et parlait déjà de creuser dans la pelouse pour déterrer un tuyau.

— Salut, papa.

Levant la tête, Richard m'adressa un petit signe, comme s'il m'avait vu la veille. Je n'oubliais pas que c'était lui que j'étais venu voir, mais en attendant le départ d'Alexandre, je décidai d'aller jeter un œil au grenier.

2.

Enfin, façon de parler. La maison n'avait pas de grenier, mais un sous-sol gigantesque, accessible depuis l'extérieur, qui n'avait jamais vraiment été aménagé et qui, sur plus de cent mètres carrés, faisait office de débarras.

Alors que dans la maison chaque pièce était parfaitement rangée, astiquée et meublée avec goût, le sous-sol était un capharnaüm sans nom à l'éclairage triste et tremblotant. La mémoire refoulée de la Villa Violette. Je me frayai un chemin au milieu du foutoir. Dans la première partie de la pièce, de vieux vélos, une patinette et des rollers qui devaient appartenir aux gamins de ma sœur. Près d'une caisse à outils, à demi cachée par une bâche, je tombai sur mon ancienne mobylette. Mon père, qui était un fou de mécanique, n'avait pas pu s'empêcher de retaper le vieux cyclo. Carrosserie décapée, belle peinture brillante, remplacement des jantes à bâtons, pneus neufs : le 103 MVL avait de la gueule et étincelait de mille feux. Richard avait même retrouvé les autocollants Peugeot d'origine ! Plus loin, des jouets, des malles, des valises, des vêtements en pagaille. Côté fringues, ni mon père ni ma mère n'avaient jamais lésiné sur la dépense. Plus loin encore, des tonnes de livres. Ceux qu'on lisait vraiment, mais qui n'étaient pas assez littéraires pour les rayonnages en noyer de la bibliothèque du salon. Les polars ou les romances que dévorait ma mère, les documents et les essais pas très intellos dont mon père était friand. Habillés de la reliure en cuir de la Pléiade, Saint-John Perse et Malraux avaient le droit de parader à l'étage, tandis que Dan Brown et *Fifty Shades* prenaient la poussière dans le débarras, là où se trouvaient les véritables « coulisses de la vie ».

Je trouvai ce que j'étais venu chercher dans la dernière alcôve. Posés sur une table de ping-pong, deux cartons de déménagement barrés par mon prénom, pleins à craquer de nostalgie. En deux voyages, je montai les caisses jusqu'à l'étage et les déballai pour faire du tri.

Je posai sur la table de la cuisine tout ce qui, de près ou de loin, était en lien avec l'année 1992 et pouvait avoir une utilité pour mon enquête. Un sac Eastpak turquoise massacré au Tipp-Ex, des classeurs Poivre Blanc ou Chevignon bourrés de notes de cours prises sur des feuilles à carreaux Seyès. Des bulletins scolaires qui témoignaient de l'élève modèle et docile que j'avais été : « attitude très positive en cours », « élève agréable et motivé », « participation toujours pertinente », « vivacité d'esprit ».

Je me replongeai dans quelques devoirs qui m'avaient marqué : un commentaire composé sur *Le Dormeur du val*, un autre sur le passage d'ouverture de *Belle du Seigneur*. Je trouvai même plusieurs copies de philo directement annotées par Alexis Clément lorsque je l'avais eu comme enseignant en terminale. Des « capacités de réflexion intéressantes. 14/20 » à une dissertation sur « L'art peut-il se passer de règles ? ». Dans un autre devoir sur « Peut-on comprendre une passion ? » – tout un programme… –, le prof se faisait même dithyrambique : « Une copie de qualité qui, malgré quelques étourderies, repose sur une bonne maîtrise des concepts et est illustrée par des exemples qui témoignent d'une réelle culture littéraire et philosophique. 16/20. »

Parmi les autres trésors du carton, la photo de classe de l'année de terminale, ainsi qu'une série de mixtapes que j'avais minutieusement concoctées pour Vinca, mais que, pour une raison ou pour une autre, je n'avais jamais osé lui envoyer. J'ouvris le boîtier d'une cassette au hasard et me remémorai la liste des titres de la bande originale de ma vie. Le Thomas Degalais de l'époque était tout entier contenu dans les paroles et la musique. C'était encore le garçon différent des autres, un peu décalé, gentil, insensible aux modes, en phase avec ses sentiments profonds : Samson François jouant Chopin,

Jean Ferrat chantant *Les Yeux d'Elsa*, Léo Ferré récitant *Une saison en enfer*. Mais également *Moondance* de Van Morrison et *Love Kills* de Freddie Mercury, comme un sentiment prémonitoire...

Il y avait des livres aussi. De vieux poches aux pages jaunies qui m'avaient accompagné à cette époque. Les titres que je citais dans les interviews lorsque j'affirmais que «très jeune, grâce aux livres, j'avais compris que je ne serais jamais seul».

Si c'était si simple...

Un de ces livres ne m'appartenait pas. Le recueil de poèmes de Marina Tsvetaïeva dédicacé par Alexis que j'avais récupéré dans la chambre de Vinca le lendemain du meurtre.

> *Pour Vinca,*
> *Je voudrais n'être qu'une âme sans corps*
> *pour ne te quitter jamais.*
> *T'aimer, c'est vivre.*
> *Alexis*

Je ne pus réprimer un rire mauvais. À l'époque, la dédicace m'avait bluffé. Aujourd'hui, je savais que ce sale con avait piqué la formule à Victor Hugo dans sa correspondance à Juliette Drouet. Imposteur jusqu'au bout.

— Alors, Thomas, qu'est-ce que tu fous ici?

Je me retournai. Un sécateur à la main, mon père venait d'entrer dans la cuisine.

Quand on parlait d'imposteur...

3.

Bien que peu affectueux, mon père était, lui, plutôt tactile et pas avare d'embrassades, même si cette fois c'est moi qui eus envie de reculer d'un pas lorsqu'il lança son étreinte.

— Comment va la vie à New York ? Pas trop dur avec Trump ? demanda-t-il en se lavant soigneusement les mains sous l'eau du robinet.

— On peut aller dans ton bureau ? répondis-je en ignorant sa question. J'aimerais te montrer quelque chose.

Ma mère rôdait dans les parages et je n'avais pas envie de la mêler à ça pour l'instant.

Richard se sécha les mains en bougonnant sur ma manière de débarquer en faisant des mystères, puis il m'entraîna dans sa tanière à l'étage. Un grand bureau-bibliothèque, aménagé comme un fumoir anglais avec canapé Chesterfield, statuettes africaines et collection de vieux fusils de chasse. Percée de deux grandes baies vitrées, la pièce bénéficiait de la plus belle vue de la maison.

D'entrée, je lui tendis mon téléphone sur lequel était affiché le papier de *Nice-Matin* qui relatait la découverte du sac contenant les cent mille francs.

— Tu avais lu cet article ?

Saisissant ses lunettes, Richard jeta un rapide coup d'œil à l'écran, sans les mettre, à travers les verres, puis les reposa.

— Ouais, c'est dingue cette histoire.

Les bras croisés, il se planta devant l'une des fenêtres et, d'un coup de menton, désigna les spots de la pelouse qui entouraient la piscine.

— Ces putains d'écureuils asiatiques nous envahissent. Ils ont bouffé les fils de l'installation électrique, tu te rends compte ?

Je le ramenai à l'article :

— Cet argent a dû être planqué là à peu près à l'époque où tu étais en fonction, non ?

— Peut-être, je ne sais pas, fit-il en grimaçant sans tourner la tête. T'as vu qu'on a été obligé d'abattre un des palmiers ? La maladie du charançon rouge.

— Tu ne sais pas à qui pourrait appartenir ce sac ?

— Quel sac ?

— Le sac dans lequel on a retrouvé cet argent.

Richard s'agaça :

— Comment le saurais-je ? Pourquoi tu m'emmerdes avec cette histoire ?

— Les flics ont relevé deux empreintes, m'a dit un journaliste. L'une d'entre elles était celle de Vinca Rockwell. Tu te souviens d'elle ?

À l'évocation de Vinca, Richard se tourna vers moi et s'assit dans un fauteuil en cuir craquelé.

190

— Bien sûr, la fille qui a disparu. Elle avait… la fraîcheur des roses.

Il plissa les yeux et, à ma grande surprise, l'ancien prof de français qu'il avait été se mit à réciter du François de Malherbe :

… Mais elle était du monde, où les plus belles choses
Ont le pire destin,
Et rose elle a vécu ce que vivent les roses,
L'espace d'un matin…

Richard laissa passer quelques secondes, puis pour la première fois, c'est lui qui me relança :

— Tu as parlé de deux empreintes, c'est ça ?

— Les flics ne savent pas encore à qui appartient l'autre, car elle n'est pas fichée. Mais je mettrais ma main à couper que c'est la tienne, papa.

— Voilà autre chose, s'étonna-t-il.

Je m'assis en face de lui et lui montrai les copies d'écran des réseaux sociaux que m'avait envoyées Pianelli.

— Tu te souviens de ce sac ? C'était celui que tu prenais quand on allait jouer au tennis tous les deux. Tu adorais son cuir souple et sa patine vert sombre qui tirait sur le noir.

À nouveau, il eut besoin de ses lunettes pour regarder mon téléphone.

— Je n'y vois pas grand-chose. Il est minuscule, ton écran !

Il s'empara de la télécommande posée sur la table basse devant lui et alluma la télé comme si notre conversation était terminée. Il fit défiler les chaînes sportives – L'Équipe, Canal+ Sport, Eurosport, beIN –, s'arrêta un moment sur la retransmission du tour cycliste d'Italie, puis zappa sur la demi-finale des masters de Madrid opposant Nadal à Djokovic.

— Il nous manque vraiment, Federer.

Mais je ne le lâchai pas :

— J'aimerais que tu jettes un coup d'œil à ça aussi. Rassure-toi, ce sont des gros plans.

Je lui remis l'enveloppe en papier kraft. Il sortit les clichés, les inspecta tout en gardant un œil sur le match de tennis. Je pensais qu'il allait être déstabilisé, mais il se contenta de secouer la tête en soupirant :

— Qui t'a donné ça ?

— Peu importe ! Dis-moi ce que ça signifie !

— Tu as vu les photos. Tu as besoin que je te fasse un dessin, en plus ?

Il monta le son de la télé, mais je lui arrachai la télécommande des mains et éteignis le poste.

— Tu ne crois pas que tu vas t'en sortir comme ça !

Il soupira de nouveau et chercha dans la poche de son blazer le cigare entamé qu'il avait toujours sur lui.

— OK, je me suis fait piéger, admit-il en roulant le havane entre ses doigts. Cette petite salope n'arrêtait pas de me tourner autour. Elle m'a allumé et j'ai craqué. Puis elle m'a fait chanter. Et j'ai été assez con pour lui donner cent mille balles!

— Comment as-tu pu faire ça?

— Faire quoi? Elle avait dix-neuf ans. Elle baisait à droite à gauche. Je ne l'ai pas forcée. C'est elle qui s'est jetée dans mes bras!

Je me levai et pointai mon doigt sur lui.

— Tu savais que c'était mon amie!

— Qu'est-ce que tu voulais que ça change? rétorqua-t-il. Sur ce terrain, c'est chacun pour soi. Et puis, entre nous, tu n'as pas perdu grand-chose. Vinca était une chieuse et un mauvais coup. Elle était juste là pour prendre du fric.

Je ne savais pas ce que je détestais le plus, son arrogance ou sa méchanceté.

— Est-ce que tu t'entends seulement parler?

Richard ricana, loin d'être déstabilisé ou de se sentir mal à l'aise. Je devinai qu'une part de lui devait même prendre plaisir à la conversation. L'image du père qui réaffirme sa puissance sur son fils en lui infligeant de la peine et en l'humiliant devait bien le faire triper.

— Tu es ignoble. Tu me dégoûtes.

Mes injures l'échauffèrent enfin. À son tour, il se leva de sa chaise et s'avança vers moi jusqu'à être à moins de vingt centimètres de mon visage.

— Tu ne la connaissais pas, cette fille! C'était elle, l'ennemi, elle qui menaçait de détruire notre famille!

Il désigna les photos éparpillées sur la table.

— Imagine ce qui se serait passé si ta mère ou des parents d'élèves étaient tombés sur ça ! Toi, tu vis dans un monde littéraire et romantique, mais la vraie vie, ce n'est pas ça. La vie, c'est violent.

J'étais tenté de lui mettre mon poing dans la gueule pour lui montrer qu'effectivement la vie pouvait être violente, mais cela n'aurait servi à rien. Et j'avais encore besoin qu'il me livre des informations.

— Donc tu as donné cet argent à Vinca, dis-je en me contraignant à baisser d'un ton. Et que s'est-il passé ensuite ?

— Ce qui se passe avec les maîtres chanteurs : elle en voulait plus et je n'ai pas cédé.

Tout en continuant à triturer son cigare, il plissa les yeux pour convoquer ses souvenirs.

— La dernière fois qu'elle s'est pointée, c'était la veille des vacances de Noël. Elle est même venue me voir avec un test de grossesse pour accentuer la pression.

— L'enfant qu'elle portait était de toi !

Il s'énerva :

— Mais bien sûr que non !

— Comment tu peux le savoir ?

— Ça ne collait pas avec son calendrier menstruel.

L'explication était foireuse. Comme s'il en avait la moindre idée. De toute façon, Richard avait toujours menti comme un arracheur de dents. Et ce qui le rendait dangereux, c'est qu'au bout d'un moment, il parvenait lui-même à croire à ses mensonges.

— Si cet enfant n'était pas de toi, il était de qui?

Il répondit comme une évidence:

— De ce petit connard qui la baisait en douce, j'imagine. Comment s'appelait-il déjà, ce philosophe de mes couilles?

— Alexis Clément.

— Oui, c'est ça, Clément.

Je lui posai la question d'un air solennel:

— Est-ce que tu sais quelque chose d'autre sur la disparition de Vinca Rockwell?

— Qu'est-ce que tu voudrais que je sache? Tu ne penses pas que je suis mêlé à ça tout de même? Quand elle a disparu, j'étais à Papeete avec ton frère et ta sœur.

L'argument était imparable et sur ce point je le croyais.

— Les cent mille francs, à ton avis, pourquoi elle ne les a pas emportés lorsqu'elle a disparu?

— Je n'en sais rien et je m'en fous complètement.

Il avait rallumé son cigare, qui répandait une odeur âcre, et récupéré la télécommande. Il haussa le volume. Djoko était à la peine face à Nadal. Le Majorquin menait 6-2, 5-4 et servait pour gagner le droit d'accéder à la finale.

L'air était devenu irrespirable. J'avais hâte de quitter la pièce, mais Richard ne me laissa pas partir sans une dernière leçon de vie:

— Il serait temps que tu t'endurcisses, Thomas. Et que tu comprennes que l'existence, c'est la guerre.

Toi qui aimes les livres, relis Roger Martin du Gard :
« L'existence tout entière est un combat. La vie, c'est
de la victoire qui dure. »

10

La hache de guerre

> *N'importe qui peut tuer, c'est une*
> *simple question de circonstances et*
> *ça n'a rien à voir avec le caractère.*
> *N'importe qui, n'importe quand.*
> *Même votre propre grand-mère.*
> *Je le sais.*
>
> Patricia HIGHSMITH

1.

La conversation avec mon père m'avait donné la nausée, mais ne m'avait pas appris grand-chose de nouveau. Lorsque je revins dans la cuisine, ma mère avait poussé mes cartons et s'était mise aux fourneaux.

— Je vais te préparer une tarte aux abricots, tu aimes toujours ça ?

C'était quelque chose que je n'avais jamais compris chez elle, mais qui était constitutif de sa personnalité. Cette capacité à souffler le chaud et le froid. Parfois, Annabelle baissait la garde et quelque chose se relâchait en elle. Elle redevenait plus douce, plus ronde, plus méditerranéenne, comme si l'Italie l'emportait soudain sur l'Autriche. Quelque chose s'allumait dans son regard qui ressemblait à de l'amour. Pendant long-temps, j'avais été dépendant de cette étincelle, je la guettais, je la quêtais, pensant toujours qu'elle était le prélude à un feu plus constant, mais la flammèche ne dépassait jamais le stade de l'escarbille. Avec le temps, j'avais appris à ne plus me faire avoir. Je répondis par un laconique :

— Ne te donne pas cette peine, maman.

— Mais si, ça me fait plaisir ,Thomas.

Mon regard accrocha le sien et lui demanda : « Pourquoi tu fais ça ? » Elle avait détaché son chignon. Ses cheveux avaient la blondeur du sable qu'on trouvait sur les plages antiboises. Ses yeux brillaient de la clarté et de la transparence de l'aigue-marine. J'insistai : « Pourquoi es-tu comme ça ? » Mais les jours comme aujourd'hui, son regard était aussi fascinant qu'indé-chiffrable. Ma mère, cette étrangère, se laissa même aller à un sourire. Je la détaillai alors qu'elle sortait des placards de la farine et un plat à tarte. Annabelle n'avait jamais été le genre de femme que les hommes s'autorisaient à draguer. Tout en elle annonçait le râteau assuré. Elle donnait l'impression de vivre ailleurs, sur une autre planète, inaccessible. Moi-même, tandis que je grandissais à ses côtés, je l'avais toujours trouvée *trop*. Trop sophistiquée pour la petite vie que nous menions, trop brillante pour partager la vie d'un type comme Richard Degalais. Comme si sa place était parmi les astres.

La sonnerie du portail me fit sursauter.

— C'est Maxime! lança Annabelle en pressant le bouton pour ouvrir.

D'où lui venait ce ton soudain joyeux? Elle partit à la rencontre de mon ami tandis que je sortais sur la terrasse. Je mis mes lunettes de soleil pour apercevoir une Citroën bordeaux en train de franchir la porte automatique. Je suivis des yeux la familiale qui remonta l'accès bétonné pour se garer derrière le roadster de ma mère. Lorsque les portières s'ouvrirent, je vis que Maxime avait amené ses filles. Deux minuscules brunettes, mignonnes comme tout, qui semblaient très familières avec ma mère, lui tendant les bras avec une spontanéité charmante. Maxime avait dû se rendre au commissariat pour répondre à la convocation informelle de Vincent Debruyne. S'il était déjà de retour et qu'il était venu avec ses enfants, c'est que l'entretien n'avait pas dû trop mal se passer. Lorsqu'il sortit à son tour, j'essayai de décrypter ses émotions sur son visage. J'étais en train de leur adresser un signe de la main quand mon téléphone vibra dans ma poche. Je jetai un coup d'œil à l'écran. Rafael Bartoletti, mon «photographe officiel».

— *Ciao* Rafa, dis-je en décrochant.

— *Ciao* Thomas. Je te rappelle à propos de la photo de ton amie Vinca.

— Je savais qu'elle te plairait.

— Elle m'intriguait même tellement que j'ai demandé à mon assistant d'en faire un agrandissement.

— Oui ?

— En travaillant dessus, j'ai compris ce qui me troublait.

Je sentis des picotements dans mon ventre.

— Dis-moi.

— Je suis à peu près certain qu'elle n'est pas en train de sourire à son cavalier. Ce n'est pas lui qu'elle regarde.

— Comment ça ? C'est qui alors ?

— Quelqu'un d'autre qui se trouve à six ou sept mètres devant elle, à sa gauche. À mon avis, ta Vinca ne danse même pas vraiment avec le type. C'est une illusion d'optique.

— Tu veux dire que la photo est un montage ?

— Non, pas du tout, mais elle a sûrement été recadrée. Crois-moi, les sourires de la *ragazza* sont adressés à quelqu'un d'autre.

Quelqu'un d'autre...

J'avais du mal à y croire, mais je remerciai Rafa en lui promettant de le tenir au courant. Par acquit de conscience, je relançai Pianelli d'un SMS pour savoir s'il avait eu un retour de Claude Angevin, l'ancien rédacteur en chef du journal qui devait connaître l'auteur de cette fameuse photo.

Puis je descendis l'escalier pour rejoindre ma mère, Maxime et ses filles sur la pelouse. Je remarquai tout de suite le volumineux dossier sous son bras et l'interrogeai du regard.

— Je t'en parle plus tard, me glissa-t-il en sortant du siège arrière un sac d'où émergeaient un chien en peluche et une girafe en caoutchouc.

Il me présenta ses enfants, deux petites boules d'énergie au sourire éclatant, et pendant quelques minutes nous oubliâmes nos soucis grâce à leurs facéties. Emma et Louise étaient adorables, rigolotes, craquantes. À voir le comportement de ma mère – et même de mon père qui nous avait rejoints –, je compris que Maxime était un familier de la maison. Je trouvais assez improbable de voir mes parents dans le costume de grands-parents et, pendant un instant, je me dis même que, d'une certaine façon, Maxime avait pris dans ma famille la place que j'avais laissée en partant. Mais je n'en éprouvai aucune amertume. Au contraire, le devoir que j'avais de le protéger de notre passé m'apparut comme une obligation encore plus impérieuse.

Au bout d'un quart d'heure, ma mère conduisit les filles à la cuisine pour avoir de l'aide dans la confection de sa tarte aux abricots – dont le secret résidait dans les grains de lavande saupoudrés sur les fruits – et Richard remonta dans sa tour pour suivre la fin d'une étape cycliste.

— Bien, dis-je à Maxime. Et maintenant, conseil de guerre.

2.

L'endroit le plus agréable de la Villa Violette était pour moi le *poolhouse*, que mes parents avaient fait construire en pierre et en bois clair dès leur arrivée dans la maison. Avec sa cuisine extérieure, son salon d'été et ses voilures qui battaient au vent, il ressemblait à une propriété dans la propriété. J'adorais cet endroit où j'avais passé des milliers d'heures à lire, lové dans un canapé en toile écrue.

Je pris place à l'extrémité de la table en teck abritée sous une tonnelle ombragée où grimpaient des ceps de vigne vierge. Maxime s'assit à ma droite.

Sans tourner autour du pot, je lui fis part de ce que m'avait révélé Fanny : à la fin de sa vie, Ahmed avait ressenti le besoin de soulager sa conscience. Le chef de chantier avait avoué à notre amie avoir emmuré le cadavre de Clément dans le gymnase sur l'ordre de Francis. Et s'il l'avait raconté à Fanny, il avait pu le raconter à d'autres. Ce n'était pas une bonne nouvelle pour nous, mais au moins on sortait du brouillard et on avait identifié le traître. Enfin, sinon le traître, du moins celui par qui le passé nous revenait en pleine gueule.

— Ahmed est mort en novembre. S'il avait parlé aux flics, ils auraient eu tout le temps de sonder les murs du gymnase, remarqua Maxime.

Si l'inquiétude se lisait toujours sur son visage, je le trouvais moins accablé que ce matin et davantage maître de ses émotions.

— D'accord avec toi. Il a dû raconter son histoire à quelqu'un, mais pas à la police. Et toi ? Tu es passé au commissariat ?

Il ébouriffa ses cheveux sur le haut de sa nuque.

— Ouais, j'ai vu le commissaire Debruyne. T'avais raison : il ne voulait pas m'interroger sur Alexis Clément.

— Qu'est-ce qu'il cherchait alors ?

— Il voulait me parler de la mort de mon père.

— Pour t'en dire quoi ?

— Je vais t'expliquer, mais avant, il faut que tu lises ça.

Il posa devant moi le dossier qu'il avait apporté.

— Cette entrevue avec Debruyne m'a fait m'interroger sur quelque chose : et si la mort de mon père était liée au meurtre d'Alexis Clément ?

— Je suis perdu, là.

Maxime explicita sa pensée :

— Je crois que mon père a été assassiné par celui qui nous envoie ces courriers anonymes.

— Tu m'as dit ce matin que Francis était mort des suites d'un cambriolage qui avait mal tourné !

— Je sais, mais j'ai minimisé l'incident, pour faire bref, et à la lumière de ce que j'ai appris chez les flics, j'ai des doutes.

D'un geste de la main, il m'invita à ouvrir le dossier.

— Lis ça et on en reparle. Je vais me faire un café, tu en veux un ?

J'acquiesçai de la tête. Il se leva pour se diriger vers un renfoncement qui accueillait une machine à expresso et un service à café.

Je me plongeai dans le dossier. Il était constitué d'une multitude de coupures de presse se rapportant à une vague de cambriolages qui avait déferlé sur la Côte d'Azur à la fin de l'année dernière et au début de 2017. Près d'une cinquantaine de vols, touchant tous les coins huppés des Alpes-Maritimes, de Saint-Paul-de-Vence jusqu'à Mougins en passant par les résidences de luxe de Cannes ou de l'arrière-pays niçois. Le *modus operandi* était le même chaque fois. Quatre ou cinq personnes débarquaient cagoulées dans les maisons, aspergeant les habitants de gaz lacrymogène avant de les ligoter et de les séquestrer. Le gang était armé, violent et dangereux. Il visait en priorité l'argent liquide et les bijoux. À plusieurs reprises, les malfrats n'avaient pas hésité à molester leurs victimes pour obtenir le code des cartes de crédit ou la combinaison du coffre-fort.

Ces *home jacking* avaient terrorisé la région et causé la mort de deux personnes : une femme de ménage qui était décédée d'un arrêt cardiaque lors de l'irruption du gang et Francis Biancardini. Rien qu'à Aurelia Park, la résidence dans laquelle habitait le père de Maxime, il y avait eu trois cambriolages. Impensable dans un endroit censé être l'un des plus sécurisés de la Côte. Parmi les victimes, un lointain parent de la famille royale saoudienne et un grand patron français collectionneur d'art, mécène et proche du pouvoir. L'homme n'était pas présent à son domicile au moment de l'intrusion, mais, furieux de n'avoir pas trouvé de biens monnayables dans la villa, les cagoulards s'étaient vengés en saccageant les toiles accrochées aux murs du salon. Ce qu'ils ignoraient, c'est que parmi elles figurait un tableau de grande valeur, intitulé *Dig Up The Hatchet*, signé Sean Lorenz, l'un des peintres contemporains les plus cotés sur le marché de l'art. Sa destruction avait provoqué une vague d'émoi jusqu'aux États-Unis. Le *New York Times* et CNN avaient évoqué le cambriolage, et le nom d'Aurelia Park, autrefois fleuron immobilier de la Côte d'Azur, passait presque à présent pour une sorte de « *no-go zone* ». En un trimestre, de façon totalement irrationnelle, le prix des logements avait baissé de trente pour cent. Pour mettre fin à la panique, la sûreté départementale avait constitué une équipe spécialement dédiée à la traque des cambrioleurs.

À partir de là, l'enquête s'était accélérée. Prélèvements ADN, écoutes téléphoniques et surveillance à grande échelle. Début février, les flics avaient fait une descente au petit matin dans un village à la frontière italienne. Ils avaient interpellé une dizaine de types, des Macédoniens, certains en situation irrégulière, d'autres déjà connus pour des vols similaires. Ils avaient perquisitionné plusieurs maisons et avaient découvert des bijoux, du liquide, des armes de poing, des munitions, du matériel informatique et de faux papiers. Ils avaient retrouvé les cagoules, les couteaux et une partie du butin. Cinq semaines plus tard, ils avaient coffré le chef du réseau qui se planquait dans un hôtel de Drancy. Il en était aussi le receleur et avait déjà revendu une grande partie du butin dans les pays de l'Est. Déférés à Nice, les malfrats avaient été mis en examen et écroués dans l'attente de leur procès. Certains avaient reconnu les faits, mais pas le cambriolage de Francis. Pas très étonnant, car ils encouraient vingt ans de réclusion si les chefs d'accusation étaient requalifiés en homicide volontaire.

3.

Parcouru de frissons, je tournai les pages du dossier de presse avec un mélange d'effroi et d'excitation. Les papiers qui suivaient étaient consacrés exclusivement aux cambriolages et à l'agression de Francis Biancardini. Le père de Maxime n'avait pas été simplement brutalisé. Il avait été torturé et frappé à mort. Certains articles évoquaient son visage tuméfié à l'extrême, son corps couvert de scarifications, ses poignets sciés par l'entaille des menottes. Je comprenais mieux ce que suggérait Maxime. Un scénario prit forme dans ma tête. Ahmed avait parlé à quelqu'un qui avait traqué Francis avant de le torturer. Sans doute pour lui faire avouer quelque chose. Mais quoi ? Sa responsabilité dans la mort de Clément ? La nôtre ?

Je repris ma lecture. Une journaliste de *L'Obs*, Angélique Guibal, semblait avoir eu accès au rapport de police. Son article portait essentiellement sur la destruction de la toile de Sean Lorenz, mais elle mentionnait les autres cambriolages d'Aurelia Park. D'après ses propos, Francis était sans doute encore en vie après le départ de ses agresseurs. À la fin du papier, elle évoquait un parallèle avec l'affaire Omar Raddad, affirmant que Biancardini s'était traîné jusqu'à la fenêtre et avait essayé d'écrire quelque chose sur la vitre avec son sang. Comme s'il connaissait ses agresseurs.

Ce récit me glaça le sang. J'avais toujours bien aimé Francis, même avant ce qu'il avait fait pour nous lors du meurtre de Clément. Il était bienveillant à mon égard. J'étais horrifié à l'idée de ce qu'avaient été ses derniers instants.

Je levai la tête des documents.

— Qu'a-t-on volé à Francis lors du cambriolage ?

— Une seule chose : sa collection de montres, mais d'après l'assurance, il y en avait au moins pour trois cent mille euros.

Je me souvenais de sa passion. Francis était un féru de la marque suisse Patek Philippe. Il en possédait une dizaine de modèles, qu'il chérissait. Lorsque j'étais adolescent, il prenait toujours plaisir à me les montrer et à me raconter leur histoire au point de me transmettre son enthousiasme. Je me souvenais de ses Calatrava, de ses Grande Complication et de ses Nautilus dessinées par Gérald Genta.

Une question me turlupinait depuis ce matin.

— Depuis quand ton père habitait-il à Aurelia Park ? Je pensais qu'il vivait encore ici, comme avant, dans la maison d'à côté.

Maxime eut l'air un peu gêné.

— Il faisait la navette entre les deux depuis des années, bien avant le décès de ma mère. Aurelia Park, c'était son projet immobilier. Il y avait investi de l'argent en tant que promoteur et, en échange, il s'était réservé l'une des belles villas du domaine. Pour te dire la vérité, je n'ai jamais eu envie d'y foutre les pieds, et même après sa mort j'ai préféré laisser le gardien s'en occuper. Je pense que c'était une sorte de garçonnière. Là où il conduisait ses maîtresses ou des call-girls. À une époque, j'ai même entendu dire qu'il y organisait des parties fines.

Francis avait toujours eu cette réputation de queutard. Je me souvenais qu'effectivement il évoquait ouvertement ses conquêtes, mais je n'aurais pas été capable de citer de noms. Malgré ses excès, je l'avais toujours aimé, un peu malgré moi, car je le devinais prisonnier d'une personnalité complexe et tourmentée. Ses diatribes racistes comme ses discours machistes et antiféministes étaient trop excessifs et théâtralisés. Surtout, ils me semblaient quelque peu en contradiction avec ses actes.

La plupart de ses ouvriers étaient maghrébins et ils lui étaient très attachés. C'était un patron à l'ancienne, certes paternaliste, mais sur qui ses hommes pouvaient compter. Quant aux femmes, ma mère m'avait fait un jour remarquer qu'elles occupaient tous les postes à responsabilité de son entreprise.

Un souvenir traversa mon esprit, puis un autre encore plus lointain.

Hong Kong, 2007. J'ai trente-trois ans. Mon troisième roman vient de paraître. Mon agent m'a organisé une petite tournée de dédicaces en Asie : l'Institut français de Hanoï, la librairie Le Pigeonnier de Taipei, la prestigieuse université Ewha de Séoul, la librairie Parenthèses de Hong Kong. Je suis attablé avec une journaliste au bar du vingt-cinquième étage du Mandarin Oriental. La *skyline* hongkongaise se déploie à perte de vue, mais depuis un moment déjà, je suis absorbé dans la contemplation d'un homme, assis à une dizaine de mètres de nous. C'est Francis, et pourtant je ne le reconnais pas. Il est en train de lire le *Wall Street Journal*, il porte un costume à la coupe parfaite (épaule roulée en cigarette, revers parisiens plaqués à l'équerre) et il parle un anglais suffisamment fluide pour disserter avec le serveur sur la différence entre les whiskys japonais et les blends écossais. À un moment, la chroniqueuse comprend que je ne l'écoute plus depuis longtemps et se vexe. Je rattrape le coup en me creusant la tête pour développer une réponse un peu subtile à sa question. Et lorsque je relève les yeux, Francis a quitté le bar.

Printemps 1990, je n'ai pas encore seize ans. Je révise le bac de français. Je suis seul à la maison. Mes parents, mon frère et ma sœur sont partis en vacances en Espagne. J'aime cette solitude. Du matin au soir, je suis plongé dans les livres que nous avons au programme : *Les Liaisons dangereuses, L'Éducation sentimentale, Aurélien...* Chaque lecture en provoque une autre, chaque découverte est une invitation à explorer la musique, la peinture et les idées contemporaines du texte étudié. Une fin de matinée, alors que je relève le courrier, je m'aperçois que le facteur a mis dans notre boîte une lettre destinée à Francis. Je décide de lui porter le pli sans attendre. Comme nos deux maisons n'ont pas de clôture, je passe par-derrière et je traverse la pelouse des Biancardini. L'une des baies vitrées est restée ouverte. Sans m'annoncer, je rentre dans le salon avec la seule intention de déposer la lettre sur la table et de repartir. Soudain, j'aperçois Francis assis dans un fauteuil. Il ne m'a pas entendu parce que la chaîne hi-fi diffuse un impromptu de Schubert (ce qui, en soi, est déjà étonnant dans une maison où seuls Michel Sardou et Johnny ont d'habitude le droit de cité). Plus improbable encore, Francis est en train de lire. Et pas n'importe quel livre. Je suis immobile, mais je vois le reflet de la couverture dans la vitre. Les *Mémoires d'Hadrien* de Marguerite Yourcenar. Je suis stupéfait. À part les scènes de cul dans les *SAS*, Francis se vante haut et fort de n'avoir jamais ouvert un livre de sa vie. Il clame son mépris pour les intellos qui vivent dans leur bulle alors que lui se casse le dos sur les chantiers depuis qu'il a quatorze ans. Je me retire sur la pointe des pieds, la tête pleine de questions. J'ai déjà vu quantité de cons essayer de se faire passer pour plus futés, mais c'est la première fois que je vois un homme intelligent vouloir passer pour un con.

4.

— Papa, papa !

Les cris m'arrachèrent à mes souvenirs. À l'autre bout de la pelouse, Emma et Louise couraient vers nous, ma mère dans leur sillage. Par réflexe, je refermai le dossier et les horreurs qu'il contenait. Alors que les deux gamines prenaient leur père d'assaut, ma mère nous avertit :

— Je vous confie les petites. Je vais racheter des abricots aux Vergers de Provence.

Puis elle agita devant mes yeux la clé de la Mini Cooper que j'avais laissée dans le vide-poches de l'entrée.

— Je prends ta voiture, Thomas. La mienne est bloquée par celle de Maxime.

— Attendez, Annabelle, je vais la déplacer.

— Non, non, je dois faire ensuite un saut à Cap 3000 et je suis déjà en retard.

Elle insista en me regardant:

— Et comme ça, Thomas, tu ne pourras pas t'enfuir comme un voleur. Ni snober ma tarte aux abricots.

— Mais je vais ressortir. J'ai besoin d'une voiture!

— Tu prendras la mienne, les clés sont sur le contact.

Ma mère s'en alla sans me laisser le temps de répliquer quoi que ce soit. Pendant que Maxime sortait de son cabas des jouets pour occuper ses filles, mon portable vibra sur la table. Un numéro inconnu. Dans le doute, je pris l'appel. C'était Claude Angevin, l'ancien rédacteur en chef de *Nice-Matin* et mentor de Stéphane Pianelli.

Le type était plutôt sympa, mais c'était un vrai moulin à paroles. Il m'expliqua qu'il s'était installé dans le Douro et, pendant cinq bonnes minutes, me vanta les charmes de cette région du Portugal. Je le ramenai à l'affaire Vinca Rockwell, essayant de le sonder pour connaître sa conviction sur la version officielle.

— Elle est bidon, mais on n'arrivera jamais à le démontrer.

— Pourquoi croyez-vous ça?

— Une intuition. J'ai toujours pensé que tout le monde était passé à côté de l'enquête: les flics, les journalistes, les familles. Pour tout te dire, je crois même qu'on s'est trompés d'enquête.

— Comment ça?

— Dès le départ, l'essentiel nous a échappé. J'te parle pas juste d'un détail, j'te parle de quelque chose d'énorme. Un truc que personne n'a vu et qui a orienté les recherches sur des rails qui n'allaient nulle part. Tu vois ce que je veux dire ?

Ses propos étaient vagues, mais je comprenais et en partageais l'idée. L'ancien journaliste reprit :

— Stéphane m'a dit que tu cherchais l'auteur de la photographie des deux danseurs ?

— Oui, vous savez qui c'est ?

— *Claro que sei !* Il s'agit d'un parent d'élève : Yves Dalanegra.

Ce nom me disait quelque chose. Angevin me rafraîchit la mémoire :

— J'ai fait des recherches. C'était le père de Florence et d'Olivia Dalanegra.

À présent, je me souvenais vaguement de Florence. Une fille grande et sportive qui devait me dépasser de dix centimètres. Elle était en terminale D l'année où je passais mon bac C, mais nous étions ensemble en cours de sport. J'avais même dû jouer avec elle dans l'équipe mixte de handball. En revanche, son père ne me disait rien.

— Il nous a proposé la photo de lui-même, en 1993, juste après notre premier article sur la disparition de Vinca Rockwell et d'Alexis Clément. On la lui a achetée sans hésitation et depuis elle a beaucoup été utilisée.

— C'est vous qui avez retouché la photo ?

— Non, pas dans mon souvenir en tout cas. Je pense qu'on l'a publiée telle que le type nous l'a vendue.

— Yves Dalanegra, vous savez où il habite aujourd'hui ?

— Ouais, je vous ai trouvé des infos. Je vous les balance par mail, mais attendez-vous à une surprise.

Je lui donnai mon adresse électronique et remerciai Angevin, qui me fit promettre de le prévenir si mon enquête avançait.

— On n'oublie pas comme ça Vinca Rockwell, me lança-t-il avant de prendre congé.

À qui le dis-tu, papy !

Lorsque je raccrochai, le café que m'avait préparé Maxime était froid. Je me levai pour nous faire couler une nouvelle tasse. Après s'être assuré que les petites étaient occupées, il vint me rejoindre près de la machine à expresso.

— Tu ne m'as toujours pas dit pourquoi le commissaire Debruyne t'avait convoqué.

— Il voulait que j'identifie quelque chose en lien avec la mort de mon père.

— Arrête de me faire lanterner. Que tu identifies quoi ?

— Mercredi soir, le vent a soufflé très fort et la mer était mauvaise. Les vagues ont charrié quantité d'algues et de déchets. Avant-hier matin, les gars de la Propreté urbaine ont débarqué pour nettoyer le rivage.

Les yeux dans le vague, mais posés sur ses filles, il avala une gorgée de café avant de poursuivre :

— Sur la plage de la Salis, un employé municipal a trouvé un pochon en toile de jute que la tempête avait rejeté sur la côte. Devine un peu ce qu'il y avait à l'intérieur...

Je secouai la tête, complètement paumé.

— Le pochon contenait les montres de mon père. Toute sa collection.

Je pris tout de suite la mesure de cette révélation. Les Macédoniens n'avaient rien à voir avec la mort de Francis. Son cambriolage n'en était pas un. L'assassin de Francis avait intelligemment profité de la vague de *home jacking* pour maquiller son meurtre. Il n'avait emporté la collection de montres que pour simuler un cambriolage. Puis il s'en était débarrassé pour effacer ses traces ou parce qu'il craignait une perquisition inopinée.

J'échangeai un regard avec Maxime, puis tous les deux, nous tournâmes la tête en direction des petites filles. Une vague glacée déferla en moi. Désormais, le danger était partout. Nous avions aux trousses un ennemi extrêmement déterminé, qui n'était pas, comme je l'avais cru d'abord, un maître chanteur ou quelqu'un qui cherchait seulement à nous effrayer.

C'était un meurtrier.

Un tueur sur le sentier de la guerre qui mettait en œuvre une vengeance implacable.

Le garçon différent des autres

J'avais décapoté le cabriolet de ma mère. Entouré de garrigue et de ciel bleu, je roulais vers l'arrière-pays. L'air était doux, le paysage bucolique. L'exact opposé des tourments qui m'agitaient.

Pour être exact, j'étais anxieux, mais plein d'excitation. Même si je n'osais pas encore tout à fait me l'avouer, j'avais repris espoir. Pendant quelques heures, cet après-midi-là, je fus réellement persuadé que Vinca n'était pas morte et que j'allais la retrouver. Et qu'ainsi, d'un seul coup, ma vie retrouverait son sens, sa légèreté, et que la culpabilité que je traînais s'envolerait pour toujours.

Pendant quelques heures, je crus que j'allais gagner mon pari : non seulement connaître la vérité sur l'affaire Vinca Rockwell, mais encore sortir de cette quête ragaillardi et heureux. Oui, je crus vraiment que j'allais libérer Vinca de la prison mystérieuse dans laquelle elle croupissait et qu'elle me libérerait à son tour de ma détresse et de mes années perdues.

Au début, j'avais cherché Vinca sans relâche, puis, les années passant, j'avais attendu que ce soit elle qui me trouve. Mais jamais je ne m'étais résigné, car j'avais dans ma manche une carte que j'étais le seul à connaître. Un souvenir encore. Pas une preuve formelle, mais une intime conviction. Celle qui, dans une cour d'assises, peut briser une vie ou lui offrir un nouvel élan.

★

La scène remontait à quelques années. En 2010, entre Noël et le jour de l'an, New York avait été paralysée par une tempête de neige, une des plus spectaculaires qu'ait connues la ville. On avait fermé les aéroports, annulé tous les vols et, pendant trois jours, Manhattan avait vécu sous une chape de neige et de glace. Le 28 décembre, après l'apocalypse, un soleil éclatant avait éclaboussé la ville toute la journée. Vers midi, j'étais sorti de mon appartement et j'étais allé faire une balade du côté de Washington Square. À l'entrée du parc, dans l'allée où les joueurs d'échecs se retrouvaient, je m'étais laissé tenter par une partie avec Sergueï, un vieux Russe que j'avais déjà croisé quelquefois. Dans des parties à vingt dollars, le type m'avait toujours battu sur le fil. Je m'étais installé derrière l'une des tables en pierre, bien décidé à prendre ma revanche.

Je me souviens parfaitement de ce moment. J'avais un coup intéressant à jouer : prendre le fou de mon adversaire avec mon cavalier. J'ai levé ma pièce de l'échiquier en même temps que mes yeux. Et c'est là qu'une dague m'a perforé le cœur.

Vinca était là, au bout de l'allée, à quinze mètres de moi.

Plongée dans un livre, elle était assise sur un banc, les jambes croisées, un gobelet en carton à la main. Resplendissante. Plus épanouie, plus douce que du temps du lycée. Elle portait un jean clair, une veste en daim couleur moutarde et une grosse écharpe. Malgré son bonnet, je devinai que ses cheveux étaient plus courts et avaient perdu leurs reflets roux. Je me frottai les paupières. Le livre qu'elle tenait à la main, c'était le mien. Au moment où j'allais ouvrir la bouche pour l'appeler, elle leva la tête. Un instant, nos yeux se croisèrent et...

— Bon alors, tu joues, oui ou merde! m'interpella Sergueï.

Pendant quelques secondes, je perdis Vinca de vue, au moment précis où un groupe de Chinois débarquait dans le parc. Je me levai, fendis la foule en courant pour la retrouver, mais lorsque j'arrivai près du banc, Vinca avait disparu.

★

Quel crédit accorder à ce souvenir? Ma vision avait été fugitive, je l'admets. Comme je craignais que la scène ne s'estompe, je l'avais projetée, encore et encore, dans mon esprit, pour la figer à tout jamais. Parce qu'elle m'apaisait, je m'accrochais à cette image, mais je savais qu'elle était fragile. Tout souvenir comporte une part de fiction et de reconstruction et celui-ci était un peu trop beau pour être vrai.

Les années avaient passé et j'avais fini par douter de la véracité de ma vision. Sans doute m'étais-je convaincu de quelque chose. Aujourd'hui, cet épisode prenait un sens particulier. Je repensais à ce que m'avait déclaré Claude Angevin, le vieux rédacteur en chef de *Nice-Matin*. *Tout le monde est passé à côté de l'enquête. Pour tout te dire, je crois même qu'on s'est trompés d'enquête. Dès le départ, l'essentiel nous a échappé...*

Angevin avait raison. Pourtant, les choses étaient en train de changer. La vérité était en marche. J'avais peut-être un tueur à mes trousses, mais je n'avais pas peur. Car c'est lui qui me permettrait de remonter jusqu'à Vinca. Ce tueur, c'était ma chance...

Mais je ne pouvais pas le vaincre seul. Pour percer le secret de la disparition de Vinca Rockwell, j'avais besoin de me replonger dans mes souvenirs, de rendre visite à ce garçon différent des autres que j'avais été autrefois, quelque part entre l'année du bac de français et le milieu de la terminale. Un jeune homme positif et courageux, un être au cœur pur, touché par une sorte de grâce. Je savais que je n'arriverais pas à

220

le ressusciter, mais sa présence n'avait jamais disparu. Même dans mes moments les plus sombres, je l'avais porté en moi. Un sourire, une parole, une sagesse qui me traversait parfois et qui me rappelait celui que j'avais été.

J'en étais à présent convaincu, lui seul était capable de faire éclater la vérité. Car, à travers ma quête pour retrouver Vinca, c'était aussi et surtout sur moi-même que j'enquêtais.

11

Derrière son sourire

*L'inexactitude n'existe pas en photo-
graphie. Toutes les photos sont exactes.
Aucune d'elles n'est la vérité.*

Richard Avedon

1.

Yves Dalanegra habitait une grande propriété sur
les hauteurs de Biot. Avant de me pointer chez lui à
l'improviste, j'avais appelé le numéro que m'avait com-
muniqué Claude Angevin. Premier coup de bol : alors
qu'il vivait six mois de l'année à Los Angeles, Dalanegra était actuellement sur la Côte d'Azur. Deuxième
coup de bol, il savait exactement qui j'étais : Florence
et Olivia, ses deux grandes filles que j'avais croisées au
lycée – j'en avais un souvenir vague, mais bien réel –,
lisaient mes romans et m'appréciaient. Il me proposa
donc spontanément de passer le voir dans sa villa-atelier
du chemin des Vignasses.

Attendez-vous à une surprise, m'avait prévenu Angevin. En consultant le site Internet de Dalanegra, sa

fiche Wikipédia et différents articles en ligne, j'avais compris que l'homme était devenu une véritable star dans le domaine de la photographie. Son parcours était aussi étonnant que singulier. Jusqu'à ses quarante-cinq ans, Dalanegra avait mené une vie de bon père de famille. Contrôleur de gestion dans une PME niçoise, il était resté marié vingt ans avec la même femme, Catherine, dont il avait eu deux enfants. En 1995, la mort de sa mère provoque en lui un déclic qui le fait changer complètement de trajectoire. Dalanegra divorce, quitte son boulot et part à New York pour donner libre cours à sa passion : la photographie.

Des années plus tard, dans un portrait de dernière page paru dans *Libé*, il confiait qu'il avait choisi à cette époque d'assumer son homosexualité. Les photos qui l'avaient rendu célèbre étaient des nus qui penchaient ostensiblement vers l'esthétique d'Irving Penn et d'Helmut Newton. Puis, avec le temps, son travail était devenu plus personnel. Il ne photographiait plus désormais que des corps qui échappaient aux canons de beauté traditionnels : femmes en fort surpoids ou de petite taille, modèles à la peau brûlée, personnes amputées, malades en plein programme de chimio. Des physiques singuliers que Dalanegra parvenait à sublimer. D'abord dubitatif, j'étais resté stupéfait par la force de son travail qui n'avait rien de trash ni de tordu. On était plus proche des peintres de la tradition flamande que d'une campagne de pub politiquement

correcte vantant la diversité des corps. Très sophisti-
quées, avec une mise en scène inventive et un travail
sur la lumière, ses images ressemblaient à des toiles
classiques qui vous projetaient dans un monde où la
beauté côtoyait le plaisir, la volupté et l'allégresse.

Je roulais au pas sur la petite route qui grimpait au
milieu des oliviers et des murets de pierres sèches.
Chaque nouveau plateau ouvrait la voie à un chemin
encore plus étroit qui desservait son lot d'habitations :
vieilles bastides rénovées, maisons plus contemporaines, lotissements de villas provençales construites
dans les années 1970. Au détour d'un virage en épingle
à cheveux, les oliviers aux troncs noueux et aux feuilles
frémissantes s'effacèrent pour laisser la place à une
sorte de palmeraie improbable, comme si on avait
transplanté un bout de Marrakech en pleine Provence.
Yves Dalanegra m'avait donné le code du portail. Je me
garai devant l'ouvrage en fer forgé et parcourus à pied
l'allée bordée de palmiers jusqu'à la demeure.

Soudain, une masse fauve fondit sur moi en aboyant.
Un berger d'Anatolie, énorme. J'avais une peur panique
des chiens. À l'âge de six ans, lors de la fête d'anniversaire d'un copain, le bas-rouge de la famille s'était
brusquement jeté sur moi. Sans raison apparente, il
m'avait attaqué au visage. J'avais failli perdre un œil
dans l'affaire et j'avais gardé de cet épisode, en plus
d'une cicatrice en haut du nez, une crainte viscérale et
démesurée des canidés.

225

— Du calme, Ulysse !

Le gardien du domaine, un petit homme aux bras musculeux, disproportionnés par rapport à son corps, apparut derrière le molosse. Il portait une marinière et une casquette de capitaine à la Popeye.

— Gentil, le chien ! lança-t-il en haussant le ton.

Poil court, tête large, haut de quatre-vingts centimètres : le kangal me défiait du regard, me dissuadant d'aller plus loin. Il devait sentir mon appréhension.

— Je viens voir M. Dalanegra ! expliquai-je au gardien. C'est lui qui m'a donné le code du portail.

L'homme était tout disposé à me croire, mais « Ulysse » avait déjà attrapé le bas de mon pantalon. Je ne pus réprimer un cri qui força le gardien à intervenir et à se bagarrer à mains nues avec le chien pour lui faire lâcher sa prise.

— Dégage, Ulysse !

Un peu dépité, Popeye se confondit en excuses :

— Je ne sais pas ce qui lui prend. Il est affectueux comme un gros nounours d'habitude. Ça doit être une odeur que vous portez sur vous.

L'odeur de la peur, pensai-je en reprenant mon chemin.

Le photographe s'était fait construire une maison originale : une californienne en forme de L, édifiée avec des blocs de béton translucide. Une grande piscine à débordement offrait une vue fascinante sur le village et la colline de Biot. Depuis les baies vitrées entrouvertes s'élevait un duo d'opéra : l'air le plus célèbre de l'acte II du *Chevalier à la rose* de Richard Strauss. Étrangement, la porte d'entrée n'avait pas de sonnette. Je frappai, mais n'obtins aucune réponse tellement la musique était forte. À la mode du Sud, je fis le tour par le jardin pour me rapprocher de la source musicale.

Dalanegra m'aperçut à travers la vitre et, d'un geste de la main, me fit signe d'entrer par l'une des larges fenêtres.

Le photographe terminait une séance de travail. Sa maison n'était qu'un immense loft transformé en studio de photo. Derrière son objectif, un modèle était en train de se rhabiller. Une beauté ronde que l'artiste venait d'immortaliser – je le devinai aux accessoires de mise en scène – dans la pose de *La Maja nue*, le chef-d'œuvre de Goya. J'avais lu quelque part que c'était la dernière marotte de l'artiste : reproduire des œuvres de maître avec des modèles corpulents.

Le décor était kitsch, mais pas malsain : un grand canapé de velours vert, des coussins douillets, des voiles dentelés, des draps vaporeux qui donnaient l'impression d'écumer comme du bain moussant.

Dalanegra me tutoya d'entrée :

— *How are you, Thomas ? Come on*, tu peux venir, on a fini !

Physiquement, il ressemblait au Christ. Ou plutôt, pour rester dans la comparaison picturale, à un auto-portrait d'Albrecht Dürer : des cheveux ondulés qui lui tombaient jusqu'aux épaules, un visage symétrique et émacié, une barbe courte bien taillée, des yeux fixes et cernés. Côté vestimentaire, c'était autre chose avec son jean brodé, son gilet de trappeur à franges et ses santiags coupées à la cheville.

— Je n'ai rien compris à ce que tu m'as expliqué au téléphone. Je suis rentré de L.A. hier soir et je suis complètement décalqué.

Il m'invita à m'asseoir au bout d'une grande table en bois brut pendant qu'il prenait congé de son modèle. En regardant les photos affichées un peu partout, je pris soudain conscience que les hommes n'existaient pas dans l'œuvre de Dalanegra. Niés, rayés de la carte, ils avaient fait place nette pour permettre aux femmes d'évoluer dans un monde délivré du mâl(e).

Lorsqu'il revint vers moi, le photographe évoqua d'abord ses filles, puis une actrice qui avait joué dans l'adaptation cinématographique d'un de mes romans et qu'il avait déjà immortalisée. Quand ces sujets furent épuisés, il demanda :

— Dis-moi ce que je peux faire pour toi.

2.

— C'est moi qui ai pris cette photo, *of course* ! reconnut Dalanegra.

J'étais allé directement au sujet, puisqu'il semblait disposé à m'aider, et lui avais montré la couverture du livre de Pianelli. Il m'arracha presque l'ouvrage des mains et examina le cliché comme s'il ne l'avait pas vu depuis des années.

— C'était le jour du bal de promo, c'est ça ?

— Plutôt un bal de fin d'année, à la mi-décembre 1992.

Il acquiesça :

— À l'époque, je m'occupais du club photo du lycée. Je devais être dans les locaux et j'étais passé en coup de vent pour prendre des clichés de Florence et d'Olivia. Puis je me suis pris au jeu et j'ai shooté à droite à gauche. Mais ce n'est que quelques semaines plus tard, lorsqu'on a commencé à parler de la fugue de cette fille et de son prof, que j'ai pensé à développer mon travail. Cette image faisait partie de la première série que j'ai tirée. Je l'ai proposée à *Nice-Matin* qui l'a achetée illico.

— Mais elle est recadrée, n'est-ce pas ?

Il plissa les yeux.

— C'est vrai, t'as l'œil. J'ai dû isoler les deux protagonistes pour accentuer l'intensité de la composition.

— Vous avez conservé l'original ?

— J'ai fait numériser tous les clichés que j'ai pris en argentique depuis 1974, déclara-t-il.

Je crus que j'étais en veine avant de le voir grimacer :

— Tout est stocké quelque part sur un serveur ou sur le *cloud*, comme ils disent aujourd'hui, mais je ne sais pas vraiment comment y accéder.

Devant mon désarroi, il me proposa d'appeler son assistante par Skype à Los Angeles. Sur l'écran de son ordinateur apparut le visage d'une jeune Japonaise encore pas tout à fait réveillée.

— Salut, Yûko, tu peux me rendre un service?

Avec ses longues couettes bleu turquoise, son chemisier blanc immaculé et sa cravate d'écolière, elle ressemblait à une cosplayeuse sur le point de se rendre à une convention.

Dalanegra lui expliqua précisément ce qu'il cherchait et Yûko promit de revenir vers nous très vite.

Après avoir raccroché, le photographe se rendit derrière le comptoir en pierre de la cuisine et attrapa un mixeur pour se préparer une boisson. Dans le bol en verre, il rassembla des épinards, des morceaux de banane et du lait de coco. Trente secondes plus tard, il versa un smoothie verdâtre dans deux grands verres.

— Goûte-moi ça! dit-il en me rejoignant. C'est très bon pour la peau et l'estomac.

— Vous n'avez pas un whisky plutôt?

— Désolé, j'ai arrêté de picoler il y a vingt ans.

Il avala la moitié de son breuvage avant de revenir à Vinca:

— Cette fille, c'était pas la peine d'être un as pour la prendre en photo, lança-t-il en posant son verre à côté de son ordinateur. Tu appuyais sur le bouton puis, quand tu développais, c'était encore mieux que la réalité. J'ai rarement vu quelqu'un avec une grâce pareille.

Ces propos me firent tiquer. Dalanegra parlait comme s'il avait photographié Vinca plusieurs fois.

— C'est bien le cas ! affirma-t-il lorsque je l'interrogeai.

Devant mon trouble, il me raconta un épisode que j'ignorais.

— Deux ou trois mois avant sa disparition, Vinca m'avait demandé de la prendre en photo. Je pensais qu'elle voulait se constituer un book pour faire du mannequinat, comme certaines des copines de mes filles, mais elle a fini par m'avouer que c'étaient des clichés destinés à son mec.

Il s'empara de la souris et se mit à cliquer sur le bouton pour ouvrir le navigateur.

— On a fait deux séances vraiment très réussies. Des tirages soft, mais glamour.

— Ces photos, vous les avez gardées ?

— Non, ça faisait partie du deal et je n'ai pas insisté, mais ce qui est étrange, c'est qu'elles sont réapparues sur le Net il y a quelques semaines.

Il tourna son écran vers moi. Il s'était connecté au compte Instagram des Heterodites, la sororité féministe de Saint-Ex qui vouait un culte à Vinca. Sur leur page, les jeunes femmes avaient mis en ligne la vingtaine de photographies dont venait de me parler Dalanegra.

— Comment se sont-elles procuré ces images ?

Le photographe balaya l'air avec ses mains.

— Mon agent les a jointes pour des problèmes de copyright. Elles prétendent les avoir simplement reçues par mail de la part d'un expéditeur inconnu.

Je détaillai les clichés inédits avec une certaine émotion. C'était une véritable ode à la beauté. On y trouvait tout ce qui faisait le charme de Vinca. Rien chez elle n'était parfait. La singularité de sa beauté résidait dans l'assemblage de toutes ses petites imperfections qui finissaient par constituer un ensemble gracieux et équilibré, validant le vieil adage que le tout n'est jamais la somme des parties.

Derrière son sourire, derrière le masque teinté d'une légère arrogance, je devinais une souffrance que je n'avais pas perçue à l'époque. Tout au moins une insécurité qui me confirmait ce que j'avais expérimenté plus tard en côtoyant d'autres femmes : la beauté était aussi une expérience intellectuelle, un pouvoir fragile dont on ne savait parfois plus très bien si on était en train de l'exercer ou de le subir.

— Par la suite, reprit Dalanegra, Vinca m'a demandé des trucs beaucoup plus trash, limite porno. Là, j'ai refusé parce que j'avais l'impression que c'était une volonté de son mec, mais qu'elle n'en avait pas vraiment envie.

— Son mec, c'était qui ? Alexis Clément ?

— J'imagine. Aujourd'hui, ça paraît banal, mais à l'époque, ça craignait un peu. Je ne voulais pas entrer là-dedans. D'autant que…

Il laissa sa phrase en suspens pour chercher ses mots.

— D'autant que quoi ?

— Ce n'est pas facile à expliquer. Un jour, Vinca était rayonnante et, le lendemain, elle semblait abattue ou défoncée. Elle ne me paraissait pas stable du tout. Et puis, il y a une autre de ses demandes qui m'avait refroidi : elle m'avait proposé de la suivre, en me planquant, pour faire des photos qui auraient servi à faire chanter un mec plus âgé, c'était glauque et surtout…

Un son cristallin annonça l'arrivée d'un mail et interrompit Dalanegra.

— Ah ! c'est Yûko ! dit-il en jetant un coup d'œil à l'ordinateur.

Il cliqua pour ouvrir le message qui contenait une cinquantaine de photos du bal de fin d'année. Il chaussa ses demi-lunes et retrouva rapidement la fameuse image de Vinca et d'Alexis Clément en train de danser.

Rafa avait vu juste. La photo avait bien été recadrée. Une fois dézoomé, le cliché prenait une autre signification : Vinca et Clément ne dansaient pas ensemble. Vinca dansait seule en regardant quelqu'un d'autre. Un homme qui n'apparaissait que de dos, une forme floue au premier plan.

— Merde !

— Qu'est-ce que tu cherches exactement ?

— Votre photo est mensongère.

— Comme toutes les photos, répondit-il, placide.

— C'est bon, ne jouez pas avec les mots.

Je pris un crayon à papier qui traînait sur le bureau et désignai la masse informe et voilée.

— Je voudrais identifier le mec, là. Il a peut-être un rapport avec la disparition de Vinca.

— Regardons les autres images, proposa-t-il.

Je rapprochai ma chaise de l'écran et me collai au photographe pour visionner avec lui les différentes poses. Dalanegra avait surtout photographié ses filles, mais sur certains clichés on pouvait apercevoir d'autres participants. Ici, le visage de Maxime, là celui de Fanny. La bande des élèves dont j'avais croisé ce matin même quelques membres : Éric Lafitte, « Régis est un con », la brillante Kathy Laneau... Moi-même, j'apparaissais sur une photo alors que je ne gardais aucun souvenir de cette soirée-là. Pas très à l'aise, regard un peu ailleurs, avec mon éternelle chemise bleu ciel et ma veste de blazer. Le groupe des profs, toujours dans la même configuration. La brochette de salauds qui restaient bien groupés pour se tenir chaud : N'Dong, le prof de maths sadique qui prenait un malin plaisir à torturer les élèves au tableau, Lehmann, le prof de physique maniaco-dépressif, et la plus perverse, la Fontana, incapable de se faire respecter pendant les cours, mais qui réglait ses comptes de façon très cruelle lors des conseils de classe. De l'autre côté, les enseignants plus humains : Mlle DeVille, la belle prof de littérature anglaise des classes prépas, connue pour sa repartie extraordinaire – d'une citation de Shakespeare ou d'Épictète, elle pouvait clouer le bec de n'importe quel fâcheux – et M. Graff, mon ancien mentor, le professeur de français génial que j'avais eu en seconde et en première.

— Bordel, on ne voit jamais le contrechamp ! m'énervai-je en arrivant à la fin de la liste de photos.

Je savais que je venais de passer à deux doigts d'une révélation capitale.

— C'est vrai, c'est rageant, admit Dalanegra en terminant sa boisson.

Je n'avais pas touché à la mienne, c'était au-dessus de mes forces. Dans la pièce, la luminosité avait diminué. Propice aux jeux de lumière, le béton translucide transformait la maison en une sorte de bulle dans laquelle le moindre changement de clarté se répercutait en écho, animant les ombres légères qui flottaient comme des fantômes.

Je remerciai malgré tout le photographe pour son aide et, avant de prendre congé, lui demandai s'il pouvait me transférer les clichés par mail, ce qu'il fit aussitôt.

— Vous savez si, ce soir-là, quelqu'un d'autre que vous a pris des photos ? lançai-je depuis le seuil de la porte.

— Certains élèves sans doute, hasarda-t-il. Mais c'était avant l'arrivée des appareils numériques. On économisait la pellicule en ce temps-là.

En ce temps-là... Cette dernière expression résonna dans le silence du salon cathédrale et nous fila, à lui comme à moi, un horrible coup de vieux.

3.

Je repris la Mercedes de ma mère et roulai quelques kilomètres sans trop savoir où aller. La visite au photographe m'avait laissé sur ma faim. Peut-être que je faisais fausse route, mais je me devais d'explorer cette piste jusqu'à son terme. Il *fallait* que je trouve l'identité de l'homme sur la photo.

À Biot, je dépassai les terrains de golf pour arriver au rond-point de la Brague. Au lieu de continuer vers le vieux village, j'attrapai la route des Colles. Celle qui menait à Sophia Antipolis. Une sorte de force de rappel me ramenait au lycée Saint-Exupéry. Ce matin, je n'avais pas eu le courage d'y affronter les fantômes dont j'avais trop longtemps nié l'existence.

En chemin, je repensai aux différentes photos que j'avais vues chez Dalanegra. L'une d'entre elles m'avait particulièrement déstabilisé. Celle d'un fantôme, justement : Jean-Christophe Graff, mon ancien professeur de français. Je clignai des yeux. Les souvenirs revenaient, avec leur cortège de tristesse. M. Graff était l'enseignant qui m'avait orienté dans mes lectures et m'avait encouragé dans l'écriture de mes premiers textes. C'était un mec bien, subtil, généreux. Un grand échalas, au visage délicat, presque féminin, qui portait toujours une écharpe, même en plein été. Un prof capable d'analyses littéraires brillantes, mais qui paraissait en permanence un peu perdu, à côté de la réalité.

Jean-Christophe Graff s'était suicidé en 2002. Déjà quinze ans. Pour moi, il représentait une nouvelle victime de la *malédiction des gentils*. Cette loi injuste, ce sale destin qui accablait certaines personnes un peu trop fragiles qui avaient comme seul tort d'essayer de bien se comporter avec les autres. Je ne savais plus qui avait prétendu que les hommes ne reçoivent du destin que ce qu'ils sont capables d'endurer, mais c'était faux. Le plus souvent, le destin est un salopard pervers et vicieux qui prend son pied en broyant la vie des plus faibles alors que tant de connards mènent une existence longue et heureuse.

La mort de Graff m'avait anéanti. Avant de se jeter de la terrasse de son immeuble, il m'avait écrit une lettre très émouvante que j'avais reçue à New York une semaine après sa mort. Je n'en avais jamais parlé à personne. Il m'y confiait son inadaptation à la cruauté de la vie et m'avouait crever de son isolement. Il évoquait sa désillusion de constater que les livres, qui l'avaient souvent aidé à traverser des périodes noires, n'arrivaient plus aujourd'hui à lui maintenir la tête hors de l'eau. Avec pudeur, il me racontait qu'un grand amour non partagé lui avait brisé le cœur. Dans les dernières lignes de son courrier, il me souhaitait bonne chance dans la vie et m'assurait qu'il ne doutait pas une seconde que je saurais réussir là où il avait failli : la quête victorieuse d'une âme sœur pour affronter les turbulences de l'existence. Mais lui aussi se faisait des illusions sur mes capacités et, dans mes jours sombres, il m'arrivait de plus en plus souvent de penser qu'il n'était pas impossible que je termine comme lui.

Je me forçai à chasser ces idées dépressives en arrivant dans la pinède. Cette fois, je ne m'arrêtai pas devant chez Dino, mais je poussai jusqu'à la guérite de l'entrée du lycée. D'après son physique, le gardien devait être le fils de Pavel Fabianski. Le jeune type regardait des vidéos de Jerry Seinfeld sur son téléphone. Je n'avais pas de badge, mais je le baratinai en affirmant que je venais prêter main-forte pour les préparatifs de la fête. Il m'ouvrit la barrière sans chercher à en savoir davantage et retourna à son écran. Je pénétrai dans le campus et, quitte à bafouer les règles, j'allai me garer directement sur la dalle en béton face à l'Agora.

J'entrai dans le bâtiment, sautai par-dessus le portillon de la bibliothèque et débarquai dans la salle principale. Bonne nouvelle, Zélie n'était pas dans les parages. Une affichette épinglée sur un panneau de liège rappelait que les séances du club de théâtre dont elle était la grande prêtresse se tenaient les mercredi et samedi après-midi.

Derrière la banque de données, une jeune femme à lunettes avait pris sa place. Assise en tailleur sur sa chaise de bureau, elle était plongée dans l'édition anglaise de *On Writing* de Charles Bukowski. Elle avait des traits doux et portait un chemisier marine à col Claudine, un short en tweed, des collants plumetis et des derbys bicolores.

— Bonjour, vous travaillez avec Eline Bookmans?

Elle leva les yeux de son livre et me regarda en souriant.

D'instinct, cette fille me plut. J'aimais son chignon strict qui contrastait avec le diamant dans sa narine; les arabesques tatouées qui couraient derrière son oreille pour redescendre et se perdre sous le col de son chemisier; le mug dans lequel elle buvait son thé, barré de l'inscription *Reading is sexy*. C'était quelque chose qui m'arrivait rarement. Rien de comparable à un coup de foudre, mais quelque chose qui me faisait dire que la personne en face de moi était *dans mon camp* et pas dans celui de l'adversaire, ni dans l'immense *no man's land* peuplé de tous ces gens avec qui je ne partagerais jamais rien.

— Je m'appelle Pauline Delatour, se présenta-t-elle. Vous êtes un nouveau professeur?

— Pas vraiment, je suis…

— Je plaisante, je sais qui vous êtes, Thomas Degalais. Tout le monde a vu que vous étiez là ce matin, sur la place des Marronniers.

— J'ai été élève ici, il y a longtemps, expliquai-je. Peut-être même avant votre naissance.

— Là, vous exagérez et, si vous voulez me faire un compliment, il faudra vous fouler un peu plus.

Pauline Delatour replaça une mèche de cheveux derrière son oreille en riant et décroisa les jambes avant de se lever. Je crus mieux cerner ce qui m'avait plu en elle. Elle conjuguait des choses qui allaient rarement de pair : une sensualité assumée, mais sans une once de prétention, une vraie joie de vivre et une sorte de classe naturelle qui donnait l'impression que quoi qu'elle fasse, la vulgarité n'aurait pas de prise sur elle.

— Vous n'êtes pas d'ici, n'est-ce pas ?

— D'ici ?

— Du Sud. De la Côte d'Azur.

— Non, je suis parisienne. Je suis arrivée il y a six mois lorsque le poste a été créé.

— Peut-être que vous pouvez m'aider, Pauline. Lorsque j'étais élève ici, il y avait un journal du lycée qui s'appelait *Courrier Sud*.

— Il existe toujours.

— Je voudrais en consulter les archives.

— Je vais vous les apporter. Quelle année vous intéresse ?

— Disons l'année scolaire 1992-1993. Ça serait super si vous pouviez également me trouver le *yearbook* de cette année-là.

— Vous cherchez quelque chose de spécial ?

— Des informations sur une élève qui a fréquenté le lycée : Vinca Rockwell.

— Bien sûr, la fameuse Vinca Rockwell... Difficile de ne pas avoir entendu parler d'elle, ici.

— Vous faites allusion au livre de Stéphane Pianelli que Zélie tente de censurer ?

— Je fais surtout allusion à ces filles à papa que je croise tous les jours et qui se croient féministes parce qu'elles ont lu les trois premiers chapitres de *La Servante écarlate*.

— Les Heterodites…

— Elles essaient de s'approprier la mémoire de cette fille pour la transformer en une figure symbolique que la pauvre Vinca Rockwell n'était sûrement pas.

Pauline Delatour pianota sur son ordinateur et nota sur un Post-it les références des documents que je lui avais demandés.

— Vous pouvez aller vous asseoir. Je vous apporte les journaux dès que je parviens à mettre la main dessus.

4.

Je m'assis à ma place de l'époque : au fond de la salle, dans un renfoncement, tout près de la fenêtre. La vue donnait sur une petite cour carrée totalement ana-chronique avec sa fontaine mangée par le lierre et ses pavés. Entourée d'une galerie en pierre rose, elle m'avait toujours fait penser à un cloître. Ne manquaient que les chants grégoriens pour accéder à la spiritualité.

Je posai sur la table le sac à dos Eastpak turquoise que j'avais récupéré chez mes parents et sortis mes stylos et mes affaires comme si j'allais rédiger une dissert. J'étais bien. Dès que j'étais entouré de livres et que je plongeais dans une atmosphère un peu studieuse, quelque chose s'apaisait en moi. Je sentais physiquement l'angoisse refluer. C'était aussi efficace que le Lexomil, mais nettement moins facile à transporter.

Baignant dans une odeur de cire et de cierge fondus, cette partie de la salle – qui portait le nom pompeux de *cabinet de littérature* – avait gardé son charme d'antan. J'avais l'impression d'être dans un sanctuaire. Les vieux Lagarde et Michard prenaient la poussière sur les étagères. Derrière moi, une ancienne carte scolaire Vidal-Lablache – déjà démodée lorsque j'étais élève – présentait le monde des années 1950 et ses pays aujourd'hui disparus : l'URSS, la RDA, la Yougoslavie, la Tchécoslovaquie…

L'effet madeleine jouait à plein, faisant remonter les souvenirs. C'est ici que j'avais l'habitude de faire mes devoirs et mes révisions. Ici que j'avais écrit ma première nouvelle. Je repensai successivement aux paroles de mon père – *Tu vis dans un monde littéraire et romantique, mais la vraie vie, ce n'est pas ça. La vie, c'est violent. L'existence, c'est la guerre* – puis à cette remarque de ma mère : *Tu n'avais pas de copains, Thomas. Tes seuls amis, c'étaient les livres.*

C'était la vérité et j'en étais fier. J'avais toujours été persuadé que les livres m'avaient sauvé, mais est-ce que ça durerait toute ma vie ? Probablement pas. Entre les lignes, n'était-ce pas l'avertissement que m'avait lancé Jean-Christophe Graff dans sa lettre ? À un moment, les livres l'avaient lâché en rase campagne et Graff s'était précipité dans le vide. Pour résoudre l'affaire Vinca Rockwell, ne fallait-il pas que j'abandonne le monde protecteur des livres pour me colleter avec ce monde sombre et violent dont parlait mon père ?

Entre en guerre..., me murmura une voix intérieure.

— Voilà vos journaux et le *yearbook* !

La voix assurée de Pauline Delatour me ramena au présent.

— Je peux vous poser une question ? demanda-t-elle en plaçant sur la table une brassée d'exemplaires de *Courrier Sud*.

— Vous ne me semblez pas être le genre à attendre qu'on vous donne l'autorisation.

— Pourquoi vous n'avez jamais écrit sur l'affaire Vinca Rockwell ?

J'avais beau faire, j'avais beau dire, on me ramenait toujours vers les livres.

— Eh bien, parce que je suis romancier, pas journaliste.

Elle insista :

— Vous voyez bien ce que je veux dire. Pourquoi vous n'avez jamais raconté l'histoire de Vinca ?

— Parce que c'est une histoire triste et que je ne supporte plus la tristesse.

Il en fallait plus pour décourager la jeune femme.

— Justement, c'est le privilège du romancier, non ?
Écrire des fictions pour défier la réalité. Pas simplement pour la réparer, mais pour aller la combattre sur
son propre terrain. L'ausculter pour mieux la nier. La
connaître pour, en toute conscience, lui opposer un
monde de substitution.

— C'est de vous, cette petite tirade ?

— Non, bien sûr, c'est de *vous*. Le truc que vous res-
sortez une fois sur deux dans les interviews… Mais
c'est plus difficile de l'appliquer dans la vraie vie, n'est-
ce pas ?

Et elle me planta là, sur ces bonnes paroles, satisfaite
de son petit effet.

12

Les filles aux cheveux de feu

> *Elle était rousse et portait une robe*
> *grise sans manches. [...] Grenouille*
> *était penché au-dessus d'elle et*
> *aspirait maintenant son parfum*
> *sans aucun mélange, tel qu'il*
> *montait de sa nuque, de ses cheveux,*
> *de l'échancrure de sa robe [...].*
> *Jamais il ne s'était senti si bien.*
>
> Patrick SÜSKIND

1.

Les exemplaires de *Courrier Sud* étalés devant moi, je me précipitai sur le numéro de janvier 1993 qui rendait compte du bal de fin d'année. J'avais espéré y trouver un grand nombre de photos, mais malheureusement, seuls quelques clichés académiques restituaient l'ambiance de la soirée et aucun ne me permit d'identifier l'homme que je cherchais.

Déçu, je continuai néanmoins à parcourir les différents numéros pour m'imprégner de l'atmosphère de l'époque. Le journal du lycée était une mine d'or pour avoir un aperçu de la vie scolaire du début des années 1990. Toutes les activités y étaient annoncées et relatées en détail. Je feuilletai les pages au hasard, furetant à travers les événements qui rythmaient le quotidien du lycée : les résultats sportifs des champions du campus, le voyage des classes de seconde à San Francisco, la programmation du ciné-club (Hitchcock, Cassavetes, Pollack), les coulisses de la radio du lycée, les poèmes et les textes des participants à l'atelier d'écriture. Jean-Christophe Graff y avait fait publier ma nouvelle au printemps 1992. En septembre de la même année, le club théâtre annonçait son programme pour l'année à venir. Parmi les performances, une adaptation très libre – sans doute écrite par ma mère qui s'occupait du club à cette époque – de certains passages du *Parfum* de Patrick Süskind. Avec Vinca dans le rôle de la « fille de la rue du Marais » et Fanny dans celui de Laure Richis. Deux rousses aux yeux clairs, pures, tentatrices, et qui, si je me souvenais bien du roman, finissaient assassinées par Jean-Baptiste Grenouille. Je n'avais aucun souvenir d'avoir vu cette pièce ni des réactions qu'elle avait suscitées. J'ouvris le livre de Pianelli pour savoir s'il l'évoquait dans son enquête.

Le journaliste n'en faisait aucune mention, mais en feuilletant l'ouvrage, je tombai dans le cahier photo sur le fac-similé des lettres envoyées par Alexis Clément à Vinca. En relisant les missives pour la centième fois, je fus parcouru d'un frisson et j'éprouvai la même frustration que j'avais déjà ressentie chez Dalanegra. La sensation de frôler la vérité, mais de la laisser échapper aussitôt. Il y avait un lien à faire entre le contenu des lettres et la personnalité de Clément, mais une barrière mentale m'en empêchait. Un blocage psychique, comme si je craignais un « retour du refoulé » dans le champ de ma conscience. Le problème, c'était moi : ma culpabilité, cette conviction que j'avais toujours eue d'être responsable d'un drame que j'aurais pu éviter si j'étais resté le garçon différent des autres. Mais à l'époque, aveuglé par ma souffrance et ma passion destructrice, j'étais passé à côté de la dérive de Vinca.

Mû par une intuition, je pris mon portable et appelai mon père.

— Tu peux me rendre un service, papa ?

— Dis-moi, grogna Richard.

— J'ai laissé des affaires sur la table de la cuisine.

— Ouais, c'est un bordel sans nom ! confirma-t-il.

— Parmi les papiers, il y a d'anciennes rédacs de philo, tu les vois ?

— Non.

— Fais un effort, papa, s'il te plaît. Ou alors, passe-moi maman.

— Elle n'est pas encore rentrée. Bon, attends, je vais mettre mes lunettes.

Je lui expliquai ce que je voulais : qu'il photographie avec son téléphone les appréciations manuscrites portées par Alexis Clément sur mes dissertations et qu'il me les envoie par SMS. Ça aurait dû prendre deux minutes, ça prit un bon quart d'heure, agrémenté de réflexions serties du sceau de l'amabilité légendaire de mon père. Il était déchaîné, à tel point que notre conversation se clôtura par cette remarque :

— À quarante ans, tu n'as pas autre chose à foutre que de te replonger dans tes années lycée ? C'est à ça que se résume ta vie : nous emmerder à longueur de journée en remuant le passé ?

— Merci papa, à tout à l'heure.

Je récupérai les annotations manuscrites d'Alexis Clément et les ouvris sur mon écran. Comme certains écrivains prétentieux, le prof de philo aimait bien se regarder écrire, mais ce n'était pas le fond de sa pensée qui m'intéressait, c'était sa calligraphie. Je zoomai et étudiai ses pleins et ses déliés. C'était un tracé paresseux. Pas des pattes de mouche, plutôt une écriture d'ordonnance de médecin où il fallait parfois s'interroger plusieurs secondes pour comprendre le sens d'un mot ou d'une formule.

Au fur et à mesure que je découvrais les images, je sentais mon cœur s'accélérer. Je les comparais avec les lettres adressées à Vinca et la dédicace sur le recueil de poèmes de Marina Tsvetaïeva. Et bientôt, le doute ne fut plus permis. Si l'écriture manuscrite de la lettre et celle de la dédicace étaient bien identiques, il n'en allait pas *du tout* de même avec les copies corrigées par le prof de philo.

2.

Je sentais des palpitations dans tout mon corps. Alexis *Clément* n'était pas l'amant de Vinca. Il y avait un deuxième homme, un autre Alexis. Sans doute celui à la silhouette flottante qui figurait de dos sur la photo, celui avec qui elle était partie ce fameux dimanche matin. *C'est Alexis qui m'a forcée. Je ne voulais pas coucher avec lui.* Les paroles de Vinca étaient justes, mais je les avais mal interprétées. Tout le monde depuis vingt-cinq ans les avait mal interprétées. À cause d'une photo recadrée et d'une rumeur lancée par les élèves, on avait prêté à Vinca une liaison avec un homme qui n'avait jamais été son amant.

Mes oreilles bourdonnaient. Les implications de cette découverte étaient si nombreuses que je peinais à toutes les rassembler. La première était la plus tragique : Maxime et moi avions tué un innocent. Il me semblait entendre les hurlements de Clément tandis que je lui explosais la poitrine et le genou. Par flashs, je revoyais la scène avec netteté. L'expression hébétée du prof lorsque je le frappais avec ma barre de fer. *Pourquoi tu l'as violée, espèce de taré !* Son visage déformé par la surprise trahissait son incompréhension. Il ne s'était pas défendu tout simplement parce qu'il ne saisissait pas de quoi je l'accusais. À l'époque, devant sa stupeur, une voix avait résonné en moi. Une force de rappel qui m'avait fait lâcher mon arme. Et puis Maxime était entré en scène.

Les larmes aux yeux, je me pris la tête entre les mains. Alexis Clément était mort par ma faute et rien de ce que je pouvais faire ne le ramènerait jamais. Je demeurai prostré dix bonnes minutes avant d'être capable de penser à la suite. J'analysai ma méprise. Vinca avait bien un amant qui répondait au prénom d'Alexis. Sauf que ce n'était pas le prof de philo. Ça paraissait à peine croyable. Trop gros pour être vrai, mais pourtant la seule explication possible.

Mais qui alors ? À force de cogiter, je me souvins vaguement d'un élève : Alexis Stéphanopoulos ou quelque chose comme ça. Une sorte de caricature du riche Grec : le fils d'un armateur qui, pendant les vacances, invitait ses copains et ses copines à l'accompagner dans des croisières autour des Cyclades. Autant dire que je n'en avais jamais été.

Je m'emparai du *yearbook* de l'année scolaire 1992-1993 que m'avait apporté Pauline Delatour. À la mode américaine, l'ouvrage était une sorte d'annuaire photographique qui recensait tous les élèves et les professeurs ayant fréquenté le lycée cette année-là. Je le feuilletai avec fébrilité. Comme les noms étaient classés par ordre alphabétique, je trouvai le Grec dès les premières pages. Antonopoulos (Alexis), né le 26 avril 1974 à Salonique. Sa photo le représentait tel que je m'en souvenais : des cheveux mi-longs bouclés, une chemisette blanche, un pull marine à écusson. Le portrait joua comme une amorce pour enflammer ma mémoire.

Je me rappelais que c'était l'un des rares garçons inscrits en hypokhâgne. Un type sportif, champion d'aviron ou d'escrime. Un helléniste, pas très intelligent, mais capable de réciter par cœur des passages de Sapho ou de Théocrite. Sous le vernis de la culture, Alexis Antonopoulos n'était qu'un *latin lover* un peu bêta. J'avais vraiment du mal à croire que Vinca se soit damnée pour ce sot. D'un autre côté, je n'étais pas le mieux placé pour disserter sur la question.

Et si, pour une raison que je ne m'expliquais pas, le Grec nous en voulait à Maxime et à moi ? Je cherchai ma tablette dans mon sac, mais je l'avais laissée dans la voiture de location que m'avait empruntée ma mère. Je me contentai donc de mon téléphone pour faire quelques recherches. Je retrouvai facilement la trace d'Alexis Antonopoulos dans un reportage photo du site *Point de Vue* datant de juin 2015 et consacré au mariage de Carl Philip de Suède. Avec sa troisième femme, Antonopoulos faisait partie des *happy few* conviés à la cérémonie. De clic en clic, je parvins à esquisser un portrait du bonhomme. Vaguement homme d'affaires, vaguement philanthrope, le Grec menait une vie de jet-setteur, partageant son temps entre la Californie et les Cyclades. Le site de *Vanity Fair* mentionnait sa présence presque chaque année au fameux gala de l'amfAR. Organisée pour récolter des fonds au bénéfice de la recherche contre le sida, la soirée avait lieu traditionnellement durant le Festival de Cannes dans le cadre prestigieux de l'hôtel Eden-Roc. Antonopoulos avait donc gardé des attaches avec la Côte d'Azur, mais rien qui me permette d'établir un lien probant entre lui et nous.

Comme je n'avançais pas, je décidai de changer de cap. Au fond, quelle était la racine de tous nos tourments ? C'était la menace que faisait planer sur nous la destruction programmée de l'ancien gymnase. Cette destruction s'inscrivait elle-même dans le cadre de travaux pharaoniques qui devaient remodeler le site du lycée avec l'édification d'un nouveau bâtiment de verre, la construction d'un centre sportif ultramoderne doté d'une piscine olympique et l'aménagement d'un jardin paysager.

Ce projet global était un serpent de mer – on en parlait déjà il y a vingt-cinq ans –, mais il n'avait pas été lancé, car le lycée n'avait jamais réussi à réunir les fonds colossaux nécessaires. D'après ce que je savais, le mode de financement de l'institution avait évolué au fil des décennies. Totalement privé à sa création, le lycée Saint-Exupéry était ensuite devenu une structure mixte, entrant peu ou prou dans le giron de l'Éducation nationale et recevant des subventions de la Région. Mais ces dernières années, un vent de rébellion avait soufflé sur Saint-Ex. Une volonté très forte d'émancipation s'était emparée des différents acteurs éducatifs pour libérer le lycée de la bureaucratie. L'élection de François Hollande avait accéléré les choses. Le bras de fer avec l'administration avait abouti à une sorte de sécession. Le lycée avait regagné son autonomie historique, mais il avait perdu ses financements publics. Les frais de scolarité avaient augmenté, mais selon moi ils ne pouvaient représenter qu'une goutte d'eau dans l'océan de fric nécessaire pour financer les travaux prévus. Pour s'engager dans ce type de projet, l'établissement avait dû recevoir une énorme donation privée. Je me souvenais des propos de la directrice le matin même lors de la pose de la première pierre. Elle avait remercié les « généreux mécènes » qui avaient permis de lancer « le chantier le plus ambitieux qu'ait connu notre établissement », mais elle s'était bien gardée de citer des noms. C'était une piste à creuser.

Je ne trouvai rien sur Internet. Du moins, rien de directement accessible. L'opacité la plus complète régnait sur le financement de ces travaux. Si je voulais avancer, je n'avais pas d'autre choix que de ramener Stéphane Pianelli dans la danse. Je rédigeai à destination du journaliste un SMS résumant ce que j'avais découvert. Pour donner de la force à mes propos, je lui envoyai également les photos des échantillons d'écriture. Celle d'Alexis Clément, sur mes copies de philo, et celle de l'homme mystère sur les lettres et la dédicace adressées à Vinca.

Il me rappela dans la seconde. Je décrochai avec une certaine appréhension. Pianelli était un excellent sparring-partner, un esprit vif qui permettait d'élargir sa

253

réflexion, mais dans ma situation, je marchais sur un fil. Je devais lui lâcher des infos, en évitant qu'elles ne se retournent un jour contre moi ou contre Maxime et Fanny.

3.

— Putain, c'est dément ! lança Pianelli avec une pointe d'accent marseillais. Comment a-t-on pu passer à côté de ça ?

Le journaliste était presque obligé de hurler pour couvrir les bruits de la foule dans les tribunes du circuit de Monaco.

— Les témoignages et la rumeur allaient dans ce sens, dis-je. Ton pote Angevin avait raison : tout le monde s'est fait intoxiquer depuis le début.

J'enchaînai en évoquant la photo recadrée par Dalanegra et la présence d'un deuxième homme sur le cliché.

— Attends, tu veux dire que ce mec s'appellerait aussi Alexis ?

— Tu as bien compris.

Il y eut un long silence pendant lequel Pianelli devait être en pleine cogitation. Au bout du fil, il me semblait presque entendre les rouages de son cerveau en train de mouliner. Il mit moins d'une minute pour remonter la même piste que moi.

— Il y avait un autre Alexis à Saint-Ex, lança-t-il. Un Grec. On se foutait tout le temps de lui en l'appelant Rastapopoulos, tu t'en souviens ?

— Alexis Antonopoulos.

— C'est ça !

— J'y ai pensé, dis-je, mais ça m'étonnerait que ce soit le type qu'on recherche.

— Pourquoi pas ?

— C'était un blaireau. Je ne vois pas Vinca avec ce mec.

— C'est un peu court, non ? Il était riche, beau gosse et ça se saurait si à dix-huit ans les filles ne sortaient qu'avec des types intelligents… Tu ne te souviens pas comme on en a bavé ?

Je changeai de sujet.

— Tu as des tuyaux sur le financement des travaux du lycée ?

Le bruit de fond diminua d'un coup, comme si Pianelli avait trouvé refuge dans un endroit insonorisé.

— Depuis quelques années, Saint-Ex fonctionne à l'américaine : des frais d'inscription hors de prix, quelques riches parents d'élèves qui font des dons pour voir leur nom accolé à des bâtiments et un petit nombre de bourses accordées à des élèves défavorisés et méritants de manière à se donner bonne conscience.

— Mais les travaux prévus vont coûter des millions. Comment la direction a-t-elle pu réunir cette somme ?

— J'imagine qu'ils en ont emprunté une partie. Les taux d'intérêt sont bas en ce moment et…

— Aucun emprunt ne peut couvrir cette somme, Stéphane. Tu ne voudrais pas creuser cette piste ?

Voyant arriver l'entourloupe, il botta en touche.

— Je ne saisis pas le lien avec la disparition de Vinca.

— Fais-le, s'il te plaît. J'aimerais juste vérifier quelque chose.

— Si tu ne me dis pas ce que tu cherches, je vais creuser dans le vide.

— Je cherche si un particulier ou une entreprise n'aurait pas fait un don conséquent pour financer la construction des nouveaux bâtiments, de la piscine et du jardin.

— OK, je vais mettre un stagiaire sur le coup.

— Non, pas un stagiaire ! C'est sérieux et difficile. Demande à un mec aguerri.

— Fais-moi confiance, le jeune auquel je pense est une sorte de chien truffier. Et il ne porte pas dans son cœur la caste qui essaie de s'approprier Saint-Ex.

— Un mec un peu comme toi donc…

Pianelli eut un petit rire et m'interrogea :

— Tu t'attends à trouver qui derrière ce financement ?

— Je n'en sais rien, Stéphane. Et tant qu'on y est, j'ai autre chose à te demander. Qu'est-ce que tu penses de la mort de Francis Biancardini ?

4.

— Je pense que c'est une bonne chose et que la planète compte un salaud de moins.

Sa saillie provocante ne me fit pas rire.

— Réponds-moi sérieusement, s'il te plaît.

— On ne devait pas enquêter sur Vinca ? Tu joues à quoi, là ?

— Je te ferai remonter toutes mes infos, c'est promis. La piste du cambriolage qui a mal tourné, tu y crois ?

— Plus depuis qu'on a retrouvé sa collection de montres.

Décidément, Pianelli était bien informé. Le commissaire Debruyne avait dû lui refiler l'info.

— Quoi alors ?

— Pour moi, il s'agit d'un règlement de comptes. Biancardini représentait à lui seul le cancer qui mine la Côte d'Azur : l'affairisme, la corruption politique, les relations troubles avec la mafia.

Je montai au créneau pour défendre Francis :

— Là, tu dérailles. Les liens de Biancardini avec la mafia calabraise, c'est de l'intox. Même le procureur Debruyne s'y est cassé les dents.

— Justement, je connaissais bien Yvan Debruyne et j'ai eu accès à certains de ses dossiers.

— J'ai toujours adoré ça : les juges qui refilent leurs infos aux journalistes. C'est beau, le secret de l'instruction.

— C'est un autre débat, me coupa-t-il, mais ce que je peux te dire, c'est que Francis était mouillé jusqu'au cou. Tu sais comment les mecs de la 'Ndrangheta[1]

---

1. La mafia calabraise.

le surnommaient? Whirlpool! Parce que c'était lui qui supervisait la grande lessiveuse du blanchiment d'argent.

— Si Debruyne avait eu des preuves solides, Francis aurait été condamné.

— Si c'était si simple... soupira-t-il. En tout cas, j'ai vu des relevés de comptes douteux, du fric qui repartait aux États-Unis, là justement où cherche à s'implanter la 'Ndrangheta depuis des années.

J'aiguillai la conversation sur un autre rail:

— Maxime m'a dit que tu le harcelais depuis qu'il avait annoncé son intention de faire de la politique. Pourquoi tu ressors tous ces vieux dossiers sur son père? Tu sais très bien que Maxime est clean et qu'on n'est pas comptable de l'action de ses parents.

— Ça serait trop facile! rétorqua le journaliste. Avec quel argent crois-tu que Maxime a fondé sa belle petite entreprise écologique et son incubateur de start-up? Avec quel fric penses-tu qu'il va financer sa campagne? Avec l'argent sale que cette crapule de Francis a gagné dans les années 1980. Le ver est dans le fruit dès le début, mon pote.

— Donc Maxime n'a plus le droit de rien faire?

— Fais pas semblant de ne pas comprendre, l'artiste.

— C'est ce que je n'ai jamais aimé chez les types comme toi, Stéphane: cette intransigeance, ce côté procureur et donneur de leçons. Le Comité de salut public version Robespierre.

— C'est ce que je n'ai jamais aimé chez les types comme toi, Thomas : leur capacité à oublier ce qui les dérange, leur faculté à ne jamais se croire coupable de rien.

Pianelli adoptait un ton de plus en plus virulent. Notre échange dessinait une frontière délimitant deux conceptions du monde que je pensais irréconciliables. J'aurais pu lui répondre d'aller se faire foutre, mais j'avais besoin de lui. Je battis donc en retraite :

— On reparlera de ça une autre fois.

— Je ne comprends pas pourquoi tu défends Francis.

— Parce que je le connaissais mieux que toi. En attendant, si tu veux en savoir plus sur sa mort, je peux te refiler un tuyau.

— Tu as vraiment le chic pour retourner les situations !

— Tu connais une journaliste de *L'Obs*, Angélique Guibal ?

— Non, ça ne me dit rien.

— Apparemment, elle a eu accès au rapport de police. D'après ce que j'ai lu, Francis s'est traîné dans une mare de sang et a essayé d'écrire le nom de son meurtrier sur la paroi de la baie vitrée.

— Ah ouais, j'ai lu cet article : des conneries de journaux parisiens.

— Bien sûr, à l'heure des *fake news*, heureusement qu'il reste *Nice-Matin* pour redorer l'honneur de la profession.

— Tu rigoles, mais ce n'est pas complètement faux.

— Tu ne pourrais pas appeler Angélique Guibal pour glaner quelques infos supplémentaires ?

— Tu crois qu'on se refile des tuyaux comme ça entre journalistes ? Tu es ami avec tous les écrivains de la place de Paris, toi ?

Mais que ce type pouvait être énervant par moments. À bout d'arguments, je tentai une manœuvre grossière :

— Si tu es vraiment plus fort que les journalistes parisiens, montre-le-moi, Stéphane. Essaie d'obtenir le rapport de police.

— Le piège est un peu gros ! Tu crois que tu vas m'avoir avec ça ?

— C'est bien ce que je pensais. T'as que de la bouche. Je ne savais pas que l'OM avait peur du PSG. Avec des supporters comme toi, on est mal barrés.

— Qu'est-ce que tu racontes ? Ça n'a rien à voir.

Il laissa passer quelques secondes, puis accepta que mon piège délectable se referme sur lui.

— Bien sûr qu'on est plus forts que les Parisiens, s'énerva-t-il. Je vais te le ramener, ton putain de rapport. Nous, on n'a pas l'argent du Qatar, mais on est plus futés.

La discussion se poursuivit avec cette sorte de confusion agréable dans laquelle surgirent les noms de Bernard Tapie et de Raymond Goethals. Elle se termina par ce qui, au-delà de nos différences, nous rassemblerait toujours. En 1993, l'OM avait rapporté à ses supporters la seule *vraie* coupe d'Europe. Celle que personne ne pourrait jamais nous enlever.

5.

Je me levai pour prendre un café dans le distributeur situé au fond de la pièce. Une petite porte de service permettait d'aller se dégourdir les jambes dans la cour. C'est ce que je fis et, une fois dehors, je poussai ma « promenade » jusqu'aux bâtiments historiques : les salles de classe d'inspiration gothique en brique rouge.

Par une sorte de dérogation spéciale, le club théâtre avait toujours eu ses locaux dans l'aile la plus prestigieuse du lycée. Alors que j'arrivais devant l'entrée latérale, je croisai quelques élèves qui descendaient les marches en chahutant. Il était 18 heures. Le soleil commençait à décliner et le cours venait de se terminer. J'empruntai l'escalier qui menait à un petit amphithéâtre d'où s'élevaient des notes boisées et fumées de cèdre et de santal. L'arène était vide. Tout autour, dans des cadres, des photos en noir et blanc – les mêmes depuis vingt-cinq ans : Madeleine Renaud, Jean-Louis Barrault, Maria Casarès… –, ainsi que des affiches de spectacles : *Le Songe d'une nuit d'été*, *L'Échange*, *Six personnages en quête d'auteur*… Le club théâtre de Saint-Exupéry avait toujours été élitiste et je ne m'étais jamais senti à l'aise dans ses murs. Ce n'était pas demain la veille que l'on monterait ici une représentation de *La Cage aux folles* ou de *Fleur de cactus*. Dans ses statuts, il était précisé que le club n'acceptait que vingt élèves. Je n'avais pas voulu en faire partie, même lorsque ma mère le codirigeait avec Zélie. À sa décharge, Annabelle avait fait son possible pour l'ouvrir à davantage d'élèves ainsi qu'à une culture moins sclérosée, mais les habitudes avaient la vie dure et personne ne voulait véritablement que ce bastion du bon goût et de l'entre-soi se transforme en une annexe du Jamel Comedy Club.

Tout à coup, une porte s'ouvrit derrière l'estrade et Zélie apparut sur la scène. C'est un euphémisme de dire qu'elle ne me vit pas arriver d'un bon œil.

— Pourquoi viens-tu traîner ici, Thomas ?

D'un bond, je la rejoignis sur le plancher surélevé.

— Ton accueil me fait vraiment chaud au cœur.

Elle me regarda dans les yeux sans ciller.

— Tu n'es plus chez toi, ici. C'est fini, ce temps-là.

— Je ne me suis jamais senti chez moi nulle part, alors…

— Tu vas me tirer des larmes.

Comme j'avais une très vague idée de ce que je cherchais, j'envoyai un premier hameçon au hasard :

— Tu fais toujours partie du conseil d'administration, n'est-ce pas ?

— Qu'est-ce que ça peut te faire ? répondit-elle en rangeant ses affaires dans un cartable en cuir.

— Si c'est le cas, tu dois savoir qui finance les travaux. J'imagine qu'on a dû procéder à une information des membres et à un vote.

Elle me regarda avec un intérêt nouveau.

— Une première tranche est financée par un emprunt, m'apprit-elle. C'est cette partie des travaux qui a été votée lors du CA.

— Et le reste ?

Elle haussa les épaules en fermant sa serviette.

— Le reste sera voté en temps voulu, mais c'est vrai que je ne sais pas trop où la direction compte trouver cet argent.

Un point pour moi. Sans aucun lien, une autre question traversa mon esprit :

— Tu te souviens de Jean-Christophe Graff ?

— Bien sûr. C'était un bon professeur, admit-elle. Un être fragile, mais un type bien.

Parfois, Zélie ne disait pas que des conneries.

— Tu sais pourquoi il s'est suicidé ?

Elle me renvoya dans les cordes :

— Tu crois encore qu'il y a une réponse unique et rationnelle qui expliquerait pourquoi les gens se donnent la mort ?

— Avant de mourir, Jean-Christophe m'a écrit une lettre. Il y dévoilait qu'il avait aimé une femme, mais que cet amour n'était pas réciproque.

— Aimer sans être aimé en retour, c'est le lot de beaucoup de personnes.

— Sois sérieuse, s'il te plaît.

— Je suis très sérieuse, malheureusement.

— Tu étais au courant de cette histoire?

— Jean-Christophe m'en avait parlé, oui.

Pour une raison que j'ignorais, Graff, mon mentor, la personne la plus subtile et la plus généreuse que j'aie jamais fréquentée, appréciait Zélie Bookmans.

— Cette femme, tu la connais?

— Oui.

— C'était qui?

— Tu m'emmerdes.

— C'est la deuxième fois que quelqu'un me dit ça aujourd'hui.

— Et ce n'est pas la dernière à mon avis.

— Cette femme, c'était qui?

— Si Jean-Christophe ne te l'a pas dit, ce n'est pas à moi de le faire, soupira-t-elle.

Ce n'était pas faux et ça m'a fait de la peine. Mais j'en savais la raison.

— Il ne me l'a pas dit par pudeur.

— Eh bien, respecte cette pudeur.

— Je te donne trois noms et tu me dis si je me trompe, d'accord?

— On ne va pas jouer à ça. N'abîme pas la mémoire des morts.

Mais je connaissais assez Zélie pour savoir qu'elle n'allait pas pouvoir résister à ce jeu malsain. Parce que, pendant quelques secondes, la bibliothécaire aurait sur moi un petit pouvoir.

Effectivement. Alors qu'elle enfilait sa veste en velours côtelé, elle se ravisa :

— Si tu devais proposer un nom, tu commencerais par qui ?

Le premier était tout trouvé :

— Ce n'était pas ma mère, n'est-ce pas ?

— Non ! Où vas-tu chercher ces idées ?

Elle descendit les marches de l'estrade.

— C'était toi ?

Elle ricana :

— J'aurais bien aimé, mais non.

Elle traversa l'amphithéâtre jusqu'à la sortie.

— Tu claqueras la porte en partant, d'accord ? me lança-t-elle de loin.

Un sale sourire illuminait son visage. Il me restait une dernière chance :

— C'était Vinca ?

— Perdu. *Bye, bye,* Thomas ! s'exclama-t-elle en quittant l'amphi.

6.

J'étais seul sur l'estrade devant un public fantôme. À côté du tableau noir, la porte était restée ouverte. Je me souvenais vaguement de cette pièce que l'on surnommait parfois la « sacristie ». Je poussai la porte pour constater que rien n'avait changé. C'était un local bas de plafond mais assez vaste, qui servait un peu à tout : les coulisses des répétitions, l'endroit où étaient stockés les costumes et le matériel, celui où étaient conservées les archives du club théâtre.

Au fond de la salle se trouvaient en effet des rayonnages métalliques qui contenaient des dossiers et des boîtes en carton. Chaque boîte était dévolue à une année. Je remontai dans le temps jusqu'à l'année 1992-1993. À l'intérieur, des flyers, des affiches et un gros cahier type moleskine qui consignait les chiffres de la billetterie des différents spectacles, les bons de commande, l'entretien de l'amphithéâtre ainsi que la gestion du matériel.

Tout était méthodiquement répertorié, non pas par l'écriture fine et serrée de ma mère, mais par celle beaucoup plus ample, ronde et déliée de Zélie Bookmans. Je pris le cahier et l'approchai de l'unique fenêtre pour parcourir le bordereau consacré au matériel. Rien ne me sauta aux yeux la première fois, mais une deuxième lecture m'alerta sur quelque chose : en date de l'inventaire de printemps, le 27 mars 1993, Zélie avait mentionné :

1 perruque rousse introuvable

Je me fis l'avocat du diable – cette information ne prouvait rien, le matériel se détériorait très vite, il n'était certainement pas rare qu'un costume ou un accessoire disparaisse. Il n'empêche. J'avais l'impression que cette découverte constituait un pas de plus vers la vérité. Mais une vérité amère et sombre vers laquelle je me dirigeais à reculons.

Je refermai la porte et quittai l'amphithéâtre pour regagner la bibliothèque. Je rassemblai mes affaires dans mon sac et retournai vers l'entrée, là où se trouvait la zone de prêt.

Regard de biche, rire légèrement surjoué, cheveux rejetés ostensiblement en arrière. À dix mètres devant moi, Pauline Delatour faisait son numéro de charme à deux élèves de classes prépas. Deux grands types blonds et baraqués qui, d'après leur tenue, leurs propos et leur transpiration, revenaient d'une partie de tennis acharnée.

— Merci pour votre aide, dis-je en lui restituant les numéros de *Courrier Sud*.

— Ravie d'avoir pu vous aider, Thomas.

— Je peux garder le *yearbook*?

— D'accord, je m'arrangerai avec Zélie, mais pensez à me le renvoyer.

— Une dernière chose. Il manquait un numéro parmi les journaux : celui d'octobre 1992.

— J'ai remarqué, oui. L'exemplaire n'était pas à sa place. J'ai cherché pour voir s'il n'était pas tombé derrière les étagères, mais je ne l'ai pas trouvé.

Les deux tennismen me regardaient l'œil mauvais. Ils avaient hâte que je me tire. Hâte que je leur rende l'attention sensuelle de Pauline.

— Tant pis, dis-je.

Je m'étais déjà retourné lorsqu'elle me rattrapa par la manche.

— Attendez ! Le lycée a numérisé toutes les archives de *Courrier Sud* en 2012.

— Et vous pouvez retrouver le numéro ?

Elle m'entraîna avec elle vers son bureau tandis que, vexés d'être éclipsés, les deux sportifs nous abandonnaient.

— Je vais même vous en faire une impression laser.

— Génial. Merci.

Elle lança l'impression qui dura moins d'une minute, puis agrafa les feuilles avec soin avant de me présenter le document. Mais alors que je tendais la main pour l'attraper, elle le retira brusquement.

— Ça mérite bien une invitation à dîner, non ?

Et voilà que se dévoilait la faille de Pauline Delatour : une séduction permanente et effrénée qui devait l'insécuriser et lui demander une énergie folle.

— Je pense que vous n'avez pas besoin de moi pour qu'on vous invite à dîner.

— Je vous laisse mon numéro de portable ?

— Non, je veux juste le journal que vous avez eu la gentillesse d'imprimer.

Tout en continuant à sourire, elle inscrivit son numéro sur la photocopie.

— Qu'est-ce que vous voulez que j'en fasse, Pauline ?

Elle répondit comme une évidence :

— Je vous plais, vous me plaisez, c'est un début, non ?

— Ça ne marche pas comme ça.

— Ça fait des siècles que ça marche comme ça.

Je décidai de ne pas remettre une pièce dans la machine. Je tendis simplement la main et elle finit par capituler en me donnant l'exemplaire qu'elle avait annoté. Je crus m'en tirer à bon compte, mais elle ne résista pas à me gratifier d'une insulte.

— Connard, va !

C'était ma fête aujourd'hui. J'attendis d'avoir regagné ma voiture pour feuilleter le journal. La page qui m'intéressait était celle du compte rendu de la pièce de théâtre adaptée du *Parfum*. Rédigé par les élèves, l'article mentionnait *une représentation bouleversante marquée par l'intensité du jeu des deux comédiennes*. Mais c'étaient surtout les photos de la soirée que je regardais. Sur la plus grande, on voyait Vinca et Fanny qui se faisaient face. Deux filles aux cheveux de feu. Presque jumelles. Je songeai à *Vertigo* d'Hitchcock et au duo Madeleine Elster et Judy Barton : les deux faces d'une même femme.

Sur scène, si Vinca était fidèle à elle-même, Fanny était métamorphosée. Je repensai à la conversation que j'avais eue avec elle en début d'après-midi. Un détail me revint en mémoire et je devinai qu'elle était loin de m'avoir tout dit.

LA JEUNE FILLE
ET LA MORT

13

La place de la Catastrophe

*Il y a des moments où il n'y a ni beauté
ni bonté dans la vérité.*
Anthony BURGESS

1.

19 heures.

Je quittai le lycée pour faire un nouveau crochet par l'hôpital de la Fontonne. Cette fois, évitant l'accueil, je montai directement au service cardiologie. À peine sorti de l'ascenseur, je tombai sur une infirmière en pantalon et blouse roses qui m'interpella :

— Vous êtes le fils d'Annabelle Degalais !

Peau noir d'ébène, cheveux tressés teintés de reflets blonds, sourire radieux : la jeune femme répandait une lumière joyeuse dans l'environnement terne de l'hôpital. Un air de Lauryn Hill période *Killing Me Softly.*

— Je m'appelle Sophia, dit-elle. Je connais bien votre maman. Chaque fois qu'elle vient nous voir, elle nous parle de vous !

— Vous devez confondre avec mon frère, Jérôme. Il travaille pour Médecins sans frontières.

J'avais l'habitude des dithyrambes de ma mère sur son fils aîné et je ne doutais pas que Jérôme méritait ces éloges. De toute façon, vous ne luttez pas à armes égales avec quelqu'un qui sauve quotidiennement des vies dans des pays dévastés par la guerre ou les catastrophes naturelles.

— Non, non, c'est bien de vous qu'elle nous parle : l'écrivain. Vous m'avez même dédicacé un de vos romans par l'intermédiaire de votre maman.

— Ça m'étonnerait.

Mais Sophia n'en démordait pas :

— J'ai le livre dans la salle de repos des infirmières ! Venez voir, c'est à côté.

Comme elle avait éveillé ma curiosité, je la suivis au bout du couloir dans une pièce tout en longueur. Là, elle me tendit un exemplaire de *Quelques jours avec toi*, mon dernier roman. Effectivement, celui-ci était bien dédicacé : *Pour Sophia, en espérant que cette histoire vous donne matière à plaisir et à réflexion. Bien à vous, Thomas Degalais.* Sauf que ce n'était pas mon écriture, mais celle de ma mère ! Une image surréaliste traversa mon esprit : ma mère en train d'imiter ma signature pour répondre à la demande de mes lecteurs.

— Et j'en ai signé beaucoup comme ça ?

— Une dizaine. Beaucoup de gens vous lisent à l'hôpital.

274

Ce comportement m'intriguait. J'avais loupé quelque chose.

— Ma mère, ça fait longtemps qu'elle se fait soigner ici ?

— Depuis Noël dernier, je dirais. La première fois que je l'ai prise en charge, c'était pendant la garde du réveillon. Elle avait eu une attaque au milieu de la nuit.

Je notai l'information dans un coin de ma tête.

— J'étais venu voir Fanny Brahimi.

— Le docteur vient de partir, me répondit Sophia. Vous vouliez lui parler de votre maman ?

— Pas du tout, Fanny est une vieille amie, nous avons fait toute notre scolarité ensemble depuis le primaire.

Sophia hocha la tête.

— Oui, le docteur me l'a dit quand elle m'a confié votre mère. C'est dommage, vous l'avez ratée de peu.

— Il faut que je la voie, c'est important, vous auriez son numéro de portable ?

Sophia hésita un instant, puis eut un sourire désolé :

— Je n'ai pas le droit de vous le donner, vraiment. Mais à votre place, j'irais faire un tour à Biot...

— Pourquoi ?

— On est samedi soir. Elle dîne souvent place des Arcades, avec le Dr Sénéca.

— Thierry Sénéca ? Le biologiste ?

— Oui.

Je me souvenais de lui : un élève de terminale scientifique, scolarisé à Saint-Ex un ou deux ans avant nous.

Il avait ouvert un laboratoire d'analyses médicales à Biot 3000, la zone d'activité située au pied du village. C'est là notamment que mes parents faisaient leurs prises de sang et leurs examens.

— Donc, Sénéca, c'est le mec de Fanny? demandai-je.

— On peut dire ça, acquiesça-t-elle, un peu gênée, sans doute consciente d'avoir été trop bavarde.

— OK, je vous remercie.

J'étais déjà reparti à l'autre bout du couloir lorsque Sophia me lança gentiment de loin :

— Le prochain roman, c'est pour quand?

Je fis semblant de ne pas avoir entendu et je m'engouffrai dans l'ascenseur. Généralement, cette question me faisait plaisir, une sorte de clin d'œil que m'adressaient les lecteurs. Mais, lorsque les portes de la cabine se refermèrent, je pris conscience qu'il n'y aurait jamais de prochain roman. Lundi, on trouverait le cadavre d'Alexis Clément et on m'enfermerait pour quinze ou vingt ans. En même temps que la liberté, je perdrais la seule chose qui me faisait me sentir vivant. Pour fuir ces pensées mortifères, je consultai machinalement mon portable. J'avais un appel en absence de mon père – qui ne m'appelait jamais – et un SMS de Pauline Delatour qui s'était débrouillée, je ne sais comment, pour obtenir mon numéro : «Je suis désolée pour tout à l'heure. Je ne sais pas ce qui m'a pris. Je fais des trucs cons parfois. NB : J'ai trouvé un titre pour le livre que vous finirez par écrire sur Vinca : *La Jeune Fille et la Nuit.*»

2.

Je repris la voiture et mis le cap sur le village de Biot. J'avais du mal à me concentrer sur la route. Toute mon attention était accaparée par la photo que j'avais découverte dans le journal du lycée. Coiffée d'une perruque rousse, Fanny – qui avait toujours été blonde – présentait une ressemblance troublante avec Vinca. Ce n'était pas seulement la couleur de cheveux, c'étaient l'allure, l'expression du visage, le port de tête. Cette gémellité me fit penser aux exercices d'improvisation que ma mère proposait à ses élèves du club théâtre. Des mises en situation réelles et dynamiques qu'affectionnaient les jeunes gens. L'activité consistait à incarner plusieurs personnages successifs, croisés dans la rue, à un arrêt de bus, dans un musée. On appelait ça le jeu du caméléon et Fanny y excellait.

Une conjecture prit forme dans ma tête. Et si Fanny et Vinca avaient échangé leur place ? Et si, ce fameux dimanche matin, c'était Fanny qui avait pris le train pour Paris ? Ça paraissait peut-être farfelu, mais ce n'était pas impossible. J'avais en mémoire les témoignages recueillis par tous ceux qui avaient cherché à enquêter. Que disaient au juste le gardien du lycée, les types de la voirie, les passagers du TGV pour Paris ou le veilleur de nuit de l'hôtel ? Qu'ils avaient croisé une *jeune femme rousse*, une *jolie rouquine*, une *fille aux yeux clairs et aux cheveux couleur de rouille*. Des descriptions

suffisamment vagues pour cadrer avec mon hypothèse. Je la tenais peut-être enfin, cette piste que j'avais
cherchée pendant toutes ces années ! La possibilité
rationnelle que Vinca soit encore en vie. Pendant tout
le trajet, je me répétai mentalement ce scénario pour
lui donner une réalité. Pour une raison que j'ignorais,
Fanny avait couvert la fuite de Vinca. Tout le monde
avait cherché Vinca à Paris, mais elle n'avait peut-être
jamais pris ce train.

J'arrivai à l'entrée de Biot alors que le soleil tirait ses
derniers feux. Le parking public était saturé. Warnings
allumés, une flopée de véhicules en double file attendaient que d'autres repartent. Après avoir fait deux fois
le tour du village sans parvenir à me garer, je me laissai glisser, résigné, le long du chemin des Bachettes qui
plongeait vers le vallon des Combes. Je trouvai finalement une place huit cents mètres plus bas, devant les
terrains de tennis. J'en fus quitte pour remonter le
dénivelé au pas de course : une pente à vingt pour cent
qui vous cassait les jambes et vous coupait le souffle.
J'étais presque au bout de mon calvaire lorsque je reçus
un nouvel appel de mon père.

— Je me fais du souci, Thomas. Ta mère n'est toujours pas rentrée. Ce n'est pas normal. Elle était juste
sortie pour faire quelques courses.

— Tu l'as appelée, j'imagine ?

— Justement, elle a laissé son téléphone à la maison.
Qu'est-ce que je peux faire ?

— Je n'en sais rien, papa. Tu es sûr que tu ne t'inquiètes pas pour rien ?

J'étais d'autant plus surpris par sa réaction que ma mère passait sa vie en vadrouille ou en déplacement. Au début des années 2000, elle s'était engagée dans une ONG liée à la scolarisation des filles en Afrique et elle était souvent absente de la maison, ce qui n'avait jamais semblé déranger son mari.

— Non, répondit Richard. On a des invités et jamais elle ne m'aurait laissé en plan comme ça !

J'avais peur de comprendre. Richard râlait parce que sa femme n'était pas là pour s'occuper des tâches domestiques !

— Si tu es vraiment inquiet, commence par appeler les hôpitaux.

— D'accord, grogna-t-il.

Lorsque je raccrochai, j'étais enfin arrivé à l'entrée de la zone piétonne. Le village était encore plus pittoresque que dans mes souvenirs. S'il restait quelques traces de la domination ancienne des Templiers, c'était surtout la population venue du nord de l'Italie qui avait façonné l'architecture biotoise. À cette heure de la journée, les teintes ocre et patinées des façades réchauffaient les ruelles pavées, donnant l'impression aux visiteurs de se balader dans une petite ville de Savone ou de Gênes.

La rue principale était bordée de boutiques proposant les sempiternels produits provençaux (savons, parfums, objets artisanaux en bois d'olivier), mais aussi d'ateliers d'art qui présentaient le travail des verriers, des peintres et des sculpteurs locaux. Devant la terrasse d'un bar à vin, une jeune femme armée de sa guitare massacrait allègrement le répertoire des Cranberries, mais les gens autour, qui battaient la cadence en tapant dans leurs mains, ajoutaient de la bonne humeur à ce début de soirée.

Dans ma tête pourtant, Biot restait associé à un souvenir bien particulier. En classe de sixième, j'avais fait mon premier exposé de ma vie d'écolier sur une histoire locale qui m'avait toujours fasciné. À la fin du XIXᵉ siècle, sans raison apparente, une grande bâtisse d'une des rues du village s'était soudainement écroulée. La tragédie avait eu lieu dans la soirée, au moment où les habitants de l'immeuble s'étaient réunis pour célébrer la première communion d'un des enfants autour d'un repas. En quelques secondes, les malheureux s'étaient retrouvés broyés et ensevelis. Les sauveteurs avaient tiré des décombres une trentaine de cadavres. Ce drame avait durablement marqué les esprits et, plus d'un siècle plus tard, le traumatisme était encore visible puisque personne n'avait osé reconstruire de maison à l'emplacement des ruines. Demeuré obstinément vide, l'endroit portait aujourd'hui le nom de *place de la Catastrophe*.

Lorsque j'arrivai sur la place des Arcades, je fus frappé de la retrouver telle que je l'avais quittée vingt-cinq ans plus tôt. Tout en longueur, elle s'étendait jusqu'à l'église Sainte-Marie-Madeleine, encadrée par deux galeries en arcades surmontées de petits bâtiments colorés de deux ou trois étages.

Je n'eus pas à chercher longtemps Thierry Sénéca. Assis à une table du café Les Arcades, il me fit un signe de la main, comme si c'était moi et non Fanny qu'il attendait. Cheveux bruns coupés court, nez régulier, bouc bien taillé, Sénéca n'avait pas beaucoup changé. Il était vêtu à la cool : un pantalon de toile, une chemisette, un pull jeté sur les épaules. On avait l'impression qu'il venait de sauter du pont d'un bateau et il me rappela certaines vieilles pubs pour Sebago, ou les affiches électorales de mon adolescence sur lesquelles des candidats du RPR voulaient se faire passer pour des types sympas et détendus. Le résultat était généralement à l'opposé des intentions premières.

— Salut, Thierry, dis-je en le rejoignant sous le passage couvert.

— Bonsoir Thomas. Ça fait un bail.

— Je cherche Fanny. Il paraît qu'elle dîne avec toi.

D'un geste, il m'invita à prendre place devant lui.

— Elle ne devrait plus tarder. Elle m'a dit qu'elle t'avait revu ce matin.

Devenu rose, le ciel projetait une lumière praline sur les vieilles pierres. Dans l'air flottaient des odeurs savoureuses de soupe au pistou et de plats mijotés.

— Rassure-toi, je ne vais pas gâcher votre soirée. Je voudrais juste vérifier quelque chose, j'en ai pour deux minutes.

— Pas de problème.

Le café Les Arcades était une véritable institution biotoise. Picasso, Fernand Léger, Chagall avaient été naguère des familiers de la maison. Recouvertes de nappes à carreaux, les tables débordaient allègrement sur toute la place.

— C'est toujours aussi bon ici ? On venait souvent autrefois avec mes parents.

— Alors, tu ne vas pas être dépaysé. La carte est la même depuis quarante ans.

Nous dissertâmes un moment sur les poivrons à l'huile, les fleurs de courgettes farcies, le lapin aux herbes et la beauté des poutres apparentes qui soutenaient la galerie extérieure. Puis il y eut un long blanc que je me décidai à meubler.

— Ça marche, ton laboratoire ?

— Ne t'emmerde pas à me faire la conversation, Thomas, répondit-il d'un ton presque agressif.

Comme l'avait fait Pianelli ce matin, le biologiste sortit une vaporette et commença à tirer des taffes parfumées à la crème caramel. Je me demandai ce que pensaient des hommes comme Francis ou mon père en voyant des mecs d'aujourd'hui prendre leur pied à crapoter des trucs à l'odeur de bonbecs et à boire des smoothies détox aux épinards à la place d'un verre de scotch.

— Tu connais cette vieille théorie débile de l'âme sœur ? reprit Thierry Sénéca en me défiant du regard. Celle qui prétend que nous sommes tous à la recherche de notre moitié parfaite. La seule et unique personne capable de nous guérir à tout jamais de la solitude.

Je répondis sans me démonter :

— Dans *Le Banquet*, Platon l'attribue à Aristophane et je ne trouve pas que ce soit débile. Je trouve ça poétique et j'aime le symbole.

— Ouais, j'oubliais que tu avais toujours été le grand romantique de service, se moqua-t-il.

Ne saisissant pas où il voulait en venir, je le laissai continuer :

— Eh bien, Fanny elle aussi y croit, tu vois. Je comprends qu'on puisse penser ça à treize ou quatorze ans, mais quand on approche la quarantaine, ça devient problématique.

— Qu'est-ce que tu cherches à me dire, Thierry ?

— Il y a des gens qui sont restés coincés quelque part dans le temps. Des gens pour qui le passé ne passe pas.

J'avais l'impression que Sénéca était en train de brosser mon portrait, mais ce n'est pas de moi qu'il voulait parler.

— Tu sais ce que s'imagine Fanny, au plus profond d'elle-même ? Elle pense qu'un jour, tu vas revenir la chercher. Elle croit réellement qu'un beau matin, tu prendras conscience qu'elle est la femme de ta vie et que tu arriveras sur ton destrier pour l'emmener vers un destin meilleur. En psychiatrie, on appelle ça...

— Je crois que tu caricatures un peu, le coupai-je.

— Si seulement...

— Ça fait longtemps que vous êtes ensemble ?

Je pensais qu'il allait me renvoyer dans les cordes, mais il choisit plutôt la voie de la sincérité :

— Cinq ou six ans. On a connu de vraies périodes de bonheur et des moments plus difficiles. Mais tu vois, même quand on est bien, même lorsqu'on vit quelque chose de sympa, c'est toujours à toi qu'elle pense. Fanny ne peut pas s'empêcher de se dire que le truc serait plus intense, plus *accompli* avec toi.

Les yeux baissés, la gorge nouée, Thierry Sénéca parlait d'une voix sourde. Sa souffrance n'était pas feinte.

— C'est difficile de se battre contre toi, tu sais, *le garçon différent des autres.* Mais t'as quoi de différent, Thomas Degalais, à part être un briseur de couple et un vendeur de rêves ?

Il me regarda avec un mélange d'animosité et de détresse, comme si j'étais à la fois la cause de son mal-être et son sauveur potentiel. Je ne cherchai même pas à me justifier tant ce qu'il disait me semblait excessif.

Il se gratta le bouc, puis sortit son téléphone de sa poche pour me montrer une photo qu'il avait mise en fond d'écran : un gamin de huit ou neuf ans en train de jouer au tennis.

— C'est ton fils ?

— Oui, c'est Marco. Sa mère en a obtenu la garde principale et l'a emmené en Argentine où elle vit avec son nouveau mec. Je crève de ne pas le voir plus souvent.

Son histoire était émouvante, mais ce soudain déballage affectif de la part de quelqu'un dont je n'avais jamais été proche me mit mal à l'aise.

— Je veux un autre enfant, affirma Sénéca. J'aimerais que ce soit avec Fanny, mais un obstacle l'empêche de franchir le pas. Et cet obstacle, c'est toi, Thomas.

J'avais envie de lui répondre que je n'étais pas son psy et que l'obstacle, c'était sans doute *lui* si Fanny ne voulait pas d'enfant, mais le type était tellement malheureux et fébrile que je n'avais pas le cœur à l'enfoncer.

— Je ne vais pas l'attendre indéfiniment, menaça-t-il.

— Ça, c'est votre problème, pas le m…

Je ne finis pas ma phrase. Fanny venait d'apparaître sous les arcades et s'était figée en nous voyant attablés. Elle m'adressa un signe – *suis-moi* – et traversa la place pour entrer dans l'église.

— Je suis content que tu sois venu, Thomas, me lança le biologiste alors que je me levais de ma chaise. Quelque chose n'a pas été réglé à l'époque et j'espère que tu t'en chargeras ce soir.

Je pris congé sans le saluer et avançai jusqu'au parvis pavé de galets gris et roses, pour rejoindre Fanny à l'intérieur du lieu de culte.

3.

D'entrée, l'odeur d'encens et de bois fumé me plongea dans une atmosphère de recueillement. L'église était belle dans sa simplicité avec un escalier qui, dès le porche principal, descendait vers la nef. Assise en bas des marches, Fanny m'attendait devant un porte-cierge massif où brûlaient des dizaines de bougies.

Le lieu le plus approprié pour une confession ?

Elle portait le jean, les escarpins et le chemisier que je lui avais vus ce matin. Elle avait boutonné son trench-coat et tenait ses genoux repliés contre sa poitrine comme si elle mourait de froid.

— Salut, Fanny.

Son visage était blanc, ses yeux gonflés, sa mine chiffonnée.

— Il faut qu'on parle, n'est-ce pas ?

Mon ton était plus dur que je ne l'aurais voulu. Elle hocha la tête en signe d'acquiescement. J'allais l'interroger sur le scénario que j'avais échafaudé dans la voiture, mais elle leva les yeux vers moi et la détresse que j'y lus m'effraya tellement que, pour la première fois, je ne fus plus certain de vouloir connaître la vérité.

— Je t'ai menti, Thomas.

— Quand ?

— Aujourd'hui, hier, avant-hier, il y a vingt-cinq ans... Je t'ai menti tout le temps. Rien de ce que je t'ai raconté aujourd'hui ne correspond à la réalité.

— Tu m'as menti lorsque tu m'as dit que tu savais qu'il y avait un cadavre dans le mur du gymnase ?

— Non, ça, c'était vrai.

Au-dessus de sa tête, éclairés par les cierges, les panneaux d'un antique retable brillaient d'une lumière fauve. Au centre du cadre en bois doré, une Vierge de Miséricorde tenait d'une main l'Enfant Jésus et de l'autre un rosaire rougeoyant.

— Ça fait vingt-cinq ans que je sais qu'il y a un cadavre emmuré dans la salle de sport, ajouta-t-elle.

J'avais envie que le temps s'arrête. Je ne voulais pas qu'elle me raconte la suite.

— Mais jusqu'à ce que tu me le dises, je ne savais pas qu'il y avait aussi celui d'Alexis Clément, poursuivit Fanny.

— Je ne comprends pas.

Je ne veux pas comprendre.

— Il y a deux cadavres dans ce putain de mur ! cria-t-elle en se relevant. Je n'étais pas au courant pour Clément, Ahmed ne m'avait rien dit du tout, mais j'étais au courant pour l'autre.

— Quel autre cadavre ?

Je savais ce qu'elle allait me répondre et mon cerveau échafaudait déjà des plans pour refuser la vérité.

— Celui de Vinca, dit-elle enfin.

— Non, tu te trompes.

— Cette fois, je te dis la vérité, Thomas : Vinca est morte.

— Et quand serait-elle morte ?

— La même nuit qu'Alexis Clément. Ce fameux samedi 19 décembre 1992, le jour de la tempête de neige.

— Comment peux-tu être aussi catégorique ?

À son tour, Fanny fixa le panneau de la Vierge au rosaire. Derrière Marie, deux anges auréolés ouvraient grand les pans de son manteau, appelant les plus humbles à venir y trouver refuge. À cet instant, j'avais envie de les rejoindre, pour échapper aux blessures de la vérité. Mais Fanny releva la tête, me regarda dans les yeux et, par une parole, détruisit tout ce qui comptait pour moi :

— Parce que c'est moi qui l'ai tuée, Thomas.

Fanny

Samedi 19 décembre 1992
Résidence étudiante Nicolas-de-Staël

Brisée par la fatigue, j'écrase bâillement sur bâillement. Les pages de notes de mes cours de biologie moléculaire dansent devant mes yeux, mais mon cerveau ne parvient plus à les ingurgiter. Je lutte pour ne pas m'endormir. Le froid surtout me transperce jusqu'aux os. À deux doigts de rendre l'âme, mon chauffage d'appoint ne crache plus qu'un air poussiéreux et tiédasse. J'ai mis de la musique pour rester éveillée. Dans les enceintes de ma chaîne hi-fi, le spleen profond de The Cure s'égrène chanson après chanson : *Disintegration*, *Plainsong*, *Last Dance*... L'exact miroir de mon âme esseulée.

Avec la manche de mon pull, j'essuie la buée qui s'est accumulée sur la vitre de la chambre. Dehors, le paysage est irréel. Le campus est désert et silencieux, figé sous une croûte de nacre. Un instant, mon regard se perd dans le lointain, au-delà du ciel gris perle d'où se précipitent encore des flocons.

Mon estomac est assiégé de brûlures et de borbo-
rygmes. Je n'ai rien avalé depuis hier. Mon placard et
mon frigo sont vides, car je n'ai pas un franc en poche.
Je sais qu'il faudrait que j'accepte de dormir un peu et
que j'arrête de mettre mon réveil à 4 h 30 du matin,
mais la culpabilité m'en empêche. Je pense au programme de révision que j'ai élaboré pour ces deux
semaines de vacances. Je pense à cette putain de première année de médecine qui laissera sur le carreau les
deux tiers des élèves de ma prépa. Et je me demande
s'il y a vraiment un sens à tout ça. Ou, plutôt, je me
demande si je suis à ma place. Est-ce ma vocation
de devenir médecin ? Quelle direction va prendre ma
vie si j'échoue à ce concours ? Chaque fois que je songe
à mon avenir, je ne vois qu'un paysage terne et triste.
Même pas une plaine hivernale, mais un éventail infini
de gris. Celui du béton, des barres d'immeubles, des
autoroutes et des réveils à 5 heures du matin. Celui des
salles d'hôpital, de l'acier qui te laisse un sale goût dans
la bouche lorsque tu te réveilles, le corps poisseux, à
côté de la mauvaise personne. Je sais que c'est ce qui
m'attend, car je n'ai jamais eu cette légèreté, cette
insouciance et cet optimiste que portent en étendard
un grand nombre des élèves de notre lycée. Chaque
fois que je songe à mon avenir, je vois la peur, l'ennui,
le vide, la fuite, la douleur.

★

Mais soudain, je t'aperçois, Thomas ! À travers la vitre, ta silhouette ployée par le vent se détache dans la blancheur laiteuse de cet après-midi d'hiver. Et, comme chaque fois, mon cœur bondit dans ma poitrine et mon humeur s'adoucit. D'un seul coup, je n'ai plus sommeil. D'un seul coup, j'ai envie de vivre et d'avancer. Parce qu'il n'y a qu'avec toi que ma vie pourrait être sereine, prometteuse, porteuse de projets, de voyages, de soleil et de rires d'enfants. Je pressens qu'il existe un chemin étroit vers le bonheur, mais je ne pourrai l'emprunter qu'avec toi. Je ne sais pas par quelle magie la souffrance, la boue, la noirceur que je porte en moi depuis l'enfance semblent s'effacer lorsqu'on est ensemble. Mais je sais que sans toi, je serai toujours seule.

Soudain, je t'aperçois, Thomas, mais l'illusion se dissipe aussi vite qu'elle est arrivée et je comprends que tu ne viens pas *pour moi*. Je t'entends monter l'escalier et entrer dans *sa* chambre. Tu ne viens plus jamais pour moi. Tu viens pour l'Autre. Pour *Elle*. Toujours pour *Elle*.

Je connais Vinca mieux que toi. Je sais qu'elle a ce truc dans le regard, dans sa façon de se déplacer, de glisser une mèche de cheveux derrière l'oreille, ou d'entrouvrir légèrement la bouche pour sourire sans sourire. Et je sais que ce truc n'est pas seulement néfaste, mais qu'il est mortel. Ma mère l'avait aussi : cette sorte d'aura maléfique qui rend les hommes fous.

Tu l'ignores, mais lorsqu'elle nous a quittés, mon père a essayé de se tuer. Il s'est empalé volontairement sur l'armature rouillée d'un bloc de béton. À cause des assurances, on a toujours prétendu que c'était un accident du travail, mais c'était une tentative de suicide. Après toutes les humiliations que ma mère lui avait infligées, cet abruti affirmait ne pas pouvoir vivre sans elle et il était prêt à abandonner ses trois enfants mineurs.

Toi, tu es différent, Thomas, mais il faut que tu te libères de cette emprise avant qu'elle ne te détruise. Avant qu'elle ne te fasse faire des choses que tu regretteras toute ta vie.

★

Tu frappes à ma porte et je vais t'ouvrir.

— Salut Thomas, dis-je en retirant les lunettes de vue que je porte sur le nez.

— Salut Fanny, j'ai besoin que tu m'aides.

Tu m'expliques que Vinca se sent mal, qu'il lui faut de l'écoute et des médicaments. Tu dévalises ma boîte à pharmacie et tu me demandes même de lui préparer du thé. Comme une cruche, tout ce que je trouve à te répondre, c'est *je m'en occupe*. Et comme je n'ai plus de thé, je suis contrainte de récupérer un vieux sachet au fond de la poubelle.

Je ne suis bonne qu'à ça, bien sûr : me mettre au service de Vinca, le pauvre petit oiseau blessé. Mais pour qui tu me prends ? On était heureux avant qu'elle vienne cannibaliser nos vies ! Regarde ce qu'elle nous fait faire ! Regarde ce que tu m'obliges à faire pour attirer ton attention et te rendre jaloux : c'est *toi* qui me jettes dans les bras de tous ces mecs que je fréquente. C'est toi qui me forces à me faire du mal.

J'essuie mes larmes avant de sortir dans le couloir. Là, tu me bouscules sans t'excuser ni m'adresser la parole et tu dévales l'escalier.

★

Voilà. Je suis dans la chambre de Vinca et je me sens un peu conne, toute seule avec ma tasse de thé. Je n'ai pas entendu votre conversation, mais je devine qu'elle a encore joué la même partition. Celle qu'elle maîtrise sur le bout des doigts : manipuler les gens dans son théâtre de marionnettes pour se donner le rôle de la pauvre victime.

Je pose cette putain de tasse de thé sur la table de nuit et je regarde Vinca qui s'est déjà assoupie. Une part de moi comprend le désir qu'elle inspire. Une part de moi aurait presque envie de s'allonger à côté d'elle, de caresser sa peau diaphane, de goûter sa bouche rouge, ses lèvres ourlées, d'embrasser ses longs cils recourbés. Mais une autre part de moi la hait et j'ai un mouvement de recul lorsque, l'espace d'une seconde, l'image de ma mère se superpose à celle de Vinca.

★

Il faudrait que je retourne travailler, mais quelque chose me retient dans cette chambre. Une bouteille de vodka à demi pleine est posée sur le rebord de la fenêtre. J'en avale deux gorgées à même le goulot. Puis je furète, j'inspecte les papiers qui traînent sur le bureau, je parcours l'agenda de Vinca. J'ouvre les placards, j'essaie certaines de ses fringues et je découvre le contenu de sa boîte à pharmacie. Je ne suis qu'à moitié surprise d'y découvrir des somnifères et des anxiolytiques.

Elle a toute la panoplie du parfait junkie : Rohypnol, Tranxène, Témesta. Si les deux dernières boîtes sont presque vides, le tube contenant l'hypnotique est lui bien rempli. Je me demande comment elle a pu obtenir ces médocs. Sous les emballages, je trouve de vieilles ordonnances rédigées par un médecin cannois, le Dr Frédéric Rubens. Visiblement, le toubib prescrit ces drogues comme si c'étaient des confiseries.

Je connais les propriétés du Rohypnol. Sa molécule, le flunitrazépam, est prescrite pour soigner des insomnies sévères, mais comme le truc rend accro et a une demi-vie très longue, son utilisation doit être limitée dans le temps. Ce n'est pas un médoc que l'on consomme à la légère ou sur une trop longue période. Je sais que le produit est aussi utilisé pour se défoncer en le mélangeant à de l'alcool, voire à de la morphine. Je n'en ai jamais pris, mais j'ai entendu dire que les effets étaient dévastateurs : perte de contrôle, comportements erratiques et souvent absence totale de souvenirs. L'un de nos profs de fac, un médecin urgentiste, nous a dit que de plus en plus de patients étaient conduits à l'hôpital pour des cas de surdosage et que le Rohypnol était parfois utilisé par les violeurs pour annihiler les défenses de leurs victimes et leur faire perdre la mémoire. Une anecdote circule : lors d'une *rave party* dans la campagne grassoise, une fille qui en avait pris une forte dose s'est immolée par le feu avant de se jeter du haut d'une falaise.

Je suis tellement épuisée que je n'ai pas les idées claires. Un moment, sans que je sache comment cette pensée m'est venue, je joue avec l'idée de dissoudre les comprimés de benzodiazépine dans le thé. Je ne veux pas tuer Vinca. Je voudrais juste qu'elle disparaisse de ma vie et de la tienne. Souvent, je rêve qu'une voiture la renverse en pleine rue ou qu'elle se suicide. Je ne veux pas la tuer et pourtant, je fais glisser une poignée de cachets dans ma main. Et de ma main dans le mug brûlant. Ça n'a pris que quelques secondes, comme si je m'étais dédoublée, comme si j'étais extérieure à la scène et qu'une autre que moi avait accompli ce geste.

Je ferme la porte et retourne dans ma chambre. Je ne tiens plus debout. Cette fois, la fatigue me terrasse. À mon tour, je me couche sur mon lit. Je prends mon classeur et mes fiches d'anatomie. Il faut que je travaille, que je me concentre sur mes cours, mais mes yeux se ferment tout seuls et le sommeil m'emporte.

★

Lorsque je me réveille, il fait nuit noire. Je suis aussi trempée que si j'avais eu une forte fièvre. Le radio-réveil indique minuit et demi. Je n'arrive pas à croire que j'ai dormi d'un seul trait pendant huit heures. Je ne sais pas si tu es revenu entre-temps, Thomas. Et je ne sais pas comment va Vinca.

Prise d'une terreur rétrospective, je vais taper à sa porte. Comme je n'obtiens pas de réponse, je me décide à entrer dans sa chambre. Sur la table de nuit, la tasse de thé est vide. Vinca dort toujours, dans la position où je l'ai laissée. Du moins, c'est ce que j'essaie de me faire croire, mais lorsque je me penche vers elle, je constate que son corps est froid et qu'elle ne respire plus. Mon cœur se bloque, une onde de choc me dévaste. Je m'effondre.

Peut-être que l'histoire était écrite. Peut-être que dès le début les choses devaient se terminer comme ça : dans la mort et dans la peur. Et je sais quelle est la prochaine marche : en finir, moi aussi. Me débarrasser pour toujours de cette souffrance insidieuse qui me colle à la peau depuis trop longtemps. J'ouvre en grand la fenêtre de la chambrette. Le froid glacial me happe, me mord, me dévore. J'enjambe le rebord pour sauter, mais je ne parviens pas à aller au bout de mon geste. Comme si la Nuit, après m'avoir humée, ne voulait pas de moi. Comme si la mort elle-même n'avait pas de temps à perdre avec mon insignifiante petite personne.

★

Hagarde, je traverse le campus comme un zombie. Le lac, la place des Marronniers, les bâtiments administratifs. Tout est noir, éteint, sans vie. Sauf le bureau de ta mère. Et c'est justement elle que je cherche. À travers la vitre, je distingue sa silhouette. Je me rapproche. Elle est en pleine discussion avec Francis Biancardini. Lorsqu'elle m'aperçoit, elle comprend tout de suite qu'il est arrivé quelque chose de grave. Francis et elle viennent à ma rencontre. Je ne tiens plus sur mes jambes. Je m'effondre dans leurs bras et je leur raconte tout. Des phrases incohérentes, entrecoupées de sanglots. Avant de prévenir le SAMU, ils se précipitent dans la chambre de Vinca. Francis est le premier à inspecter le corps. D'un signe

297

de la tête, il confirme qu'il ne sert à rien d'appeler les secours.

Et c'est là que je m'évanouis.

★

Lorsque je reprends connaissance, je suis allongée sur le canapé du bureau de ta mère, une couverture sur les genoux.

Annabelle est à mon chevet. Son calme me surprend, mais me rassure. Je l'ai toujours appréciée. Depuis que je la connais, elle a été très généreuse et très bienveillante à mon égard. Elle m'a soutenue et aidée dans mes démarches. C'est grâce à elle que j'ai pu obtenir cette chambre universitaire. Elle m'a donné confiance pour oser entreprendre ces études de médecine et m'a même réconfortée lorsque tu t'es éloigné de moi.

Elle veut savoir si je me sens mieux et me demande de lui raconter précisément ce qui s'est passé.

— Surtout, n'oublie aucun détail.

En m'exécutant, je revis l'engrenage fatal qui a mené à la mort de Vinca. Ma jalousie, mon coup de folie, la surdose de Rohypnol. Alors que je cherche à justifier mon geste, elle pose un doigt sur ma bouche.

— Ce ne sont pas tes regrets qui la feront revenir. Quelqu'un d'autre que toi a-t-il pu voir le corps de Vinca ?

— Peut-être Thomas, mais je ne pense pas. Nous étions les seules élèves du bâtiment à ne pas être parties en vacances.

Elle pose la main sur mon avant-bras, cherche à accrocher mon regard et m'annonce avec gravité :

— Le moment qui va suivre est le plus important de ta vie, Fanny. Non seulement tu vas devoir prendre une décision difficile, mais encore tu vas devoir la prendre vite.

Je ne la quitte pas des yeux, sans imaginer une seule seconde ce qu'elle va dire.

— Tu as un choix à faire. La première possibilité, c'est d'appeler la police et de leur raconter la vérité. Tu dormiras dès ce soir en cellule. Lors du procès, la partie civile et l'opinion publique te réduiront en pièces. Les médias vont se passionner pour cette affaire. Tu seras la sale garce diabolique et jalouse, le monstre qui a tué de sang-froid sa meilleure amie, la reine du lycée que tout le monde adorait. Tu es majeure, tu seras condamnée à une longue peine.

Je suis terrassée, mais Annabelle enfonce le clou.

— Lorsque tu sortiras de prison, tu auras trente-cinq ans et, pendant tout le reste de ton existence, tu porteras l'étiquette « meurtrière ». Autrement dit, ta vie est finie avant même d'avoir réellement commencé. Tu as mis ce soir les pieds dans un enfer que tu ne quitteras jamais.

J'ai l'impression de me noyer. D'avoir reçu un coup sur la tête, d'être en train d'inhaler de l'eau et de ne plus être capable de respirer. Je reste silencieuse une bonne minute avant d'articuler :

— Quelle est la deuxième possibilité ?

— Tu te bats pour sortir de l'enfer. Et je suis prête à t'aider pour y arriver.

— Je ne vois pas comment.

Ta mère se lève de sa chaise.

— Ça, ce n'est pas directement ton problème. Il faut d'abord faire disparaître le corps de Vinca. Pour le reste, moins tu en sauras, mieux tu te porteras.

— On ne peut pas faire disparaître un corps comme ça, dis-je.

À ce moment-là, Francis entre dans le bureau et pose sur la table basse un passeport et une carte de crédit. Il décroche le téléphone, compose un numéro et met le haut-parleur :

— Hôtel Sainte-Clotilde, bonsoir.

— Bonsoir, je voudrais savoir s'il vous reste une chambre pour demain soir pour deux personnes.

— Il en reste une, mais c'est la dernière, annonce l'hôtelier avant de lui détailler le tarif.

Satisfait, Francis répond qu'il la prend. Il effectue la réservation au nom d'Alexis Clément.

Ta mère me regarde et me fait comprendre que la machine est enclenchée et n'attend que mon signal pour continuer.

— Je te laisse seule deux minutes pour réfléchir, me dit-elle.

— Je n'ai pas besoin de deux minutes pour faire un choix entre l'enfer et la vie.

Je vois à son regard que c'était la réponse qu'elle attendait. Elle se rassoit à côté de moi, me prend par les épaules.

— Tu dois comprendre une chose. Ça ne peut marcher que si tu fais exactement ce que je te dis. Sans poser de questions et sans chercher ni raison ni explication. C'est la seule condition, mais elle n'est pas négociable.

Je ne sais pas encore comment un tel plan pourrait fonctionner, mais j'ai cette impression à peine croyable qu'Annabelle et Francis ont la situation sous contrôle et pourraient réparer l'irréparable.

— Si tu commets la moindre erreur, c'est fini, me prévient solennellement Annabelle. Non seulement tu iras en prison, mais tu m'y enverras aussi, avec Francis.

J'acquiesce en silence, puis je demande ce que je dois faire.

— Le plan, pour l'instant, c'est d'aller te coucher pour être en forme demain, me répond-elle.

★

Tu veux savoir ce qu'il y a de plus fou ? J'ai très bien dormi cette nuit-là.

Le lendemain, quand ta mère m'a réveillée, elle portait un jean et un blouson d'homme. Elle avait ramassé ses cheveux dans un chignon qu'elle avait fait disparaître sous une coiffure à visière. La casquette d'un club de foot allemand. Lorsqu'elle m'a tendu une perruque rousse et le pull rose à pois blancs de Vinca, j'ai compris quel était son plan. C'était comme ces exercices d'improvisation qu'elle nous faisait faire au club théâtre, lorsqu'elle nous demandait de nous mettre dans la peau de quelqu'un d'autre. C'était même parfois sa méthode pour distribuer les rôles dans une pièce. Sauf que là, l'improvisation n'allait pas durer cinq minutes, mais une journée entière et que je ne jouais pas ma place pour une représentation théâtrale, je jouais ma vie.

Je me souviens encore de ce que j'ai ressenti en enfilant les fringues de Vinca et en portant la perruque. Un sentiment de plénitude, d'excitation et d'achèvement. *J'étais* Vinca. J'en avais la légèreté, l'aisance, la repartie et cette sorte de frivolité élégante qui n'appartenait qu'à elle.

Ta mère s'est installée au volant de l'Alpine et nous avons quitté le campus. J'ai baissé ma vitre pour saluer le gardien lorsqu'il a levé la barrière, j'ai fait un signe aux deux types de la voirie qui déblayaient le rond-point. En arrivant à la gare d'Antibes, nous avons constaté que pour pallier les annulations de la veille, la SNCF avait affrété un train supplémentaire à destination de Paris. Ta mère nous a acheté deux billets. Le voyage vers la capitale est passé comme un souffle. Je me suis promenée dans tous les wagons, assez pour que l'on me repère et qu'on se souvienne vaguement de moi, mais en ne restant jamais très longtemps au même endroit. À notre arrivée à Paris, ta mère m'a dit qu'elle avait choisi l'hôtel de la rue de Saint-Simon parce qu'elle y avait séjourné six mois plus tôt et que le veilleur de nuit était un type âgé qu'il serait facile d'abuser. De fait, lorsque nous sommes arrivées vers 22 heures, nous avons demandé à payer notre chambre à l'avance en prétextant un départ aux aurores le lendemain. Nous avons laissé suffisamment d'indices derrière nous pour faire croire que Vinca était vraiment venue ici. C'est moi qui ai eu l'idée de commander du Cherry Coke ; c'est ta mère qui a pris l'initiative d'oublier une trousse de toilette avec une brosse à cheveux contenant l'ADN de Vinca.

Tu veux savoir ce qu'il y a de plus fou ? Cette journée – que j'ai terminée en buvant deux bières avec un comprimé de Rohypnol – a été l'une des plus enivrantes de ma vie.

★

La descente, le retour sur terre, fut à la mesure de cette excitation. Le lendemain matin, tout était redevenu maussade et inquiétant. Dès le réveil, j'ai failli craquer. Je ne me voyais pas vivre un jour de plus en portant cette culpabilité et ce dégoût de moi-même. Mais j'avais promis à ta mère d'aller jusqu'au bout. J'avais déjà gâché ma vie, je n'allais pas l'entraîner dans ma chute. Aux premières lueurs de l'aube, nous avons quitté l'hôtel en métro. La ligne 12, d'abord, de la rue du Bac à Concorde, puis la 1, direct jusqu'à la gare de Lyon. La veille, Annabelle m'avait acheté un billet retour pour Nice. Plus tard, elle irait à la gare Montparnasse pour attraper le train qui devait la conduire à Dax, dans les Landes.

Dans un café en face de la gare, elle me confia que le plus dur restait à venir : apprendre à vivre avec ce que j'avais fait. Mais elle ajouta aussitôt qu'elle ne doutait pas que j'en sois capable, car, comme elle, j'étais une combattante, et c'étaient les seules personnes qu'elle respectait.

Elle me rappela que pour les femmes comme nous, venues de rien, la vie était une guerre sans relâche : il fallait se battre pour tout, tout le temps. Que souvent les forts et les faibles n'étaient pas ceux que l'on croyait. Que beaucoup de gens menaient en silence de douloureux combats intimes. Elle me dit que la véritable gageure était de savoir mentir dans la durée. Et que, pour bien mentir aux autres, il fallait d'abord se mentir à soi-même.

Il n'y a qu'une seule façon de mentir, Fanny, c'est de nier la vérité : c'est que la vérité soit exterminée par ton mensonge jusqu'à ce que ton mensonge devienne la vérité.

Annabelle m'accompagna sur le quai jusqu'à mon wagon et elle m'embrassa. Ses dernières paroles furent pour me dire qu'on pouvait vivre avec le souvenir du sang. Elle le savait, car elle en avait fait elle-même l'expérience. Et elle me laissa avec cette phrase à méditer : « La civilisation n'est qu'une mince pellicule au-dessus d'un chaos brûlant. »

14

La boum

Il avait sombré dans la nuit.
Et au moment même où il le sut,
il cessa de le savoir.

Jack LONDON

1.

Prise par une sorte de fièvre, Fanny termina son récit au bord du délire. Elle avait quitté les marches taillées dans la pierre et se tenait debout, au milieu de l'église, toujours à deux doigts de perdre l'équilibre. Chancelante entre les bancs en bois, elle me faisait penser à la dernière passagère d'un bateau en plein naufrage.

Moi, je n'étais guère plus vaillant. Mon souffle s'était presque arrêté. J'avais encaissé les révélations comme autant d'uppercuts qui m'avaient laissé à deux doigts du K-O et du chaos. Mon esprit était saturé, incapable de remettre les événements en perspective. *Vinca assassinée par Fanny avec la complicité active de ma mère pour faire disparaître le corps...* Je ne refusais pas la vérité, mais elle ne me semblait pas correspondre à ce que j'avais toujours connu du caractère de ma mère et de celui de mon amie.

— Attends, Fanny !

La jeune femme venait de se ruer hors de l'église. Une seconde plus tôt, elle paraissait au bord de l'évanouissement, et là, elle détalait comme si sa vie en dépendait !

Merde !

Le temps de trébucher dans l'escalier et de sortir à mon tour sur le parvis, Fanny était déjà loin. Je lui courus après, mais je m'étais violemment tordu la cheville. Elle avait trop d'avance et était plus rapide que moi. Je traversai le village en claudiquant et descendis la pente des Vachettes le plus vite possible. Je retrouvai ma voiture avec une contravention que je froissai, m'installai au volant et hésitai sur la marche à suivre.

Ma mère. Il fallait que je parle à ma mère. Elle était la seule à pouvoir me confirmer ce que m'avait raconté Fanny et à m'aider à démêler le vrai du faux. Je rallumai mon portable que j'avais éteint dans l'église. Pas de nouveaux messages de mon père, mais un SMS de Maxime me demandant de le rappeler. Je m'exécutai en mettant le contact.

— Il faut qu'on se parle, Thomas. J'ai découvert quelque chose. Quelque chose de très grave qui...

Je sentais de l'émotion dans sa voix. Pas forcément de la peur, mais une vulnérabilité non feinte.

— Dis-moi.

— Pas au téléphone. On se retrouve au Nid d'Aigle plus tard. Je viens d'arriver à la soirée de Saint-Ex, il faut que je fasse un peu campagne.

Sur le trajet, dans le calme de l'habitacle de la Mercedes, j'essayai de remettre de l'ordre dans mes pensées. Le samedi 19 décembre 1992, sur le campus du lycée Saint-Exupéry, il y aurait donc eu *deux meurtres* à quelques heures d'intervalle. D'abord celui d'Alexis Clément, puis celui de Vinca. Deux meurtres dont la concomitance aurait permis à ma mère et à Francis de monter un scénario imparable pour nous protéger tous les trois : Maxime, Fanny et moi. Nous protéger en faisant d'abord disparaître les deux corps, puis, et là était le véritable coup de génie, en faisant basculer la scène de crime de la Côte d'Azur vers Paris.

Ce scénario avait quelque chose de romanesque – l'alliance des parents prêts à prendre tous les risques pour sauver les jeunes adultes que nous étions alors… –, mais mon cerveau le refusait parce qu'il actait la mort de Vinca.

En repensant à ce que m'avait dit Fanny, je décidai d'appeler un médecin pour vérifier un point qui m'avait intrigué. J'essayai de téléphoner à mon généraliste à New York, mais je n'avais que le numéro de son cabinet, qui n'était pas ouvert le week-end. Faute d'avoir d'autres contacts, je me résolus à joindre mon frère.

Dire qu'on s'appelait peu était un euphémisme. C'était intimidant d'être le frère d'un héros. Chaque fois que je lui parlais, j'avais l'impression que je lui volais un temps qu'il aurait pu consacrer à soigner des enfants, et cela donnait à nos conversations un drôle de ton.

— Salut, frangin ! lança-t-il en décrochant.

Comme toujours, son enthousiasme, loin d'être communicatif, me bouffait de l'énergie.

— Salut Jérôme, comment va la vie ?

— Ne t'emmerde pas avec le *small talk*, Thomas. Dis-moi ce que je peux faire pour toi ?

Au moins, aujourd'hui, il me facilitait la tâche.

— J'ai vu maman cet après-midi. Tu étais au courant pour son infarctus ?

— Bien sûr.

— Pourquoi tu ne m'as pas prévenu ?

— C'est elle qui m'a demandé de ne pas le faire. Elle ne voulait pas t'inquiéter.

Tu parles...

— Le Rohypnol, tu connais ?

— Ouais, bien sûr. C'est une saloperie, mais ce n'est plus vraiment prescrit aujourd'hui.

— T'en as déjà pris ?

— Non, pourquoi tu veux savoir ça ?

— C'est pour un roman que je suis en train d'écrire. Une histoire qui se passe dans les années 1990. Combien de comprimés il faudrait avaler pour que la prise soit mortelle ?

— Je n'en sais rien, ça dépend du dosage. La plupart des cachetons contenaient 1 mg de flunitrazépam.

— Donc ?

— Donc, je dirais que ça dépend des organismes.

— Tu ne m'aides pas beaucoup.

— Kurt Cobain en avait pris pour tenter de se suicider.

— Je croyais qu'il s'était tiré une balle dans la tête.

— Je te parle d'une tentative de suicide avortée, quelques mois avant. À l'époque, on avait retrouvé une cinquantaine de cachets dans son estomac.

Fanny avait parlé d'une poignée de cachets, on devait être loin des cinquante.

— Et si tu en prends une quinzaine ?

— Tu seras salement shooté, peut-être proche du coma, surtout si tu le mélanges avec de l'alcool. Mais encore une fois ça dépend du dosage. Dans les années 1990, le laboratoire qui le fabriquait commercialisait également des pilules à 2 mg. Dans ce cas, quinze pilules et du Jim Beam peuvent effectivement t'envoyer au ciel.

Retour à la case départ…

Une question que je n'avais pas prévue traversa mon esprit.

— Tu aurais connu un médecin cannois qui exerçait il y a une vingtaine d'années, un certain Frédéric Rubens ?

— Dr Mabuse ! Tout le monde l'a connu dans le coin et pas en bien.

— Mabuse, c'était son surnom ?

— Il en avait d'autres, dit Jérôme en ricanant : Frédo le toxico, Fred Krueger le dealer... À la fois junkie lui-même et fournisseur. Il a trempé dans tous les trafics possibles et imaginables : dopage, exercice illégal de la médecine, trafic d'ordonnances...

— Il a été radié de l'ordre des médecins ?

— Ouais, mais pas assez tôt à mon avis.

— Tu sais s'il vit toujours sur la Côte ?

— Avec ce qu'il s'enfilait, il n'a pas fait de vieux os. Rubens est mort lorsque j'étais encore étudiant. C'est un thriller médical, ton prochain bouquin ?

2.

Il faisait presque nuit lorsque j'arrivai au lycée. La barrière automatique avait été bloquée en position ouverte. Il fallait juste se signaler au gardien qui vérifiait si votre nom était bien inscrit sur sa liste. Je n'étais inscrit nulle part, mais le type m'avait vu quelques heures plus tôt. Il me reconnut et me laissa entrer en me demandant de me garer sur le parking aménagé près du lac.

La nuit, le site était magnifique, plus unifié et cohérent que sous le soleil. Balayé par le mistral, le ciel était clair et rempli d'étoiles. Depuis le parking, des photophores, des flambeaux et des guirlandes lumineuses donnaient au campus un côté enchanteur et guidaient les visiteurs vers les réjouissances. Il y avait plusieurs fêtes selon les promotions. Celle qui avait lieu dans le gymnase accueillait les promos des années 1990 à 1995.

En arrivant dans la salle, je fus pris d'une sorte de malaise. On était à la limite de la soirée déguisée dont le thème aurait pu être *vos pires tenues des années 1990*. Les quadras avaient ressorti de leur placard les Converse, les 501 troués à taille haute, les bombers Schott et les chemises en tartan à gros carreaux. Les plus sportifs portaient des pantalons baggy, des survêtements Tacchini et des doudounes Chevignon.

J'aperçus Maxime de loin, vêtu d'un maillot des Chicago Bulls. Les gens s'agglutinaient autour de lui comme s'il était déjà député. Le nom de Macron était sur toutes les lèvres. Dans cette assemblée d'entrepreneurs, de professions libérales et de cadres, on n'en revenait toujours pas de savoir que le pays était désormais gouverné par un président qui avait moins de quarante ans, parlait anglais, connaissait le fonctionnement de l'économie et affichait de manière pragmatique sa volonté de dépasser les vieux clivages idéologiques. Si quelque chose devait un jour changer dans ce pays, ce serait maintenant ou ce ne serait jamais.

Lorsque Maxime me repéra, il me fit un signe de la main : *dix minutes ?* J'acquiesçai de la tête et, en attendant, je me fondis dans la masse. Je traversai la salle jusqu'au buffet qui, de façon ironique, se trouvait collé au mur où depuis vingt-cinq ans pourrissaient

313

les cadavres d'Alexis Clément et de Vinca. L'ouvrage était décoré de guirlandes et de vieux posters. Comme ce matin, je ne ressentis aucun malaise particulier. Pas de mauvaises ondes. Mais je savais que mon cerveau mettait en place toutes les défenses possibles pour refuser la mort de Vinca.

— Je vous sers quelque chose, monsieur ?

Dieu merci, cette fois il y avait de l'alcool. Il y avait même un barman qui préparait des cocktails à la demande.

— Vous pouvez me faire une caïpirinha ?

— Avec plaisir.

— Faites-en deux ! lança une voix derrière moi.

Je me retournai et reconnus Olivier Mons, le mari de Maxime, qui dirigeait la médiathèque municipale d'Antibes. Je le félicitai pour la gentillesse de ses deux petites filles et nous évoquâmes quelques anecdotes du « bon vieux temps qui n'était pas forcément si bon ». Alors que je me souvenais de lui comme d'un intello poseur, il se révéla charmant et plein d'humour. Au bout de deux minutes de conversation, il me confia néanmoins qu'il sentait Maxime très inquiet depuis quelques jours. Il était certain qu'il lui cachait la cause de ses tourments et certain également que j'étais au courant de quelque chose.

Je décidai d'être à moitié franc et lui dis que, dans le contexte des prochaines élections, certains ennemis de Maxime essayaient de ressortir les cadavres du placard pour le dissuader d'être candidat. Je restai dans le flou, évoquant avec distance le prix à payer pour faire de la politique. Je lui promis que j'étais là pour l'aider et que ces menaces ne seraient bientôt plus qu'un lointain souvenir.

Et Olivier me crut. C'était l'une des bizarreries de la vie. Alors que j'étais d'un naturel inquiet, j'avais ce pouvoir étrange d'être capable de rassurer les gens.

Le barman nous servit nos boissons et, après avoir trinqué, nous nous amusâmes à regarder les tenues des invités. De ce côté-là, comme moi, Olivier était resté sobre. On ne pouvait pas en dire autant de tout le monde. Une bonne partie des femmes avaient visiblement la nostalgie de l'époque où les tops laissaient entrevoir le nombril. D'autres portaient des shorts en jean, des robes à bretelles sur des tee-shirts, des colliers ras du cou ou des bandanas entortillés aux anses de leurs sacs. Heureusement, personne n'avait osé les plates-formes Buffalo à semelles compensées. Quel était le sens de tout ça ? Simplement s'amuser ou essayer de retenir quelque chose de sa jeunesse perdue ?

Nous commandâmes deux autres cocktails.

— Et cette fois, n'ayez pas la main trop légère sur la cachaça ! réclamai-je.

Le serveur me prit au mot et nous prépara une boisson très corsée. Je saluai Olivier et, mon cocktail à la main, je rejoignis la terrasse sur laquelle s'étaient rassemblés les fumeurs.

3.

La soirée ne faisait que commencer, mais un mec dealait déjà ouvertement de la coke et du shit à l'arrière de la salle. Tout ce que j'avais toujours fui. Vêtu d'un vieux blouson en cuir rapiécé et d'un tee-shirt de Depeche Mode, Stéphane Pianelli était accoudé à la barrière, en train de vapoter et de siroter une Tourtel.

— Tu n'es pas allé au concert, finalement ?

D'un signe de tête, il désigna un gamin de cinq ans qui s'amusait à se cacher sous les tables.

— Mes parents devaient me garder Ernesto, mais ils ont eu un empêchement de dernière minute, expliqua-t-il en recrachant sa vapeur d'eau qui sentait le pain d'épice.

L'obsession de Pianelli se lisait jusque dans le prénom qu'il avait donné à son fils.

— C'est toi qui as choisi de l'appeler Ernesto ? Comme Ernesto Guevara ?

— Ouais, pourquoi ? Tu n'aimes pas ? demanda-t-il en levant un sourcil menaçant.

— Si, si, répondis-je pour ne pas le vexer.

— Sa mère pensait que c'était trop cliché.

— C'est qui sa mère ?

Son visage se ferma.

— Tu ne la connais pas.

Pianelli me faisait rire. Il trouvait légitime de s'inté-resser à la vie privée des gens à condition que cela ne soit pas la sienne.

— C'est Céline Feulpin, non ?

— Oui, c'est elle.

Je m'en souvenais bien. Une fille de terminale A, très remontée contre les injustices et toujours à la pointe des mouvements de grève lycéens. Le pendant féminin de Stéphane qu'elle avait suivi à la fac de lettres. Dans la mouvance de l'extrême gauche, ils avaient partagé nombre de combats pour le droit des étudiants et des minorités. Je l'avais croisée récemment, il y avait deux ou trois ans, sur un vol New York-Genève. Métamorphosée. Elle portait un Lady Dior et accompagnait un médecin suisse dont elle avait l'air très amoureuse. On avait échangé quelques mots et je l'avais trouvée joyeuse et épanouie, ce que je me gardai bien de répéter à Pianelli.

— J'ai des trucs pour toi, dit-il pour changer de sujet.

Il fit un pas de côté et son visage fut tout à coup éclairé par l'une des ampoules blanches de la guirlande lumineuse. Lui aussi avait des cernes et les yeux injectés comme s'il n'avait pas fermé l'œil depuis longtemps.

— Tu as obtenu des infos sur le financement des travaux du bahut ?

— Pas vraiment. J'ai mis mon stagiaire sur le coup, mais le secret est bien gardé. Il te contactera lorsqu'il aura trouvé quelque chose.

Il chercha son fils des yeux et lui adressa un petit signe.

— En revanche, j'ai pu jeter un coup d'œil au projet final. Les travaux sont vraiment pharaoniques. Certains trucs hors de prix ont une utilité qui ne me saute pas aux yeux.

— Tu penses à quoi ?

— À un projet d'immense roseraie : le Jardin des Anges. Tu en as entendu parler ?

— Non.

— C'est démentiel. L'ambition est de bâtir un lieu de recueillement qui s'étendrait de l'emplacement actuel des champs de lavande jusqu'au lac.

— Comment ça, un lieu de recueillement ?

Il haussa les épaules.

— Mon stagiaire m'a raconté ça au téléphone. Je n'ai pas tout saisi, mais j'ai autre chose pour toi.

Il prit un air mystérieux et sortit de sa poche une feuille de papier sur laquelle il avait pris des notes.

— J'ai eu le rapport de police sur la mort de Francis Biancardini. C'est vrai qu'il a morflé, le pauvre vieux.

— Il a été torturé ?

Une flamme mauvaise brilla dans ses yeux.

— Oui, salement. Pour moi, ça accrédite la thèse du règlement de comptes.

Je soupirai :

— Mais quel règlement de comptes, Stéphane ? Toujours ton histoire de mafia et de blanchiment d'argent ? Réfléchis trois secondes, putain. Même si

Francis travaillait pour eux – ce que je ne crois pas –, pourquoi l'auraient-ils éliminé ?

— Il a peut-être essayé de doubler les mecs de la 'Ndrangheta.

— Mais pour quoi faire ? Il avait soixante-quatorze ans, il avait plein de blé.

— Pour ces mecs-là, on n'en a jamais assez.

— Laisse tomber, t'es trop con. Il a vraiment essayé d'écrire le nom de son agresseur en lettres de sang ?

— Non, ça la fille m'a avoué l'avoir inventé pour donner de la dramaturgie à son article. Par contre, Francis a essayé d'appeler quelqu'un juste avant de mourir.

— On sait qui c'était ?

— Oui, c'était ta mère.

Je restai de marbre, tâchant de désamorcer la bombe qu'il venait d'armer :

— Logique, ils sont voisins et ils se connaissaient depuis l'école.

Il acquiesça de la tête, mais ses yeux disaient : *raconte ça à qui tu veux, mon pote, mais à moi, tu ne vas pas me la faire.*

— On sait si elle a décroché ?

— Tu lui demanderas, répondit-il.

Il termina sa bière sans alcool.

— Allez, on rentre à la maison, demain y a entraînement de foot, lança-t-il en rejoignant son fils.

4.

Je jetai un coup d'œil dans la salle. Maxime était toujours entouré de sa petite cour. À l'autre extrémité de la terrasse, on avait installé un deuxième bar – genre tripot clandestin – qui servait des shots de vodka.

Je pris un verre (vodka menthe) et puis un autre (vodka citron). Ce n'était pas raisonnable, mais je n'avais pas d'enfant à ramener à la maison ni d'entraînement sportif le lendemain. Je n'aimais ni la Tourtel ni le jus d'épinards, et je serais peut-être en prison la semaine prochaine…

Il fallait vraiment que je retrouve ma mère. Pourquoi s'était-elle enfuie ? Parce qu'elle avait peur que je découvre la vérité ? Parce qu'elle craignait de subir les mêmes atrocités que Francis ?

Un troisième shot de vodka (cerise) pour me faire croire que je réfléchirais mieux en état d'ébriété. À long terme, c'était faux bien sûr, mais le temps que l'ivresse s'installe, il y avait parfois une courte période d'euphorie, ce moment où les idées s'entrechoquent et où, avant le grand chaos mental, se produit une petite étincelle. Ma mère avait pris ma voiture de location. Un véhicule sans doute équipé d'un capteur GPS. Je pouvais peut-être appeler l'agence, prétendre qu'on m'avait volé la bagnole et demander à ce qu'on la localise ? C'était jouable, sauf qu'on était samedi soir et que ça n'allait pas être coton.

Un dernier shot de vodka (orange) pour la route. Mon cerveau tournait à toute vitesse. C'était grisant, sauf que ça n'allait pas durer. Heureusement, une idée plutôt astucieuse traversa mon esprit. Pourquoi ne pas chercher tout bêtement à localiser mon iPad qui était resté dans la voiture ? Le flicage moderne et consenti le permettait. Sur mon téléphone, je lançai l'application dédiée. Correctement paramétré, le truc était assez efficace et marchait plus d'une fois sur deux. J'entrai les coordonnées – mon email et un mot de passe – et je retins mon souffle. Un point se mit à clignoter sur le plan. Je zoomai sur la carte avec deux doigts. Si ma tablette était toujours dans la voiture, celle-ci se trouvait à la pointe sud du Cap d'Antibes, dans un endroit que je connaissais : sur le parking de la plage Keller, là où se garaient les clients du restaurant ou les touristes qui voulaient aller se balader sur le sentier du littoral.

J'appelai mon père dans la foulée.

— J'ai retrouvé la voiture de maman !

— Comment tu as fait ?

— Je te passe les détails, mais elle est sur le parking Keller.

— Mais qu'est-ce qu'Annabelle fout là, bon sang ?

À nouveau, je le sentis démesurément inquiet et compris qu'il me cachait quelque chose. Il nia farouchement, m'obligeant à hausser le ton :

— Tu me fais chier, Richard ! Tu m'appelles lorsque tu as un problème, mais tu ne me fais pas confiance.

— OK, tu as raison, admit-il. En partant, ta mère a emporté quelque chose...

— Elle a emporté quoi ?

— Un de mes fusils de chasse.

Un abîme s'ouvrit sous mes pieds. Je n'imaginais pas ma mère avec une arme. Je fermai les yeux trois secondes et une image se forma dans mon esprit. Contrairement à ce que je me faisais croire, j'imaginais *très bien* Annabelle avec un fusil de chasse.

— Elle saurait s'en servir ? demandai-je à mon père.

— Je pars au Cap d'Antibes, lança-t-il pour toute réponse.

Je n'étais pas certain que ce fût une bonne idée, mais je ne voyais pas ce qu'on pouvait faire d'autre.

— Je termine quelque chose et je te rejoins là-bas. D'accord, papa ?

— D'accord. Fais vite.

Je raccrochai et retournai dans la salle. L'atmosphère avait changé. Sous l'effet désinhibant de l'alcool, les invités commençaient à se lâcher. La musique était forte, presque assourdissante. Je cherchai Maxime sans succès. Je compris qu'il était sorti et qu'il devait m'attendre à l'extérieur.

Le Nid d'Aigle, bien sûr...

Je quittai le gymnase et remontai le chemin qui menait à la corniche fleurie. Le trajet était balisé, ponctué par les photophores et les lanternes qui guidèrent mes pas.

Arrivé au pied de l'éperon rocheux, je levai la tête pour apercevoir le bout d'une cigarette qui se consumait dans la nuit. Accoudé au balconnet, Maxime me fit un signe de la main.

— Fais gaffe en montant ! cria-t-il. De nuit, c'est vraiment casse-gueule.

Prudent, j'allumai la torche de mon téléphone pour ne pas glisser et entrepris de le rejoindre. La cheville que je m'étais tordue dans l'église se rappelait à mon souvenir. Chaque pas me coûtait. Tandis que je grimpais sur les rochers, je me rendis compte que le vent qui soufflait depuis le matin était tombé. Le ciel s'était couvert et il n'y avait plus aucune étoile. J'étais arrivé à la moitié de mon ascension quand un cri atroce me fit lever la tête. Deux silhouettes se détachaient dans un lavis d'encre grise. L'une d'elles était celle de Maxime, l'autre celle d'un inconnu en train de le faire basculer par-dessus la rambarde. Je poussai un hurlement et me mis à courir pour prêter main-forte à mon ami, mais lorsque j'arrivai en haut il était trop tard. Maxime venait de faire une chute de près de dix mètres.

Je me lançai à la poursuite de l'agresseur, mais avec ma cheville tordue, je ne pus aller bien loin. Lorsque je revins sur mes pas, un petit groupe de fêtards s'étaient approchés du corps de Maxime et appelaient les secours.

Les larmes me firent cligner des yeux. Un instant, je crus distinguer le fantôme de Vinca qui déambulait

au milieu des anciens élèves. Telle une apparition, diaphane et magnétique, la jeune fille fendait la nuit, vêtue
d'une robe nuisette, d'un perfecto noir, d'un collant en
résille et de bottines en cuir.

Hors de toute atteinte, le spectre avait l'air plus
vivant que tous les gens qui l'entouraient.

Annabelle

Samedi 19 décembre 1992

Je m'appelle Annabelle Degalais. Je suis née en Italie à la fin des années 1940, dans un petit village du Piémont. À l'école, les enfants me surnommaient « l'Autrichienne ». Aujourd'hui, au lycée, pour les élèves et les professeurs, je suis « Mme la proviseure ». Je m'appelle Annabelle Degalais et, avant la fin de la soirée, je vais devenir une meurtrière.

Pourtant, rien en cette fin d'après-midi n'annonce l'issue tragique de ce premier jour des vacances scolaires. Mon mari, Richard, est parti avec deux de nos trois enfants, me laissant seule à la barre du lycée. Je suis sur le pont depuis les premières heures de la matinée, mais j'aime l'action et la prise de décision. Les intempéries ont désorganisé la vie locale et provoqué une incroyable confusion. À 18 heures, c'est le premier moment de la journée où je peux enfin souffler. Comme mon Thermos est vide, je décide d'aller me chercher un thé au distributeur de la salle des profs. J'ai à peine le temps de me lever de ma chaise que la porte de mon bureau s'ouvre et qu'une jeune femme s'avance sans y avoir été invitée.

— Bonjour, Vinca.

— Bonjour.

Je regarde Vinca Rockwell avec un début d'appréhension. Malgré le froid, elle ne porte qu'une petite robe en tartan, un perfecto en cuir et des bottines à talons hauts. Je vois tout de suite qu'elle est complètement stone.

— Qu'est-ce que je peux faire pour toi ?

— Me donner soixante-quinze mille francs de plus.

Je connais bien Vinca et je l'apprécie, même si je sais bien que mon fils est amoureux d'elle et qu'il en souffre. C'est une de mes élèves du club théâtre. L'une des plus douées. À la fois cérébrale et sensuelle, avec un côté barré qui la rend attachante. Elle est cultivée, artiste, brillante. Elle m'a déjà fait écouter les chansons folks qu'elle compose dans son coin. Des refrains élégants à la beauté mystique influencés par PJ Harvey et Leonard Cohen.

— Soixante-quinze mille francs ?

Elle me tend une enveloppe kraft et, sans attendre d'y être invitée, se laisse tomber dans le fauteuil en face de moi. J'ouvre la pochette et regarde les photos. Je suis surprise sans être surprise. Je ne suis pas atteinte, car toutes les décisions que j'ai prises dans ma vie répondent à ce seul objectif : ne jamais être vulnérable. Et c'est ma force.

— Tu n'as pas l'air de te sentir bien, Vinca, dis-je en lui rendant l'enveloppe.

— C'est vous qui n'allez pas vous sentir bien lorsque je vais balancer aux parents d'élèves ces photos de votre porc de mari.

Je vois qu'elle grelotte. Elle a l'air tout à la fois fiévreuse, excitée et épuisée.

— Pourquoi me demandes-tu soixante-quinze mille *de plus*? Richard t'a déjà donné de l'argent?

— Il m'a donné cent mille francs, mais ce n'est pas assez.

Originaire de Sologne, la famille de Richard n'a jamais eu un sou en poche. Tout l'argent de notre ménage m'appartient. Je le tiens de mon père adoptif, Roberto Orsini, qui l'a gagné de ses mains en construisant des villas de maçon sur toute la côte méditerranéenne.

— Je n'ai pas cette somme sur moi, Vinca.

J'essaie de gagner du temps, mais elle ne se laisse pas intimider:

— Débrouillez-vous! Je veux l'argent avant la fin du week-end.

Je comprends qu'elle est à la fois à la dérive et incontrôlable. Sans doute sous l'emprise d'un mélange d'alcool et de médocs.

— Tu n'auras rien du tout, dis-je brutalement. Je n'ai que du mépris pour les maîtres chanteurs. Richard a été bien bête de te donner de l'argent.

— Très bien, c'est vous qui l'aurez voulu ! menace-t-elle en se levant et en claquant la porte.

★

Je reste un moment assise dans mon bureau. Je pense à mon fils qui est fou de cette fille et qui est en train de foutre en l'air sa scolarité à cause d'elle. Je pense à Richard qui ne réfléchit qu'avec sa queue. Je pense à ma famille qu'il faut que je protège et je pense à Vinca. Je sais exactement d'où lui vient cette sorte d'aura vénéneuse. De l'impossibilité que nous avions tous à l'imaginer *plus tard*. Comme si elle n'était qu'une étoile filante dont le destin était de ne jamais dépasser cet âge particulier des vingt ans.

Après une longue réflexion, je sors dans la nuit et progresse péniblement dans la neige jusqu'au pavillon Nicolas-de-Staël. Il faut que j'essaie de la raisonner. Lorsqu'elle m'ouvre la porte de sa chambre, elle s'imagine que je viens pour lui donner de l'argent.

— Écoute-moi, Vinca. Tu ne vas pas bien. Je suis là pour t'aider. Explique-moi pourquoi tu fais ça. Pourquoi as-tu besoin d'argent ?

Là, elle devient comme folle et me menace. Je lui propose de faire venir un médecin ou de l'accompagner à l'hôpital.

— Tu n'es pas dans ton état normal. On va trouver une solution à ton problème.

J'essaie de la calmer, d'y mettre toute ma force de conviction, mais je n'ai aucune prise sur elle. Vinca est comme possédée et capable de tout. Elle balance entre les larmes et un rire mauvais. Puis, soudain, elle sort un test de grossesse de sa poche.

— C'est votre cher mari qui a fait ça !

Pour la première fois depuis longtemps, moi, la femme que rien ne peut atteindre, je suis déstabilisée. Une faille profonde et brutale s'ouvre en moi sans que je sache comment l'arrêter. Une secousse sismique intime qui me terrifie. Je *vois* ma vie en train de prendre feu. Ma vie et celle de toute ma famille. Il est hors de question que je reste sans rien faire. Je ne peux accepter que notre existence se retrouve consumée et réduite en cendres par cette pyromane de dix-neuf ans. Alors que Vinca continue à me narguer, j'aperçois la réplique d'une statue de Brancusi. Un cadeau que j'ai acheté au musée du Louvre pour mon fils et que Thomas s'est empressé de lui offrir. Un voile blanc passe devant mes yeux. Je me saisis de la statue et je fracasse le crâne de Vinca. Sous la violence du coup, elle s'effondre comme une poupée de chiffon.

*

Le *black-out* a duré un long moment pendant lequel le temps s'est arrêté. Plus rien n'existait. Ma conscience s'est figée, à l'image de la neige qui statufie le paysage au-dehors. Lorsque j'ai commencé à reprendre mes esprits, j'ai constaté que Vinca était morte. La seule chose qui m'a paru évidente a été d'essayer de gagner du temps. J'ai traîné Vinca jusqu'à son lit et je l'ai couchée sur le côté, dissimulant sa blessure, puis j'ai tiré la couverture sur elle.

J'ai traversé le campus, lugubre comme une lande fantôme, pour retrouver le cocon de mon bureau. Assise dans mon fauteuil, j'ai essayé d'appeler Francis, à trois reprises, mais il n'a pas répondu. Cette fois, tout était fini.

J'ai fermé les yeux pour essayer de me concentrer malgré ma fébrilité. La vie m'a appris que beaucoup de problèmes peuvent être vaincus par la réflexion. La première idée qui m'a traversée, la plus évidente, fut qu'il suffisait de me débarrasser du corps de Vinca avant qu'on ne le trouve. C'était possible, mais difficile. J'ai élaboré quantité d'hypothèses et de scénarios, mais je revenais toujours au même point et à la même conclusion : la disparition de la jeune héritière Rockwell au sein du lycée allait provoquer une véritable onde de choc. Des moyens hors normes seraient déployés pour la retrouver. La police allait fouiller le lycée de fond en comble, effectuer toutes les analyses scientifiques, interroger les élèves, enquêter sur les fréquentations de Vinca. Il y avait peut-être des témoins de sa liaison avec Richard. Celui qui avait pris ces photos allait lui aussi finir par se manifester pour continuer son chantage ou aider la police. Il n'y avait pas d'échappatoire.

Pour la première fois de ma vie, je me retrouvais cernée. Obligée de capituler. À 10 heures du soir, je me décidai à appeler les gendarmes. J'étais sur le point de décrocher mon téléphone lorsque j'aperçus Francis qui longeait l'Agora, accompagné d'Ahmed, pour se diriger vers mon bureau. Je sortis à sa rencontre. Lui aussi avait une tête que je ne lui avais jamais vue.

— Annabelle ! cria-t-il, en comprenant tout de suite que quelque chose n'allait pas.

— J'ai fait quelque chose d'horrible, dis-je en me réfugiant dans ses bras.

★

Et je lui raconte ma terrible confrontation avec Vinca Rockwell.

— Courage, me murmure-t-il quand je me tais enfin, parce qu'il faut que je te dise quelque chose.

Je croyais être au bord du précipice, mais pour la deuxième fois de cette journée, je suffoque et je perds tous mes moyens lorsqu'il me raconte le meurtre d'Alexis Clément dans lequel sont impliqués Thomas et Maxime. Il me dit qu'avec Ahmed, il a profité des travaux dans le lycée pour emmurer le cadavre dans le gymnase. Il m'avoue qu'il pensait d'abord ne rien me dire pour me protéger.

Il me serre dans ses bras, m'assure qu'il va trouver une solution, me rappelle toutes les épreuves que nous avons déjà traversées dans notre vie.

★

C'est lui qui a l'idée le premier.

Il me fait remarquer que, paradoxalement, deux disparitions sont moins inquiétantes qu'une seule. Que le meurtre de Vinca peut permettre d'effacer celui d'Alexis et inversement si l'on réussit à lier leurs deux destins.

Pendant deux longues heures, nous cherchons le bon scénario. Je l'informe de cette rumeur sur leur liaison. Je lui dis que mon fils m'a parlé de lettres qui lui ont brisé le cœur et accréditent cette thèse. Francis reprend espoir, mais je ne l'accompagne pas dans son optimisme. Même si nous parvenons à faire disparaître les corps, l'enquête va se concentrer autour du lycée et la pression qui tombera sur nous sera intenable. Il en convient, soupèse le pour et le contre, envisage même de se dénoncer lui-même pour les meurtres. C'est la première fois dans l'histoire de nos deux vies que nous sommes sur le point de capituler. Pas par manque de volonté ou de courage, mais simplement parce qu'il y a des combats que l'on ne peut pas gagner.

Tout à coup, dans le silence de la nuit, un martèlement nous fait sursauter. D'un même mouvement, nous nous retournons vers la fenêtre. Une fille, le visage hagard, est en train de tambouriner sur la vitre. Ce n'est pas le fantôme de Vinca Rockwell qui revient nous hanter. C'est la petite Fanny Brahimi à qui j'ai donné l'autorisation de rester à l'internat pendant les vacances.

— Madame la proviseure !

J'échange un regard inquiet avec Francis. Fanny habite dans le même pavillon que Vinca. Je suis certaine de ce qu'elle va me dire : elle a retrouvé le corps sans vie de son amie.

— C'est fini, Francis, dis-je. On va être obligés d'appeler les flics.

Mais la porte de mon bureau s'ouvre et Fanny s'effondre en larmes dans mes bras. À ce moment, je ne sais pas encore que Dieu vient de m'envoyer la solution à tous nos problèmes. Le Dieu des Italiens. Celui que nous priions lorsque nous étions enfants dans la petite chapelle de Montaldicio.

— J'ai tué Vinca ! s'accuse-t-elle. J'ai tué Vinca !

15

La plus belle de l'école

*Une excellente manière de te défendre
d'eux, c'est d'éviter de leur ressembler.*
MARC AURÈLE

1.

Il était 2 heures du matin lorsque je sortis des urgences du CHU de la Fontonne. À quoi ressemble l'odeur de la mort ? Pour moi, c'est celle des relents de médocs, de désinfectants et de produits d'entretien qui planent dans les couloirs des hôpitaux.

Maxime avait fait une chute de plus de huit mètres avant d'atterrir sur le chemin goudronné. Des branchages, en contrebas du talus, avaient amorti sa dégringolade, mais pas suffisamment pour éviter de multiples fractures aux vertèbres, au bassin, aux jambes et aux côtes.

Embarquant Olivier dans ma voiture, j'avais suivi l'ambulance jusqu'à l'hôpital et j'avais brièvement aperçu mon ami à son arrivée. Le corps plein d'ecchymoses, immobilisé par une coque rigide et une minerve. Son visage pâle et éteint, disparaissant sous les tubes des perfusions, m'avait douloureusement rappelé que j'avais été impuissant à le protéger.

Les médecins à qui Olivier avait pu parler nous avaient tenu un discours grave. Maxime était dans le coma. Sa tension était très basse et, malgré l'injection de noradrénaline, elle n'avait que peu remonté. Il souffrait d'un traumatisme crânien doublé d'une contusion, voire d'un hématome cérébral. Nous étions restés dans une salle d'attente, mais le personnel hospitalier nous avait fait entendre que notre présence ne servait à rien. Le pronostic était très réservé, même si un scanner du corps entier allait permettre de faire un bilan plus exhaustif des lésions. Les prochaines soixante-douze heures seraient primordiales pour déterminer la suite des événements. Dans leurs non-dits, j'avais bien compris que la vie de Maxime ne tenait qu'à un fil. Olivier refusa de quitter les lieux, mais insista pour que j'aille me reposer.

— Tu as vraiment une sale tête, et puis je préfère attendre seul, tu sais.

J'acceptai, au fond peu désireux d'être là quand la police viendrait recueillir les témoignages, et traversai le parking de l'hôpital sous la pluie battante. En quelques heures, le temps avait radicalement changé. Le vent était tombé pour laisser place à un ciel bas, d'un gris cotonneux, ponctué d'éclairs et de roulements de tonnerre.

Je trouvai refuge dans la Mercedes de ma mère et consultai mon portable. Pas de nouvelles de Fanny ni de mon père. J'essayai de les appeler, mais aucun ne me répondit. Ça ressemblait bien à Richard. Il avait dû retrouver sa femme et, à présent qu'il était rassuré, les autres pouvaient aller au diable !

Je mis le contact, mais je restai sur le parking, moteur allumé. J'avais froid. Mes yeux se fermaient, j'avais la gorge sèche, l'esprit encore embrumé par l'alcool. J'avais rarement été aussi épuisé. Je n'avais pas dormi dans l'avion la nuit dernière et pas beaucoup non plus celle d'avant. Je payais cash le décalage horaire, l'abus de vodka et le stress. Je ne maîtrisais plus mes pensées qui partaient dans tous les sens. Cerné par le martèlement de la pluie, je m'écroulai sur le volant.

Il faut qu'on se parle, Thomas. J'ai découvert quelque chose. Quelque chose de très grave qui... Les dernières paroles de Maxime bourdonnaient à mes oreilles. Que voulait-il me dire de si urgent ? Qu'avait-il découvert de si grave ? L'avenir était sombre. Je n'étais pas parvenu au bout de mon enquête, mais je commençais à admettre que je ne retrouverais plus Vinca.

Alexis, Vinca, Francis, Maxime... La liste des victimes de cette affaire ne cessait de s'allonger. C'était à moi d'y mettre fin, mais comment ? L'odeur qui régnait dans l'habitacle me replongea dans mon enfance. C'était le parfum que portait autrefois ma mère. Jicky de Guerlain. Une odeur mystérieuse et entêtante qui mélangeait la fraîcheur des effluves de Provence – la lavande, les agrumes, le romarin – et la profondeur plus persistante du cuir et de la civette. Je m'accrochai un moment aux notes du parfum. Tout me ramenait toujours à ma mère...

J'allumai le plafonnier. Une question triviale : combien coûtait une bagnole comme ça ? Peut-être cent cinquante mille euros. Où ma mère avait-elle trouvé l'argent pour s'offrir une telle voiture ? Mes parents avaient une bonne retraite et une belle maison qu'ils avaient achetée à la fin des années 1970, lorsque l'immobilier sur la Côte d'Azur était encore accessible aux classes moyennes. Mais cette voiture, ça ne lui ressemblait guère. Soudain, une illumination : Annabelle ne m'avait pas laissé son roadster par hasard. Son acte était prémédité. Je revoyais la scène de cet après-midi. Annabelle m'avait mis devant le fait accompli. Elle ne m'avait pas laissé d'autre choix que d'emprunter sa propre voiture. *Mais pourquoi ?*

J'examinai le trousseau de clés. En plus de celle de la voiture, je reconnus celle de la maison, celle – plus longue – de la boîte aux lettres ainsi qu'une autre clé, assez imposante, gainée de caoutchouc noir. Les trois sésames pendaient au bout d'un porte-clés luxueux : une forme ovale en cuir grainé frappé de deux initiales chromées : un A entrelacé avec un P. Si le A était celui d'Annabelle, à qui renvoyait le P ?

J'allumai le GPS et jetai un coup d'œil aux adresses préenregistrées sans y trouver rien de suspect. J'appuyai sur le premier item – Maison – et, alors que l'hôpital était situé à moins de deux kilomètres du quartier de la Constance, le GPS calcula une distance de vingt kilomètres avec un itinéraire compliqué qui me faisait passer par le bord de mer pour m'entraîner en direction de Nice.

Troublé, je débloquai le frein à main et sortis du parking en me demandant quel était cet endroit inconnu que ma mère considérait comme sa maison.

2.

En pleine nuit et malgré la pluie, la circulation était d'une fluidité absolue. En moins de vingt minutes, guidé par les instructions du GPS, j'arrivai à destination : une résidence sécurisée à mi-chemin entre Cagnes-sur-Mer et Saint-Paul-de-Vence. « Aurelia Park », là où Francis avait sa garçonnière. Là où il avait été assassiné. Je me rangeai dans un renfoncement à une trentaine de mètres de l'imposante grille en fer forgé qui protégeait l'entrée. Après la vague de cambriolages de l'an dernier, la sécurité avait dû être drastiquement renforcée. Un veilleur aux allures de planton était en faction devant le poste de gardiennage.

Une Maserati me dépassa et s'avança devant le portail. Il y avait deux entrées possibles. À gauche, les visiteurs devaient se signaler au gardien, tandis que les résidents pouvaient emprunter la voie de droite. Un capteur scannait leur plaque d'immatriculation et ouvrait la grille automatiquement. Sans couper le moteur, je pris le temps de réfléchir. Les initiales A et P renvoyaient à Aurelia Park, ce domaine dont Francis avait été l'un des promoteurs. D'un coup, un élément me revint en mémoire. Aurelia était le deuxième prénom de ma mère. Un prénom qu'elle aurait d'ailleurs préféré à Annabelle. Une autre certitude me traversa : c'était Francis qui avait offert le roadster à ma mère.

Ma mère et Francis étaient-ils amants ? Jamais cette hypothèse ne m'avait effleuré, mais à présent, elle ne me paraissait plus du tout farfelue. Je mis mon clignotant et m'engageai dans la file réservée aux résidents. Il pleuvait tellement qu'il était à peu près certain que le gardien ne pouvait pas distinguer mon visage. Le capteur scanna la plaque d'immatriculation de la Mercedes et le portail s'ouvrit. Si sa plaque était enregistrée, cela signifiait en tout cas que ma mère était une familière des lieux.

En roulant au pas, je suivis la petite route goudronnée qui s'enfonçait dans une forêt de pins et d'oliviers. Construit à la fin des années 1980, Aurelia Park était devenu célèbre parce que ses promoteurs avaient reconstitué un gigantesque parc méditerranéen complanté d'essences rares et exotiques. Leur prouesse, qui avait fait couler beaucoup d'encre à l'époque, tenait aussi à la création d'une rivière artificielle qui traversait le domaine.

Le parc ne comptait qu'une trentaine de maisons, très éloignées les unes des autres. Je me souvenais d'avoir lu dans l'article de *L'Obs* que la maison de Francis portait le numéro 27. Elle se situait au plus haut du domaine, au milieu d'une végétation dense. À travers la nuit, je distinguai l'ombre des palmiers et des grands magnolias. Je me garai devant le portail en fer forgé qui dominait d'épaisses haies de cyprès.

En approchant des battants, j'entendis un déclic et le portail s'ouvrit devant moi. Je compris que la clé que j'avais en ma possession était en fait un passe-partout intelligent qui permettait un accès électronique à la maison. Alors que je m'engageais sur le dallage en pierre, je fus surpris par le bruit de l'eau. Ce n'était pas un ruissellement lointain, c'était comme si la rivière coulait à mes pieds. J'actionnai l'interrupteur extérieur : le jardin et les différentes terrasses s'éclairèrent en même temps. C'est en faisant le tour de la demeure que je compris. Comme la Maison sur la cascade, le chef-d'œuvre de l'architecte Frank Lloyd Wright, la maison de Francis était construite directement sur le cours d'eau.

C'était une bâtisse moderne qui n'avait rien de provençal ni de méditerranéen, mais rappelait plutôt certaines architectures américaines. Haute de deux étages agencés en porte-à-faux, elle mélangeait les matériaux – verre, pierre claire, béton armé – et s'intégrait à la perfection dans le site végétal et le plateau rocheux sur lequel on l'avait bâtie.

La serrure numérique se débloqua dès que je m'approchai de la porte. Je redoutais qu'une alarme ne se mette en marche. Il y avait bien un boîtier vissé au mur, mais rien ne se déclencha pour autant. Là aussi, un unique bouton-poussoir permettait d'allumer toutes les lumières. Je l'enclenchai et découvris un intérieur aussi élégant que spectaculaire.

Le rez-de-chaussée accueillait un salon, une salle à manger et une cuisine ouverte. Comme dans l'architecture japonaise, l'espace était décloisonné, les différents lieux de vie n'étant séparés que par des panneaux ouverts de bois clair qui laissaient passer la lumière.

Je fis quelques pas à l'intérieur du loft et parcourus la pièce du regard. Je n'avais pas imaginé la garçonnière de Francis comme ça. Tout était raffiné et chaleureux. La grande cheminée en pierre blanche, les poutres en chêne blond, les meubles en noyer aux formes arrondies. Sur le comptoir du bar à cocktails, une bouteille de bière à demi entamée indiquait que quelqu'un était passé récemment. À côté de la Corona, un paquet de cigarettes et un briquet dont la coque laquée était ornée d'une estampe japonaise.

Le Zippo de Maxime...

Bien sûr, c'est lui qui était venu ici après notre conversation chez ma mère. Et ce qu'il avait découvert l'avait suffisamment bouleversé pour qu'il parte précipitamment en oubliant ses clopes et son briquet.

En me rapprochant des grandes baies à galandage, je pris conscience que c'était à cet endroit précis que Francis avait été assassiné. Il avait dû être torturé près de la cheminée, peut-être laissé pour mort. Puis il s'était traîné sur ce parquet patiné jusqu'au large mur de verre qui surplombait la rivière. Là, il avait réussi à téléphoner à ma mère. Mais je ne savais même pas si elle avait reçu son appel.

3.

Ma mère...

Je le sentais, sa présence imprégnait cette maison. Je devinais sa patte derrière chaque meuble, derrière chaque élément de décoration. Ici, c'était aussi chez elle. Un craquement me fit sursauter. Je me retournai et tombai nez à nez avec elle.

Ou plutôt avec son portrait accroché sur le mur, de l'autre côté du salon. Je me dirigeai vers l'espace canapé-bibliothèque où étaient affichées d'autres photos. Plus je me rapprochais, plus je comprenais l'histoire qui m'avait échappé jusqu'ici. En une quinzaine de clichés se dessinait une sorte de rétrospective de la vie parallèle menée par Francis et Annabelle pendant des années. Ensemble, ils avaient fait le tour du monde. Au hasard des photos, je reconnus des lieux emblématiques : le désert africain, Vienne sous la neige, le tramway de Lisbonne, les chutes de Gullfoss en Islande, les cyprès de la campagne toscane, le château écossais d'Eilean Donan, le New York d'avant la chute des tours.

Plus que les lieux, les sourires et la sérénité de leur visage me donnèrent la chair de poule. Ma mère et Francis étaient amoureux. Pendant des décennies, ils avaient mené une histoire d'amour totale, mais clandestine. Une relation insoupçonnable et durable, à l'abri du regard du monde.

Mais pourquoi ? Pourquoi n'avaient-ils jamais officialisé leur histoire ?

Au fond de moi, je connaissais la réponse. Ou plutôt je la devinais. Elle était complexe et tenait à leurs personnalités singulières. Annabelle et Francis étaient deux caractères rudes et tranchés qui avaient dû trouver un réconfort mutuel en se bâtissant une bulle dont ils étaient les seuls architectes. Deux individualités fortes qui s'étaient toujours construites *contre le monde.* Contre sa médiocrité, contre l'enfer des autres dont ils n'avaient eu de cesse de s'émanciper. La belle et la bête. Deux tempéraments hors du commun qui méprisaient les convenances, les codes, le mariage.

Je m'aperçus que je pleurais. Sans doute parce que sur les photos où ma mère souriait, je retrouvais cette autre personne que j'avais connue dans mon enfance et dont la douceur ressurgissait parfois sous le masque glacé de l'Autrichienne. Je n'étais pas fou. Je n'avais pas rêvé tout ça. Cette autre femme existait bel et bien et j'en tenais aujourd'hui la preuve.

J'essuyais mes larmes, mais elles continuaient à couler. J'étais ému par cette double vie, par cette histoire d'amour singulière qui n'appartenait qu'à eux. Le véritable amour n'était-il pas au fond débarrassé de toutes les convenances ? Cet amour chimiquement pur, Francis et ma mère l'avaient éprouvé, alors que je m'étais contenté de le rêver ou de le fantasmer à travers les livres.

Une dernière image accrochée au mur retint mon attention. C'était un petit format de couleur sépia représentant une très vieille photo de classe prise sur la place d'un village. Une inscription à la plume mentionnait : *Montaldicio, 12 octobre 1954*. Assis sur trois rangées de bancs, les gamins ont une dizaine d'années. Ils ont tous les cheveux noirs comme l'ébène. À l'exception d'une petite fille blonde, aux yeux clairs, légèrement à l'écart. Tous les enfants regardent l'objectif, sauf un petit gars à la bouille ronde, mais fermée. Au moment où le photographe appuie sur son déclencheur, Francis tourne la tête et n'a d'yeux que pour l'Autrichienne. La plus belle de l'école. Toute leur histoire est déjà inscrite dans cette photo. Tout s'était noué là, pendant l'enfance, dans ce village d'Italie qui les avait vus grandir.

4.

Un escalier suspendu en bois brut montait vers les chambres. D'un coup d'œil, j'embrassai la distribution du premier étage : une immense suite de maître et ses dépendances, bureaux, dressings, salle de hammam. Encore plus qu'au rez-de-chaussée, l'omniprésence des surfaces vitrées effaçait les frontières entre l'intérieur et l'extérieur. Le cadre était exceptionnel. On sentait la forêt toute proche et le ruissellement de la rivière se mêlait au bruit de la pluie. Une terrasse vitrée permettait de déambuler jusqu'à une piscine couverte qui ouvrait sur le ciel et sur un jardin suspendu agrémenté de glycines, de mimosas et de cerisiers du Japon.

Un instant, je faillis rebrousser chemin de peur de ce que je pouvais découvrir. Mais l'heure n'était plus aux atermoiements. Je poussai la porte pivotante de la chambre et révélai un territoire encore plus intime. Des photos à nouveau, mais de moi cette fois. À tous les âges de l'enfance. L'impression ne m'avait pas quitté de la journée, de plus en plus prégnante au fur et à mesure que j'avançais dans mes investigations : en enquêtant sur Vinca, c'est d'abord sur *moi-même* que j'enquêtais.

L'image la plus ancienne était un cliché en noir et blanc. *Maternité Jeanne-d'Arc, 8 octobre 1974, naissance de T.* Un selfie avant l'heure. C'est Francis qui tient l'appareil. Il enlace ma mère qui porte le bébé dont elle vient d'accoucher. Et ce bébé, c'est moi.

Stupeur et évidence. La vérité me sautait au visage avec violence. Une vague d'émotions me submergea. En refluant, son écume cathartique me laissa groggy. Tout s'éclairait, tout se remettait à sa place, mais dans une douleur cruelle. Mes yeux restaient obstinément fixés sur la photo. Je regardais Francis et j'avais l'impression de me regarder dans un miroir. Comment avais-je pu être aveugle aussi longtemps ? Je comprenais tout à présent. Pourquoi je ne m'étais jamais senti le fils de Richard, pourquoi j'avais toujours considéré Maxime comme un frère, pourquoi un instinct animal me faisait monter au front chaque fois que Francis était attaqué.

Assailli de sentiments contraires, je m'assis sur le rebord du lit pour essuyer mes larmes. Savoir que j'étais le fils de Francis me délivrait d'un poids, mais savoir que je ne pourrais plus lui parler me laissait mille regrets. Une question commença à me hanter : Richard était-il au courant de ce secret de famille et de la double vie de sa femme ? Sans doute, mais ce n'était pas certain. Peut-être avait-il fait l'autruche pendant des années, sans comprendre véritablement pourquoi Annabelle tolérait ses innombrables incartades.

Je me levai pour quitter la chambre, mais je revins sur mes pas avec l'intention de décrocher la photo de la maternité. J'avais besoin de l'emporter, comme une preuve de mes origines. En soulevant le cadre, je découvris un petit coffre-fort encastré dans le mur.

Un pavé numérique invitait à saisir six chiffres. *Ma date de naissance ?* Je n'y croyais pas une seconde, mais je ne pus m'empêcher d'essayer. Parfois, l'évidence…

La porte du coffre s'ouvrit dans un déclic. L'armoire d'acier n'était pas très profonde. J'y plongeai la main pour en ressortir un flingue. Le fameux pétard dont Francis n'avait pas eu le temps de se servir lorsqu'on l'avait attaqué. Dans un petit sac de toile, je trouvai aussi une dizaine de cartouches de calibre 38. Les armes ne m'avaient jamais fasciné. Généralement, elles ne provoquaient chez moi que de la répulsion. Mais pour la documentation de mes romans, j'avais été forcé de m'y intéresser. Je soupesai le revolver. Compact et lourd, il ressemblait à un vieux Smith & Wesson, Model 36. Le fameux Chiefs Special avec sa crosse en bois et sa carcasse en acier.

Quel était le sens de la présence de ce flingue derrière cette photo ? Que le bonheur et l'amour véritable devaient être protégés par tous les moyens ? Que leur conquête avait un prix qui pouvait être celui du sang et des larmes ?

J'introduisis cinq cartouches pour remplir le barillet et je le glissai dans ma ceinture. Je n'étais pas certain de savoir m'en servir, mais j'étais certain que désormais le danger était partout. Parce que quelqu'un s'était mis en tête d'éliminer tous ceux qu'il estimait responsables de la mort de Vinca. Et que j'étais sûrement le prochain sur sa liste.

J'arrivai en bas de l'escalier quand mon téléphone sonna. J'hésitai à décrocher. Ça n'est jamais bon signe lorsque quelqu'un vous appelle en numéro masqué à 3 heures du matin. Finalement, je me décidai à répondre. C'était la police. Le divisionnaire Vincent Debruyne qui m'appelait du commissariat d'Antibes pour me prévenir que ma mère avait été retrouvée morte et que mon père s'accusait de l'avoir tuée.

Annabelle

Antibes
Samedi 13 mai 2017
Je m'appelle Annabelle Degalais. Je suis née en Italie à la fin des années 1940, dans un petit village du Piémont. Et les minutes qui vont suivre sont peut-être les dernières de ma vie.

Lorsque, le 25 décembre dernier, Francis m'a téléphoné en pleine nuit avant de rendre l'âme, il n'a eu le temps que de prononcer un bout de phrase : *Protège Thomas et Maxime…*

J'ai compris cette nuit-là que le passé était de retour. Avec son cortège de menaces, de danger et de mort. Plus tard, en lisant les articles de journaux qui racontaient les souffrances que Francis avait dû endurer avant d'expirer, j'ai compris également que cette vieille histoire ne pourrait se terminer que comme elle avait commencé : dans le sang et la peur.

Pendant vingt-cinq ans, nous avions pourtant réussi à tenir le passé à distance. Pour protéger nos enfants, nous avions fermé toutes les portes à double tour en veillant à ne laisser aucune trace derrière nous. La vigilance était devenue notre seconde nature, même si, avec le temps, notre méfiance avait perdu de son caractère maladif. Certains jours, l'inquiétude qui m'avait tenaillée tant d'années semblait même s'être évaporée. J'ai baissé la garde, forcément. Et j'ai eu tort.

La mort de Francis a failli me tuer. Mon cœur s'est déchiré. J'ai cru que je partais. Lorsqu'on m'a conduite à l'hôpital, dans l'ambulance, une partie de moi avait envie de lâcher prise et de rejoindre Francis, mais une force de rappel m'a rattachée à la vie.

Je devais me battre encore pour protéger mon fils. Le retour de la menace m'avait arraché Francis, mais il ne me prendrait pas Thomas.

Mon dernier combat serait de terminer le travail, c'est-à-dire d'anéantir l'individu qui met en péril l'avenir de mon fils. Et de lui faire payer la mort du seul homme que j'aie jamais aimé.

Après ma sortie de l'hôpital, je me suis replongée dans mes souvenirs et j'ai mené ma propre enquête pour comprendre qui, après tant d'années, pouvait vouloir se venger. Avec une violence, une hargne et une détermination effrayantes. Je ne suis plus toute jeune, mais j'ai encore les idées claires. J'ai eu beau consacrer tout mon temps à chercher des réponses à mes questions, je n'ai pas trouvé la moindre piste. Tous les protagonistes qui auraient pu avoir des velléités de vengeance étaient morts ou très vieux. Quelque chose que nous ignorions venait gripper l'engrenage paisible de notre vie et menaçait de la faire dérailler. Vinca était partie en emportant un secret. Un secret dont l'existence même nous avait échappé et qui refaisait surface aujourd'hui en semant la mort sur son passage.

J'ai cherché partout, mais je n'ai rien trouvé. Jusqu'à ce que, tout à l'heure, Thomas ressorte de vieilles affaires du sous-sol et les étale sur la table de la cuisine. Soudain, l'évidence m'a sauté au visage. J'avais envie de pleurer de rage. La vérité était là, sous nos yeux, depuis si longtemps, masquée par un détail qu'aucun de nous n'avait su voir.

Un détail qui changeait tout.

★

Il fait encore jour lorsque j'arrive au Cap d'Antibes. Je m'arrête devant une façade blanche qui donne sur le boulevard de Bacon, mais qui ne laisse pas deviner grand-chose de la taille et de l'étendue de la maison. Je laisse ma voiture en double file et sonne à l'interphone. Un jardinier en train de tailler les haies me dit que la personne que je cherche est allée promener ses chiens sur le sentier de Tire-Poil.

Je reprends la route pour quelques kilomètres jusqu'au petit parking de la plage Keller, à l'intersection du chemin de la Garoupe et de l'avenue André-Sella.

L'endroit est désert. J'ouvre le coffre pour prendre le fusil que j'ai emprunté à Richard.

Pour me donner du courage, je repense aux parties de chasse, le dimanche matin, en compagnie de mon père adoptif dans les massifs forestiers. J'adorais l'accompagner. Même si on ne se disait pas grand-chose, c'était un moment partagé qui avait plus de sens que de longs discours. Je me souviens avec affection de Butch, notre setter irlandais. Toujours à l'affût des perdrix, des bécasses et des lièvres, il n'avait pas son pareil pour les approcher et les fixer avant que nous puissions les tirer.

Je soupèse l'arme, caresse sa crosse en noyer huilé et m'attarde un instant sur la finesse des gravures qui ornent le fusil. D'un déclic, j'ouvre la bascule en acier et fais entrer deux cartouches dans la chambre. Puis je m'engage sur le chemin étroit qui borde les flots.

Au bout d'une cinquantaine de mètres, une barrière dissuade d'aller plus loin. « Zone dangereuse – accès interdit ». La faute aux coups de mer de mercredi dernier qui ont dû provoquer des éboulements. Je contourne l'obstacle en sautant sur les rochers.

L'air marin me fait du bien, et le panorama éblouissant qui porte jusqu'aux Alpes me rappelle d'où je viens. Au détour du rivage escarpé, j'aperçois la silhouette, grande et élancée, de l'assassin de Francis. Les trois gros chiens qui l'entourent avancent en meute dans ma direction.

J'épaule mon fusil. Mon regard glisse vers ma cible. Elle est dans ma ligne de mire. Je sais que je n'aurai pas de seconde chance.

Lorsque le coup claque, clair, bref et rapide, tout me revient dans la gueule.

Montaldicio, les paysages de l'Italie, la petite école, la place du village, les insultes, la violence, le sang, la fierté de rester debout, le sourire désarmant de Thomas lorsqu'il avait trois ans, l'amour au long cours d'un homme différent des autres.

Tout ce qui a compté dans ma vie...

16

La Nuit t'attend toujours

Commence à croire que la nuit
t'attend toujours.

René CHAR

1.

Dans la nuit orageuse, les rues d'Antibes semblaient éclaboussées d'un enduit épais et visqueux qu'un peintre malhabile aurait renversé sur sa toile.

Il était 4 heures du matin. Je déambulais de long en large sous la pluie, devant le commissariat de police de l'avenue des Frères-Olivier. J'avais enfilé mon imperméable, mais mes cheveux étaient trempés et de l'eau s'infiltrait dans le col de ma chemise. Mon téléphone portable vissé à l'oreille, j'essayais de convaincre un ténor du barreau niçois de bien vouloir assister mon père si sa garde à vue devait se prolonger.

J'avais l'impression d'étouffer sous la cascade de catastrophes qui s'enchaînaient. Une heure plus tôt, lorsque j'avais quitté Aurelia Park, je m'étais fait arrêter par les gendarmes pour excès de vitesse. Sous le coup de l'émotion, j'avais propulsé le roadster à plus de cent quatre-vingts kilomètres-heure sur l'autoroute. On m'avait fait souffler dans l'éthylomètre et j'avais payé mes cocktails et mes shots de vodka par une suspension immédiate de permis. Pour pouvoir repartir, je n'avais eu d'autre choix que d'appeler Stéphane Pianelli à la rescousse. Le journaliste était déjà au courant de la mort de ma mère, et m'avait assuré qu'il arrivait sans tarder. Il était venu me chercher avec son SUV Dacia à l'arrière duquel le petit Ernesto dormait à poings fermés. La voiture sentait le pain d'épice et n'avait jamais dû croiser d'Éléphant bleu. En roulant vers le commissariat, c'est lui qui m'avait briefé, complétant les informations que m'avait transmises le divisionnaire Debruyne. Le corps de ma mère avait été retrouvé au Cap d'Antibes sur les rochers du sentier du littoral. C'était la police municipale, appelée sur les lieux par des résidents inquiets d'avoir entendu un coup de feu, qui, la première, avait constaté sa mort.

— Je suis désolé de t'apprendre ça, Thomas, mais les circonstances dans lesquelles on l'a tuée sont vraiment effroyables. On n'a jamais vu ça à Antibes.

Le plafonnier de la Dacia était resté allumé. Pianelli tremblait. Il était livide, très atteint par l'horreur qui faisait irruption dans sa sphère de relations. Après tout, lui aussi connaissait bien mes parents. Moi, j'étais anesthésié. Au-delà de la fatigue, du chagrin, de la douleur.

— Il y avait un fusil de chasse à proximité de la scène de crime, mais Annabelle n'est pas morte d'une blessure par balle, avait-il déclaré.

Il avait eu du mal à me raconter la suite et j'avais dû insister pour qu'il me lâche la vérité.

Et c'était elle que j'étais maintenant en train d'essayer d'expliquer au Dupond-Moretti local, alors que je venais de quitter le commissariat : le visage de ma mère avait été réduit en bouillie par une avalanche de coups de crosse. Bien évidemment, ce n'était pas mon père qui avait fait ça. Richard s'était rendu à cet endroit parce que je le lui avais indiqué, et Annabelle était déjà morte lorsqu'il était arrivé. Il s'était écroulé en larmes sur les rochers et son seul tort avait été de regarder le cadavre de sa femme en sanglotant : « C'est moi qui ai fait ça ! » Cette affirmation, expliquai-je à l'avocat, n'était bien sûr pas à prendre au premier degré. Il était manifeste qu'elle signifiait davantage un regret de ne pas avoir été capable d'éviter ce meurtre qu'un aveu de culpabilité. L'homme de loi en convint sans difficulté et m'assura qu'il allait nous aider.

Lorsque je raccrochai, il pleuvait toujours autant. Je me réfugiai sous un abribus désert de la place du Général-de-Gaulle d'où je passai deux coups de fil pénibles à Port-au-Prince puis à Paris pour prévenir mon frère et ma sœur de la mort de notre mère.

Jérôme, fidèle à lui-même, resta digne, quoique profondément atteint. La conversation avec ma sœur fut
surréaliste. Alors que je pensais qu'elle dormait chez
elle, dans le dix-septième arrondissement, elle était
en week-end avec son mec à Stockholm. Je ne savais
même pas qu'elle avait divorcé l'année précédente.
Elle m'apprit sa séparation puis, en restant vague sur
les circonstances, je lui fis part du drame qui venait
de frapper notre famille. Elle partit dans une crise de
larmes que je fus incapable de calmer, pas plus que n'y
parvint le type qui dormait à ses côtés.

Puis je restai un long moment sous l'orage à errer
comme une ombre au milieu de la place. L'esplanade
était inondée. Une canalisation avait dû se rompre,
emportant une partie du bitume. Les fontaines encore
éclairées projetaient dans la nuit de longs jets d'eau
dorée qui se mêlaient à la pluie pour former une sorte
de brouillard planant.

Trempé, enveloppé par la bruine, j'avais le cœur carbonisé, les neurones grillés, le corps laminé. La brume
vaporeuse qui noyait mes pas effaçait les limites de la
place, les bordures des trottoirs, les marquages au sol.
Et j'avais l'impression qu'elle noyait aussi toutes mes
valeurs et mes points de repère. Je ne savais plus vraiment quel avait été mon rôle dans une histoire qui
m'abîmait depuis tant d'années. Une chute qui semblait ne pas avoir de fin. Un scénario de film noir que
j'avais davantage subi que je n'en avais été l'instigateur.

2.

Soudain, deux phares trouèrent le brouillard et avancèrent dans ma direction : la Dacia joufflue de Stéphane Pianelli était de retour.

— Monte, Thomas ! me dit-il après avoir baissé sa vitre. J'ai bien pensé que tu ne saurais pas comment rentrer. Je vais te ramener chez toi.

À bout de forces, j'acceptai sa proposition. Le siège passager était toujours encombré par un vrai foutoir. Comme à l'aller, je m'installai sur la banquette arrière, à côté d'Ernesto endormi.

Pianelli m'expliqua qu'il revenait de l'agence de *Nice-Matin*. Le journal ayant bouclé plus tôt dans la soirée, il n'y aurait pas de papier sur la mort de ma mère dans la première édition du lendemain. Le journaliste était néanmoins repassé par son bureau pour écrire un article destiné au site Internet du quotidien.

— Les faibles soupçons qui pèsent sur ton père ne seront même pas évoqués, m'assura-t-il.

Alors que nous longions le bord de mer en direction de la Fontonne, Pianelli me confia enfin qu'il était tombé sur Fanny en quittant l'hôpital où il était allé chercher des infos sur Maxime, plus tôt dans la soirée.

— Elle était à bout de nerfs. Jamais je ne l'avais vue comme ça.

Un signal d'alarme retentit dans mon esprit fatigué.

— Qu'est-ce qu'elle t'a raconté ?

Nous étions arrêtés au croisement de la Siesta. Le feu rouge le plus long du monde...

— Elle m'a *tout* raconté, Thomas. Elle m'a dit qu'elle avait tué Vinca et que ta mère et Francis l'avaient aidée à couvrir ses actes.

Je comprenais mieux le trouble de Pianelli tout à l'heure : il n'était pas seulement impressionné par les circonstances de la mort de ma mère, il l'était d'avoir découvert une histoire d'assassinat.

— Elle t'a dit ce qui était arrivé à Clément ?

— Non, avoua-t-il. C'est la seule pièce du puzzle qui me manque.

Le feu passa au vert. La Dacia rejoignit la nationale et remonta vers la Constance. J'étais complètement défait. Je n'avais plus l'esprit clair. J'avais l'impression que cette journée ne finirait jamais. Qu'une vague allait tout emporter. Trop de révélations, trop de drames, trop de morts, trop de menaces qui planaient encore sur ceux qui m'étaient chers. Alors, j'ai fait ce qu'il ne faut jamais faire. J'ai baissé la garde. J'ai transgressé vingt-cinq ans de silence parce que j'avais envie de croire en l'être humain. J'avais envie de croire que Pianelli était un mec bien qui ferait passer notre amitié avant sa fonction de journaliste.

J'ai tout mis sur la table : le meurtre de Clément et tout ce que j'avais appris aujourd'hui. Une fois arrivé devant la maison de mes parents, Pianelli s'est garé face au portail et a laissé le moteur tourner. Nous sommes restés encore une demi-heure à discuter dans l'habitacle du vieux SUV pour essayer d'y voir plus clair. Patiemment, il m'a aidé à reconstituer ce qui s'était passé plus tôt dans l'après-midi. Ma mère avait dû laisser traîner une oreille lorsque je discutais avec Maxime. Comme moi, elle avait sans doute noté les différences d'écriture entre la dédicace du livre et les appréciations scolaires rédigées par Alexis Clément. Contrairement à moi, ce détail lui avait permis d'identifier l'assassin de Francis. Elle lui avait donné rendez-vous ou l'avait traqué jusqu'au Cap d'Antibes dans le but de l'éliminer. Bref, elle avait réussi là où nous avions échoué : démasquer un monstre dont la fureur assassine semblait sans limites.

Une clairvoyance qui lui avait coûté la vie.

— Essaie de te reposer, me dit Stéphane en me donnant une accolade. Je t'appelle demain. On ira ensemble à l'hôpital prendre des nouvelles de Maxime.

Malgré la rare chaleur de ses propos, je n'eus pas la force de lui répondre et claquai la porte de la voiture. Comme je n'avais pas de bip, je fus obligé d'escalader le portail. Je me souvenais qu'on pouvait accéder à la maison par la partie garage du sous-sol, que mes parents ne verrouillaient jamais. Une fois à l'intérieur du salon, je ne pris même pas la peine d'allumer la lumière. Je posai mon sac sur la table ainsi que le calibre de Francis. J'enlevai mes vêtements trempés et je traversai le salon comme un somnambule avant de m'écrouler sur le canapé. Là, je me pelotonnai dans un plaid de laine et je laissai le sommeil m'emporter.

J'avais joué et perdu sur tous les tableaux. L'adversité m'avait broyé. Sans que j'y sois préparé, je venais de vivre la pire journée de ma vie. Ce matin, en débarquant sur la Côte d'Azur, j'avais bien conscience qu'un séisme menaçait, mais je n'en avais anticipé ni la puissance ni le caractère cruel et dévastateur.

17

Le Jardin des Anges

Peut-être quand nous mourrons,
peut-être la mort seule nous donnera
la clé et la suite de cette aventure
manquée.

ALAIN-FOURNIER

Dimanche 14 mai 2017
Lorsque j'ouvris les yeux, le soleil de la mi-journée triomphait dans le salon. J'avais dormi d'une seule traite jusqu'à 13 heures passées. Un sommeil épais, profond, qui m'avait offert une déconnexion totale avec la noirceur du réel.

C'est la sonnerie de mon portable qui m'avait réveillé. Je n'avais pas été assez rapide pour répondre, mais j'écoutai le message qu'on venait de me laisser. Depuis le téléphone de son avocat, mon père me prévenait qu'il venait d'être libéré et qu'il rentrait à la maison. Je tentai de le rappeler dans la foulée, mais la batterie de mon téléphone était à plat. Ma valise étant restée dans la voiture de location, je cherchai en vain dans la maison un chargeur compatible avec mon appareil, puis je renonçai. Depuis le fixe, j'appelai le CHU d'Antibes, où je ne parvins pas à joindre quelqu'un qui pourrait me donner des nouvelles de Maxime.

Je pris une douche et enfilai des fringues que je trouvai dans le placard de mon père : une chemise Charvet et une veste en vigogne. Je quittai la salle de bains et enchaînai trois expressos en regardant par la fenêtre la mer qui déclinait ses camaïeux de bleu. Dans la cuisine, mes vieilles affaires étaient restées à la même place que la veille. Sur un tabouret, le gros carton en équilibre et, sur le comptoir en bois massif, mes anciennes rédactions, mes bulletins scolaires, les mixtapes, le recueil de poèmes de Tsvetaïeva que j'ouvris à nouveau pour relire la belle dédicace :

Pour Vinca,
Je voudrais n'être qu'une âme sans corps
pour ne te quitter jamais.
T'aimer, c'est vivre.
Alexis

Je feuilletai le livre, d'abord d'un œil distrait, puis plus attentivement. Paru aux éditions du Mercure de France, *Mon frère féminin* n'était pas, contrairement à ce que j'avais toujours cru, un recueil de poèmes. C'était un essai en prose que quelqu'un – Vinca ou la personne qui le lui avait offert – avait abondamment annoté. Je m'arrêtai sur l'une des phrases soulignées. « C'est […] la seule brèche dans cette entité parfaite que sont deux femmes qui s'aiment. L'impossible, ce n'est pas de résister à la tentation de l'homme, mais au besoin de l'enfant. »

La formule toucha quelque chose en moi : *cette entité parfaite que sont deux femmes qui s'aiment.* Je m'assis sur l'un des sièges et poursuivis ma lecture.

Deux femmes qui s'aiment… Superbement écrit, le texte – composé au début des années 1930 – était une sorte d'exaltation poétique de l'amour lesbien. Pas un manifeste, mais une réflexion anxieuse sur l'impossibilité pour deux femmes de mettre au monde un enfant qui soit biologiquement issu des deux amantes.

C'est alors que je compris ce qui m'avait échappé depuis le premier jour. Et qui changeait tout.

Vinca aimait les femmes. En tout cas, Vinca avait aimé une femme. Alexis. Un prénom mixte. Quasi exclusivement masculin en France, il était majoritairement féminin dans les pays anglo-saxons. J'étais bouleversé par cette découverte tout en me demandant si je ne faisais pas fausse route une nouvelle fois.

On sonna au portail. Persuadé que c'était mon père, j'en déverrouillai l'accès et sortit l'accueillir sur la terrasse. Mais, à la place de Richard, je me retrouvai nez à nez avec un jeune homme très mince, aux traits fins et au regard d'une troublante clarté.

— Corentin Meirieu, je suis l'assistant de M. Pianelli, se présenta-t-il en enlevant son casque de vélo et en secouant des cheveux très roux.

L'apprenti journaliste cala son engin contre le mur : une drôle de bicyclette en bambou avec une selle en cuir montée sur ressorts.

— Toutes mes condoléances, me dit-il en affichant une mine désolée qui disparaissait sous sa barbe dense, en décalage avec son visage juvénile.

Je lui proposai d'entrer prendre un café.

— Avec plaisir, si vous avez autre chose que des capsules.

Il me rejoignit dans la cuisine et, alors qu'il examinait le paquet d'arabica près de la cafetière, il tapota une pochette cartonnée qu'il tenait plaquée contre son torse.

— J'ai des infos pour vous !

Pendant que je préparais nos boissons, Corentin Meirieu s'assit sur un des tabourets et sortit une liasse de documents annotés. En posant une tasse devant lui, j'aperçus la une de la deuxième édition du *Nice-Matin* qui traînait dans sa sacoche. Une photo du sentier du littoral barré de l'inscription : PEUR SUR LA VILLE.

— Ça n'a pas été coton, mais j'ai pu glaner des infos intéressantes sur le financement du lycée, déclara-t-il.

Je pris place en face de lui et, d'un signe de la tête, l'invitai à continuer.

— Vous aviez raison : le financement des travaux de Saint-Ex dépend entièrement d'une donation importante et inattendue que l'établissement a reçue très récemment.

— Récemment, ça veut dire quoi ?

— Au tout début de l'année.

Quelques jours après la mort de Francis.

— Et qui l'a effectuée ? La famille de Vinca Rockwell ?

Il m'était venu à l'esprit qu'Alastair Rockwell, le grand-père de Vinca, n'avait jamais accepté la disparition de sa petite-fille et qu'il avait pu organiser une sorte de vendetta *post mortem*.

— Pas du tout, répondit Meirieu en mettant un sucre dans son café.

— Qui alors ?

Le *hipster* consulta ses notes.

— C'est une fondation culturelle américaine qui est derrière ce don : la fondation Hutchinson & DeVille.

Sur le coup, cela ne m'évoqua pas grand-chose. Meirieu but son café d'un trait.

— Comme son nom l'indique, la fondation est alimentée par deux familles. Les Hutchinson et les DeVille ont fait fortune en Californie après guerre en créant une société de courtage qui possède aujourd'hui des centaines d'agences à travers tout le continent américain.

Le journaliste continua à déchiffrer ses notes.

— La fondation a un rôle de mécénat dans l'art et la culture. Elle finance principalement des écoles, des universités et des musées : la St. Jean Baptiste High School, Berkeley, l'UCLA, le MoMa de San Francisco, le musée d'Art du comté de Los Angeles...

Meirieu remonta les manches de sa chemise en jean, qui lui collait tellement au corps qu'elle donnait l'impression d'être une seconde peau.

— Lors du dernier conseil d'administration de la fondation, une proposition inhabituelle a été mise au vote : pour la première fois, l'un des membres soumettait l'idée d'investir en dehors des États-Unis.

— C'était l'agrandissement et la rénovation du lycée Saint-Exupéry ?

— Exactement. Les débats ont été animés. En soi, le projet n'était pas inintéressant, mais il comportait des choses farfelues, comme la création près du lac d'une promenade appelée le Jardin des Anges.

— Stéphane m'a parlé d'une immense roseraie.

— Oui, c'est ça. L'intention du concepteur est d'en faire un lieu de recueillement dédié à la mémoire de Vinca Rockwell.

— C'est dingue, non ? Comment la fondation a-t-elle pu valider un tel délire ?

— Une grande partie du conseil d'administration était contre justement, mais l'une des deux familles n'est plus représentée que par une seule héritière. Celle-ci ayant une certaine fragilité psychiatrique, plusieurs administrateurs ne lui faisaient pas confiance. Statutairement, elle disposait pourtant d'un grand nombre de voix et elle a pu rallier à elle quelques suffrages pour l'emporter d'une courte majorité.

Je me massai les paupières. J'avais l'impression paradoxale de ne rien comprendre et en même temps de ne jamais avoir été aussi près du but. Je me levai pour aller chercher mon sac à dos. Il fallait que je vérifie quelque chose. À l'intérieur, je retrouvai le *yearbook* de l'année scolaire 1992-1993. Tandis que je tournais les pages, Meirieu termina ses explications :

— L'héritière qui a la haute main sur la fondation Hutchinson & DeVille s'appelle Alexis Charlotte DeVille. Je pense que vous la connaissez. Elle a enseigné à Saint-Ex lorsque vous y étiez élève.

Alexis DeVille... La prof si charismatique de littérature anglaise.

J'étais sidéré, les yeux rivés au portrait de celle que tout le monde appelait à l'époque Mlle DeVille. Même sur le *yearbook*, son prénom disparaissait derrière les initiales A.C. J'avais enfin trouvé Alexis. L'assassin de ma mère, de Francis. Celle qui avait cherché à tuer Maxime. Et celle qui, indirectement, avait précipité Vinca sur les voies de son destin funeste.

— Après plusieurs séjours , elle est revenue vivre six mois par an sur la Côte d'Azur, précisa Meirieu. Elle a racheté l'ancienne Villa Fitzgerald au Cap d'Antibes. Vous voyez où c'est ?

Je me ruai dehors avant de me rendre compte que je n'avais plus de voiture. J'hésitai à piquer le vélo du journaliste, mais, à la place, je descendis au sous-sol par le garage et soulevai la bâche en plastique qui protégeait ma vieille mobylette. Je m'installai sur la selle et, comme lorsque j'avais quinze ans, j'essayai de démarrer le 103 à la pédale.

Mais l'endroit était froid et humide et le moteur était grippé. Je trouvai la boîte à outils et revins vers le cyclo. Je retirai l'antiparasite, desserrai la bougie à l'aide d'une clé. Elle était noire, encrassée. Comme je l'avais fait des centaines de fois avant de partir au collège, je l'essuyai avec un vieux chiffon et la frottai au papier de verre avant de la remettre en place. Les gestes revenaient. Ils étaient gravés quelque part dans ma mémoire, souvenirs lointains d'une époque pourtant pas si lointaine où la vie me paraissait pleine de promesses.

J'essayai une nouvelle fois de démarrer la bécane. Il y avait un léger mieux, mais la mobylette ne tenait toujours pas le ralenti. J'enlevai la béquille, sautai sur la selle et me laissai glisser le long de la pente. Le moteur donna l'impression de s'étouffer, puis finit par pétarader. Je m'élançai sur la route en priant pour que la mob résiste quelques kilomètres. Je n'avais pas besoin de ralenti.

Richard

Les images cognent dans mon crâne. Insoutenables et irréelles. Plus insupportables que les pires cauchemars. Le visage de ma femme explosé, enfoncé, éclaté. Le beau visage d'Annabelle réduit à un masque de chair sanguinolente.

Je m'appelle Richard Degalais et je suis fatigué de vivre.

Si la vie est une guerre, je ne viens pas seulement d'encaisser un assaut. Dans les tranchées de l'existence, je viens de me faire cisailler le ventre à la baïonnette. Obligé de capituler sans condition dans la plus douloureuse des batailles.

Je reste immobile au milieu des particules d'or qui poudroient dans la lumière du salon. Désormais, ma maison est vide et le sera à jamais. J'ai du mal à admettre la réalité de cette épreuve. J'ai perdu Annabelle pour toujours. Mais quand l'ai-je vraiment perdue ? Il y a quelques heures sur une plage du Cap d'Antibes ? Il y a quelques années ? Ou plusieurs décennies ? Ou le plus juste serait-il de reconnaître que je n'ai pas vraiment perdu Annabelle puisqu'elle n'a jamais été à moi ?...

Je suis hypnotisé par le pistolet posé sur la table devant moi. Une arme dont j'ignore ce qu'elle fait là. Un Smith & Wesson avec une crosse en bois comme on en voit parfois dans les vieux films. Le barillet est plein : cinq cartouches de calibre 38. Je soupèse le flingue, éprouve le poids de sa carcasse d'acier. L'arme m'appelle. Une solution évidente et expéditive à tous mes problèmes. C'est vrai qu'à court terme, la perspective de la mort me soulage. Oubliées ces quarante années d'un mariage étrange pendant lesquelles j'ai vécu à côté de cette femme indéchiffrable qui disait « m'aimer à sa façon », signifiant précisément qu'elle ne m'aimait pas.

La vérité, c'est qu'Annabelle me tolérait et, à tout prendre, c'était déjà mieux que rien. Vivre avec elle me faisait souffrir, mais vivre sans elle m'aurait tué. Nous avions nos arrangements secrets qui me faisaient passer aux yeux du monde pour le mari volage – que j'étais, certes... – et qui la préservaient des ragots et des curieux. Rien ni personne n'avait de prise sur Annabelle. Elle échappait à toute classification, à toutes les normes, à toutes les convenances. C'est cette liberté qui me fascinait. Après tout, n'aime-t-on jamais autre chose en l'autre que son mystère ? Je l'aimais, mais son cœur n'était pas à prendre. Je l'aimais, mais je n'ai pas été capable de la protéger.

Je pose le canon du Chiefs Special sur ma tempe et tout à coup, je respire mieux. J'aimerais comprendre qui a mis cette arme sur mon chemin. Thomas, peut-être ? Ce fils qui n'est pas mon fils. Cet enfant qui, lui non plus, ne m'a jamais aimé. Je ferme les yeux et son visage apparaît, accompagnant des dizaines de souvenirs précis lorsqu'il était petit. Des images teintées d'émerveillement et de douleur. L'émerveillement devant cet enfant, intelligent, curieux et trop sage ; la douleur de savoir que je n'en étais pas le père.

Appuie un peu sur la détente si t'es un homme.

Ce n'est pas la peur qui me fait renoncer. C'est Mozart. Les trois notes de harpe et de hautbois qui me préviennent lorsque Annabelle m'envoie un SMS. Je sursaute. Je pose le flingue pour me précipiter sur mon téléphone. *Richard, tu as du courrier. A.*

Le message a bien été expédié à l'instant par le téléphone d'Annabelle. Sauf que c'est impossible puisqu'elle est morte et qu'elle avait laissé son portable à la maison. La seule explication, c'est donc qu'elle a programmé l'envoi de ce message texte avant de mourir.

Richard, tu as du courrier. A.

Du courrier ? Quel courrier ? Je consulte mes mails sur mon téléphone, mais ne repère rien de concluant. Je sors de la maison et descends l'allée de béton jusqu'à notre boîte aux lettres. À côté d'un prospectus pour une livraison de sushis à domicile, je trouve une épaisse enveloppe bleu ciel qui me fait penser aux lettres d'amour que nous échangions à une époque très lointaine. Je décachette la lettre qui n'est pas timbrée. Peut-être Annabelle l'a-t-elle déposée directement hier après-midi ou plus vraisemblablement est-ce un transporteur privé qui l'a apportée. Je lis la première phrase : *Richard, si tu reçois cette lettre, c'est que j'ai été tuée par Alexis DeVille.*

Je mets un temps infini pour lire les trois pages. Ce que j'y découvre me désarçonne et me bouleverse. C'est une confession *post mortem*. Et à sa manière, c'est aussi une sorte de lettre d'amour qui se termine ainsi : *À présent, c'est toi qui as le destin de notre famille entre tes mains. Tu es le dernier à avoir la force et le courage de protéger et de sauver notre fils.*

18

La jeune fille et la Nuit

> *À la fin nous avions des pièces*
> *du puzzle, mais, de quelque façon*
> *que nous les assemblions, des trous*
> *subsistaient [...], comme des pays*
> *que nous ne pouvions pas nommer.*
> Jeffrey EUGENIDES

1.

La mobylette avait rendu l'âme. Derrière mon guidon, je pédalais comme un dingue. En danseuse, debout, décollé de ma selle, comme si je me tapais l'ascension du mont Ventoux lesté d'un poids de cinquante kilos.

Située boulevard de Bacon, à l'orée du Cap d'Antibes, la Villa Fitzgerald apparaissait de la rue comme une sorte de bunker. Malgré son nom, elle n'avait jamais été habitée par l'écrivain américain, mais les légendes ont la vie dure, sur la Côte d'Azur comme ailleurs. Cinquante mètres avant mon point de destination, j'abandonnai le cyclomoteur sur le trottoir et enjambai la balustrade qui longeait le bord de mer. À cet endroit du Cap, les plages de sable blond cédaient la place à une côte déchiquetée et difficilement accessible. Des masses rocheuses escarpées, sculptées par le mistral, et des à-pics qui plongeaient dans la mer. Je crapahutai sur les rochers et, au risque de me rompre le cou, j'escaladai le versant abrupt qui permettait d'accéder à l'arrière de la villa.

Je fis quelques pas sur la plage en béton ciré de la piscine – un long rectangle céruléen surplombant la mer et se prolongeant par un escalier taillé dans la pierre qui descendait jusqu'à un petit ponton. Accroché à la falaise, le domaine Fitzgerald avait littéralement les pieds dans l'eau. La villa était l'une de ces bâtisses modernistes, construites pendant les Années folles, dont l'architecture balançait entre influence Art déco et touches méditerranéennes. Enduite de blanc, la façade géométrique était surmontée d'un toit plat agrémenté d'une terrasse protégée par une pergola. À cette heure de la journée, le ciel et la mer se confondaient en un même bleu éclatant : la couleur de l'infini.

Percée d'arcades, une galerie abritait un salon d'été. Je longeai le portique jusqu'à trouver une baie vitrée à demi ouverte qui me permit de m'introduire dans la maison.

Si l'on exceptait la vue sur la grande bleue plutôt que sur l'Hudson, la pièce principale ressemblait un peu à mon loft de TriBeCa : un espace épuré où chaque détail était soigné. Le genre d'endroit qu'on voyait en

photographie dans les magazines ou les blogs de décoration. Dans la bibliothèque, je retrouvai à peu près les
mêmes livres que chez moi, reflétant la même culture : classique, littéraire, internationale.

Il y régnait aussi cette propreté suspecte des inté-
rieurs dans lesquels ne vivent pas d'enfants. Cette
froideur un peu triste des habitations qui ne sont pas
irriguées par la substantifique moelle de la vie : les rires
des gamins, les peluches et les Lego dans tous les coins,
les miettes de biscuit collées sur et sous les tables...

— Décidément, ça devient une habitude dans votre
famille de vous jeter dans la gueule du loup.

Je fis volte-face pour me retrouver à dix mètres
d'Alexis DeVille. Je l'avais déjà aperçue, la veille, lors
de la cérémonie des cinquante ans de Saint-Ex. Elle
était vêtue simplement – un jean, un chemisier rayé,
un pull en V, une paire de Converse –, mais elle faisait
partie de ces gens qui ont de l'allure et de la distinction en toutes circonstances. Une prestance renforcée
par les trois molosses qui s'agitaient dans son sillage :
un doberman aux oreilles taillées, un american terrier
au poil fauve et un rottweiler à tête plate.

À la vue des chiens, tout mon corps se tendit. Je
regrettai d'être venu sans prendre de quoi me défendre.
J'avais quitté la maison de mes parents sur un coup de
tête, mû par la rage. Et puis j'avais toujours pensé que
mon arme, c'était mon cerveau. Une leçon que je tenais
de mon professeur, Jean-Christophe Graff, mais, en

repensant à ce qu'Alexis DeVille avait fait à ma mère, à Francis et à Maxime, je me dis que j'avais eu tort d'être si impulsif.

À présent que j'étais remonté à la source de la vérité, je me sentais démuni. Au fond, je n'attendais rien de la bouche d'Alexis DeVille. N'avais-je pas déjà tout compris ? Si tant est qu'on puisse comprendre quoi que ce soit au sentiment amoureux... Pourtant, je me représentais assez bien l'éblouissement mutuel que ces deux femmes, intelligentes, libres et belles, avaient dû ressentir à l'époque. L'excitation de la complicité intellectuelle, l'ivresse des corps, le vertige de la transgression. Même si ça me gênait, Alexis DeVille et moi-même n'étions pas si différents. Nous avions aimé la même fille il y a vingt-cinq ans et nous ne nous en étions jamais remis.

Grande, élancée, une peau parfaite et lisse qui interdisait de lui donner un âge, Alexis DeVille avait rassemblé ses cheveux en chignon. Elle semblait certaine de maîtriser la situation. Ses chiens ne me quittaient pas des yeux, mais elle se payait le luxe de me tourner le dos et contemplait les clichés accrochés un peu partout sur les murs. Les fameuses photos sensuelles de Vinca dont m'avait parlé Dalanegra. Avec un tel modèle, le photographe s'était surpassé. Il avait parfaitement saisi la beauté trouble et enivrante de la jeune femme. Le côté éphémère de sa jeunesse. *Ce que vivent les roses...*

2.

Je décidai de passer à l'attaque.

— Vous vous faites croire que vous aimez toujours Vinca, mais c'est faux. On ne tue pas les gens qu'on aime.

DeVille s'arracha de la contemplation des photographies pour me toiser de son regard glacé, avec mépris.

— Je pourrais facilement vous répondre que tuer quelqu'un est parfois l'acte d'amour le plus absolu. Mais là n'est pas le problème. Ce n'est pas moi qui ai tué Vinca, c'est vous.

— Moi ?

— Vous, votre mère, Fanny, Francis Biancardini et son fils… À un degré ou à un autre, vous êtes tous responsables. Tous coupables.

— C'est Ahmed qui vous a raconté ça, n'est-ce pas ?

Elle avança vers moi, escortée par ses cerbères. Je pensai à Hécate, la déesse de l'ombre de la mythologie grecque, toujours accompagnée d'une meute de chiens hurlant à la lune. Hécate qui régnait en maître sur les cauchemars, les désirs refoulés, les territoires de l'esprit où les hommes et les femmes sont le plus impurs et le plus fragiles.

— Malgré les témoignages incontestables, je n'ai jamais cru que Vinca se soit enfuie avec ce type, s'anima Alexis. Pendant des années, j'ai traqué la vérité. Et par un acte cruel du destin, c'est au moment où je ne l'attendais plus qu'elle m'a été servie sur un plateau.

Les chiens s'agitaient et grognaient dans ma direction. La panique commençait à me gagner. La vue des animaux me paralysait. J'essayais de ne pas les fixer dans les yeux, mais ils sentaient forcément mon malaise.

— C'était il y a un peu plus de sept mois, précisa Alexis. Au rayon fruits et légumes d'un supermarché. Ahmed m'a reconnue alors que j'étais en train de faire mes courses. Et il a demandé à me parler. La nuit de la mort de Vinca, Francis l'avait envoyé récupérer certaines de ses affaires et nettoyer la chambre pour effacer toutes les traces qui auraient pu vous compromettre. En inspectant les poches d'un manteau, il était tombé sur une autre lettre et une photo. Lui seul avait compris dès le début qu'Alexis, c'était moi. Un secret que cet abruti a gardé pendant vingt-cinq ans.

Derrière son calme apparent, je devinais sa rage et sa colère.

— Ahmed avait besoin d'argent pour rentrer chez lui, et moi je voulais ces informations. Je lui ai donné cinq mille euros et il m'a tout balancé : les deux corps emmurés dans le gymnase, l'horreur de cette nuit de décembre 1992 qui a ensanglanté Saint-Exupéry, l'impunité de votre camp.

— Il ne suffit pas de se répéter une histoire pour qu'elle devienne vraie. Il n'y a qu'une seule responsable de la mort de Vinca et c'est vous. Le coupable d'un crime n'est pas toujours celui ou celle qui a tenu l'arme et vous le savez bien.

Pour la première fois, le visage d'Alexis DeVille se contracta sous l'effet de la contrariété. Comme répondant à un ordre intérieur de leur déesse, les trois chiens s'approchèrent et m'encerclèrent. Une suée soudaine me glaça le bas des reins. Ma peur devenait incontrôlable. Généralement, je parvenais à ne pas laisser la phobie s'installer, à me raisonner et à me dire que mes craintes étaient irrationnelles et exagérées. Sauf que, dans ce cas précis, les chiens étaient féroces et dressés à attaquer. Malgré la peur, je continuai :

— Je me souviens de vous à l'époque. Du magnétisme et de l'aura que vous dégagiez. Tous les élèves vous admiraient. Moi le premier. Une jeune professeure de trente ans, brillante, belle, qui respectait ses élèves et savait les tirer vers le haut. En hypokhâgne, toutes les filles voulaient vous ressembler. Vous étiez le symbole d'une certaine liberté et d'une certaine indépendance. Pour moi, vous représentiez la victoire de l'intelligence sur la médiocrité du monde. L'équivalent féminin de Jean-Christophe Graff et…

À l'évocation de mon ancien professeur, elle partit dans un mauvais éclat de rire.

— Ah ! Ce pauvre Graff ! Un abruti lui aussi, mais dans un autre genre : un abruti cultivé. Lui non plus n'avait rien deviné. Pendant des années, il m'a poursuivie de ses assiduités. Il m'écrivait des vers et des lettres enflammées. Il m'idéalisait comme vous idéalisiez Vinca. C'est le propre des hommes comme vous. Vous prétendez aimer les femmes, mais vous ne nous connaissez pas et vous ne cherchez pas à nous connaître. Vous ne nous écoutez pas et vous ne voulez pas nous entendre. Pour vous, nous ne sommes que des supports à vos rêvasseries romantiques !

Pour appuyer ses dires, elle cita Stendhal et son processus de cristallisation amoureuse : « Au moment où vous commencez à vous occuper d'une femme, vous ne la voyez plus *telle qu'elle est réellement*, mais telle qu'il vous convient qu'elle soit. »

Mais je n'allais pas la laisser s'en tirer avec ses raisonnements d'intello. Elle avait détruit Vinca en l'aimant, et je voulais qu'elle l'admette.

— Contrairement à ce que vous dites, je connaissais Vinca. En tout cas, avant qu'elle vous rencontre. Et je n'ai pas le souvenir d'une fille qui buvait ou qui se gavait de médocs. Vous avez tout fait pour asseoir votre emprise mentale sur elle, et vous avez réussi. C'était une proie facile pour vous : une jeune fille exaltée qui découvrait le plaisir et la passion.

— Je l'ai pervertie, c'est ça ?

— Non, je pense que vous l'avez poussée dans la dope et dans l'alcool parce que ça altérait son jugement et qu'elle devenait manipulable.

Crocs apparents, les chiens me frôlaient et reniflaient mes mains. Le doberman colla sa gueule sur le haut de ma cuisse, m'obligeant à reculer jusqu'au dossier d'un canapé.

— Je l'ai poussée dans les bras de votre père parce que c'était la seule solution pour que nous puissions avoir un enfant.

— La vérité, c'est que cet enfant, c'est vous qui le vouliez. Et vous *seule* !

— Non ! Vinca le voulait aussi !

— Dans ces conditions-là ? J'en doute.

Alexis DeVille s'enflamma :

— Vous ne pouvez pas nous juger. Aujourd'hui, l'aspiration des couples de femmes à avoir des enfants est admise, acceptée, souvent respectée. Les mentalités ont changé, les lois ont évolué, la science a progressé. Mais, au début des années 1990, tout cela était nié, rejeté.

— Vous aviez de l'argent, vous auriez pu faire autrement.

Elle protesta :

— Je n'avais rien du tout, justement ! Les vrais progressistes ne sont pas ceux que l'on croit. La prétendue tolérance des DeVille de Californie n'est qu'apparence. Les membres de ma famille sont tous hypocrites, lâches et cruels. Ils désapprouvaient ma façon de vivre et mon orientation sexuelle. À l'époque, ils m'avaient coupé les vivres depuis des années. En ciblant votre père, nous faisions d'une pierre deux coups : l'enfant et l'argent.

Notre discussion tournait à vide. Nous restions chacun sur nos positions. Peut-être parce qu'il était vain de chercher une responsabilité. Peut-être parce que nous étions tous les deux coupables et innocents, victimes et bourreaux. Peut-être parce que la seule vérité était de reconnaître qu'il y avait eu, en 1992, au lycée Saint-Exupéry de Sophia Antipolis, une fille fascinante qui rendait dingues ceux qu'elle laissait entrer dans sa vie. Parce que, quand vous étiez avec elle, vous aviez l'illusion folle que son existence même était une réponse à cette question que nous nous posons tous : comment traverser la nuit ?

3.

L'air était saturé d'une tension malsaine. Les trois chiens m'avaient maintenant acculé contre le mur et ne doutaient plus désormais qu'ils avaient pris le dessus. Je sentais le danger imminent, les battements de mon cœur, ma chemise que la transpiration collait à ma peau, la marche inéluctable vers la mort. D'un seul geste, d'une seule parole, DeVille avait le pouvoir de mettre fin à ma vie. À présent que j'étais arrivé au bout de mon enquête, je me rendais compte que l'alternative se résumait à un choix : tuer ou être tué. Malgré la peur, je continuai :

— Vous auriez pu vous débrouiller pour adopter un enfant ou pour en porter un vous-même.

Habitée d'un fanatisme destructeur et exalté, elle se rapprocha très près de moi et pointa un index menaçant à quelques centimètres de mon visage.

— Non ! Je voulais un bébé *de* Vinca. Un enfant qui ait ses gènes, sa perfection, sa grâce, sa beauté. Un prolongement de notre amour.

— Je suis au courant pour les ordonnances de Rohypnol que vous lui fournissiez grâce au Dr Rubens. C'est un drôle d'amour que celui qui, pour s'épanouir, a besoin de maintenir l'autre dans la toxicomanie, vous ne trouvez pas ?

— Espèce de sale petit…

DeVille en perdait ses mots. Elle-même avait de plus en plus de mal à contenir l'agressivité des chiens. Ma poitrine se serra, je sentis une pointe au cœur et fus pris d'un étourdissement. J'essayai de l'ignorer et j'enfonçai le clou :

— Vous savez quelle est la dernière phrase que Vinca a prononcée avant de mourir ? Elle m'a dit : *Alexis m'a forcée, je ne voulais pas coucher avec lui.* Pendant vingt-cinq ans, je me suis mépris sur le sens de cette phrase et cela a coûté la vie à un homme. Mais je sais aujourd'hui ce qu'elle signifiait : « Alexis DeVille m'a forcée à coucher avec ton père, mais je ne voulais pas le faire. »

J'avais du mal à respirer. Tout mon corps tremblait. Pour fuir ce cauchemar, j'avais l'impression que la seule échappatoire aurait été de me dédoubler.

— Vous voyez, Vinca est morte en sachant perti-
nemment quelle ordure vous étiez. Et vous aurez beau
faire construire mille Jardins des Anges, vous ne par-
viendrez pas à réécrire l'histoire.

Ivre de rage, Alexis DeVille donna le signal de
l'assaut.

C'est l'american terrier qui attaqua en premier. La
puissance explosive du chien me fit basculer en arrière.
Alors que je m'écroulais sur le parquet, ma tête heurta
le mur, puis le coin tranchant d'une chaise en métal.
Je sentis les crocs s'enfoncer dans mon cou, cherchant
la carotide. J'essayai de repousser le molosse, sans y
parvenir.

Il y eut trois coups de feu. Le premier dégomma le
chien qui était en train de me déchiqueter la nuque
et fit fuir ses deux acolytes. Les deux suivants furent
tirés alors que j'étais encore au sol. Le temps que
je reprenne mes esprits, j'aperçus le corps d'Alexis
DeVille qui avait valsé près de la cheminée dans un
tourbillon de sang. Je tournai la tête en direction de la
baie vitrée. La silhouette de Richard se découpait en
contre-jour.

— Ça va aller, Thomas, m'assura-t-il d'une voix
réconfortante.

La même qu'il prenait lorsque j'avais six ans et que
je faisais des cauchemars la nuit. Sa main n'avait pas
tremblé. Elle tenait fermement la crosse en bois du
Smith & Wesson de Francis Biancardini.

Mon père m'aida à me relever en restant aux aguets au cas où un des cerbères reviendrait nous attaquer. Lorsqu'il posa la main sur mon épaule, je redevins quelques instants ce gamin de six ans. Et je pensai à cette espèce en voie d'extinction qui rassemblait les hommes de la génération précédente, comme Francis et lui. Des hommes rocailleux, anguleux, avec un système de valeurs d'un autre âge. Des hommes sur qui on crachait aujourd'hui, parce qu'on trouvait leur virilité honteuse et arriérée. Mais des hommes que par deux fois j'avais été heureux de croiser sur ma route. Car ils n'avaient pas hésité à se salir les mains pour me sauver la vie.

En les plongeant au fond d'un grand bain de sang.

Épilogue(s)
Après la Nuit

La malédiction des gentils

Les jours qui suivirent la mort d'Alexis DeVille et l'arrestation de mon père figurent parmi les plus étranges de ma vie. Chaque matin, j'étais persuadé que les investigations de la police allaient déboucher sur la réouverture de l'enquête concernant la disparition de Vinca et de Clément. Mais, depuis sa cellule, mon père réussit à circonscrire le danger avec maestria. Il prétendit avoir entamé depuis quelques mois une relation amoureuse avec Alexis DeVille. Sa femme, expliqua-t-il, avait découvert sa liaison et était allée voir sa maîtresse armée d'un fusil. Se sentant en danger, Alexis s'était défendue et avait éliminé ma mère avant d'être elle-même tuée par mon père. Le scénario tenait la route. Il fournissait des mobiles clairs et crédibles à tous les protagonistes. Son premier mérite était de cantonner ces meurtres à la sphère « passionnelle ». L'avocat de mon père salivait à l'avance à la perspective du procès. La violence du meurtre de ma mère par Alexis DeVille – ainsi que

393

ses antécédents psychiatriques et l'épisode des chiens qui m'avaient attaqué – faisait presque passer l'acte de mon père pour une vengeance légitime et ouvrait la porte non pas à son acquittement, mais à une peine légère. Surtout, l'hypothèse du crime passionnel avait l'avantage de ne pas relier cet épisode à Vinca ni à Clément.

Mais cet enchaînement de circonstances me paraissait trop beau pour être vrai.

★

Pendant quelques semaines, je crus pourtant que la chance allait continuer à nous sourire. Maxime était sorti du coma et son état de santé s'améliorait de façon spectaculaire. En juin, il fut élu député et son nom fut parfois évoqué dans la presse pour un poste de secrétaire d'État. L'enquête sur son agression avait sanctuarisé la zone aux alentours du gymnase qui était devenue une scène de crime. La démolition ne commença donc pas à la date prévue. Puis, lorsque le *board* de la fondation Hutchinson & DeVille décida, au vu des circonstances, de retirer sa dotation au lycée Saint-Exupéry, les travaux furent renvoyés aux calendes grecques et la direction se mit à développer un discours aux antipodes de celui qu'elle avait tenu jusqu'alors. Sous couvert d'arguments écologiques et culturels, les représentants de Saint-Ex insistèrent sur les dangers qu'il y aurait à modifier un tel site naturel, qui perdrait nécessairement une partie de son âme à laquelle tous les acteurs éducatifs étaient attachés. CQFD.

★

Fanny avait repris contact avec moi dès l'annonce de l'arrestation de mon père. À l'hôpital, nous avions passé toute une soirée dans la chambre de Maxime encore inconscient à nous raconter l'entière vérité sur la nuit de 1992. Apprendre qu'elle n'était pas responsable de la mort de Vinca lui avait permis de reprendre sa vie en main. Peu après, elle avait quitté Thierry Sénéca et avait appelé une clinique de fertilité à Barcelone pour se lancer dans une fécondation *in vitro*. Depuis que Maxime allait mieux, nous nous retrouvions souvent autour de lui, à l'hôpital.

Pendant quelques jours, je crus réellement que nous allions échapper tous les trois au destin tragique auquel la présence des deux cadavres emmurés nous condamnait. Pendant quelques jours, je crus vraiment que nous avions réussi à triompher de cette malédiction des gentils.

Mais c'était sans compter la trahison de celui auquel j'avais eu le tort d'accorder ma confiance : Stéphane Pianelli.

★

— Ça ne va pas te faire plaisir, mais je vais publier un livre qui racontera la vérité sur la mort de Vinca Rockwell, m'annonça tranquillement le journaliste, un soir de la fin juin, alors que nous étions assis au comptoir d'un pub du vieil Antibes où il m'avait invité à prendre un pot.

— Quelle vérité ?

— La seule et l'unique, répondit Pianelli, imperturbable. Nos concitoyens ont le droit de savoir ce qui est arrivé à Vinca Rockwell et à Alexis Clément. Les parents d'élèves de Saint-Ex ont le droit de savoir qu'ils inscrivent leurs enfants dans un établissement où deux corps sont emmurés depuis vingt-cinq ans.

— Enfin, Stéphane, si tu fais ça, tu nous envoies tous en prison : Fanny, Maxime et moi.

— La vérité doit éclater, assena-t-il en tapotant le comptoir de la paume de la main.

Puis il partit dans une grande tirade et, noyant le poisson, me parla d'une caissière qui avait perdu son emploi à cause d'une erreur de quelques euros et du laxisme dont, d'après lui, les tribunaux faisaient preuve envers les hommes politiques ou les patrons. Il embraya avec son éternel discours – le même qu'il ressassait depuis la fin du lycée – sur la lutte des classes et le système capitaliste, *outil d'asservissement au service des actionnaires.*

— Mais enfin, Stéphane, quel rapport avec nous ?

Il me défia du regard avec un mélange de gravité et de jubilation. Comme si, depuis le premier jour, il avait espéré se retrouver dans ce rapport de force. Et je sentis, pour la première fois peut-être, à quel point Pianelli nourrissait une haine viscérale envers ce que nous représentions.

— Vous avez tué deux personnes. Il faut que vous payiez pour ça.

Je bus une gorgée de ma bière et essayai de prendre un air détaché.

— Je ne te crois pas. Tu n'écriras jamais ce livre.

Il prit alors dans sa poche une enveloppe épaisse qu'il me tendit. Un contrat qu'il venait de signer avec une maison d'édition parisienne pour la parution prochaine d'un document intitulé : *Une étrange affaire. La vérité sur Vinca Rockwell.*

— Tu n'as aucune preuve de ce que tu avances, mon pauvre. Tu vas griller ta crédibilité de journaliste avec ce livre.

— Les preuves, elles sont dans le gymnase, fit-il en ricanant. Lorsque le livre sortira, compte sur moi pour rameuter les parents d'élèves. La pression sera tellement forte que la direction ne pourra faire autrement que d'abattre le mur.

— Les meurtres de Vinca et d'Alexis Clément sont prescrits.

— Peut-être, bien que ce soit très discutable en droit, mais le meurtre de ta mère et celui d'Alexis

DeVille ne le sont pas. La justice va s'en saisir et fera le lien entre tous ces assassinats.

Je connaissais l'éditeur. Ce n'était pas une maison très prestigieuse ni très rigoureuse, mais elle avait les moyens d'assurer au livre une forte publicité. Si Pianelli sortait vraiment son bouquin, il allait avoir un effet dévastateur.

— Je ne comprends pas pourquoi tu nous condamnes, Stéphane. Pour avoir ton petit moment de gloire, c'est ça ? Ça ne te ressemble pas.

— Je fais mon boulot, c'est tout.

— Ton boulot, c'est de trahir tes amis ?

— Arrête, mon boulot, c'est d'être journaliste, et on n'a jamais été amis.

Je pensai à la fable du scorpion et de la grenouille. «Pourquoi m'as-tu piquée ? demande la grenouille au scorpion en plein milieu de la rivière. Par ta faute nous allons mourir tous les deux. — Parce que c'est dans ma nature», lui répond le scorpion.

Le journaliste commanda une nouvelle pression et enfonça le couteau dans la plaie.

— C'est une histoire vraiment fascinante ! Les Borgia version moderne ! Tu paries qu'ils en feront une série pour Netflix ?

Je regardais ce tâcheron se réjouir de la destruction de ma famille et j'avais envie de le tuer.

— Je comprends pourquoi Céline t'a quitté, dis-je. Parce que tu es un pauvre type, une sombre merde…

Pianelli essaya de me balancer sa chope de bière au visage, mais je fus plus rapide que lui. Je reculai d'un pas, lui assenai un direct en plein visage et un uppercut dans le foie qui le fit tomber à genoux.

Lorsque je quittai le bar dans la nuit, mon adversaire était à terre, mais c'était moi qui avais perdu. Et cette fois, je n'avais plus personne pour me protéger.

Jean-Christophe

Antibes, le 18 septembre 2002

Mon cher Thomas,
Après de trop longs mois de silence, je vous écris pour vous dire au revoir. En effet, lorsque ces lignes auront traversé l'Atlantique, j'en aurai fini de mon existence terrestre.

Avant de disparaître, je tenais à vous saluer une dernière fois. Et à vous réaffirmer combien j'ai été heureux d'être votre professeur et combien je me remémore avec bonheur nos discussions et tous les moments que nous avons passés ensemble. Vous avez été le meilleur élève de ma carrière, Thomas. Pas le plus brillant, pas celui qui obtenait les meilleures notes, mais assurément le plus généreux, le plus sensible, le plus humain, le plus attentif aux autres.

Surtout, ne soyez pas triste ! Je m'en vais, car je n'ai plus la force de continuer. Soyez certain que ce n'est pas par manque de courage, mais parce que la vie m'envoie une épreuve que je ne peux endurer. Et que la mort s'est imposée comme la seule porte de sortie honorable de l'enfer dans lequel je suis tombé. Même les livres, mes fidèles compagnons, ne peuvent plus aujourd'hui me maintenir la tête hors de l'eau.

Mon drame est terriblement banal, mais son insignifiance n'en atténue pas la douleur. Pendant des années, j'ai aimé secrètement une femme sans oser m'en ouvrir à elle de peur qu'elle ne me rejette. Longtemps, mon seul oxygène fut de la regarder vivre, sourire, parler. Notre complicité intellectuelle me semblait sans égale et l'impression que j'avais parfois que nos sentiments étaient réciproques m'a gardé en vie lorsque j'allais mal.

J'avoue avoir quelquefois repensé à votre théorie sur la malédiction des gentils et avoir naïvement espéré la faire mentir, mais la vie ne m'a pas renvoyé l'ascenseur.

J'ai malheureusement compris ces dernières semaines que cet amour ne serait jamais réciproque et que cette personne n'était sans doute pas celle que je croyais. Je ne serai décidément pas de ceux qui parviennent à forcer leur destin.

Prenez soin de vous, mon cher Thomas, et surtout ne soyez pas triste à cause de moi ! Je serais incapable de vous prodiguer des conseils, mais choisissez bien vos batailles. Toutes ne méritent pas d'être menées. Sachez parfois vous raccrocher aux autres et réussissez là où j'ai échoué, Thomas. Investissez-vous dans la vie parce que la solitude nous tue.

Je voudrais vous souhaiter bonne chance pour la suite. Je ne doute pas une seconde que vous saurez réussir là où j'ai failli : la quête d'une âme sœur pour affronter les turbulences de l'existence. Car, comme l'a écrit l'un de nos écrivains préférés, « il n'est rien de pire que d'être seul parmi les humains ».

Gardez votre exigence. Gardez ce qui a fait de vous un garçon différent des autres. Et protégez-vous des cons. Dans la lignée des stoïciens, n'oubliez pas que la meilleure manière de vous défendre d'eux, c'est d'éviter de leur ressembler.

Et, même si mon destin semble témoigner du contraire, je reste persuadé que nos faiblesses sont nos plus grandes forces.

Je vous embrasse.

Jean-Christophe Graff

La maternité

Antibes, clinique Jeanne-d'Arc
Le 9 octobre 1974

Francis Biancardini poussa doucement la porte de la chambre. Les rayons orangés du soleil automnal se déversaient à travers les portes-fenêtres ouvrant sur le balcon. En cette fin d'après-midi, le calme de la maternité n'était troublé que par la rumeur lointaine de la sortie des écoles.

Francis s'avança dans la chambre. Ses bras étaient chargés de cadeaux : un ours en peluche pour son fils Thomas, un bracelet pour Annabelle, deux paquets de *biscotti* et un pot de cerises amarena pour les infirmières qui s'étaient si bien occupées d'eux. Il posa ses présents sur le plateau à roulettes en essayant de faire le moins de bruit possible pour ne pas réveiller Annabelle.

Lorsqu'il se pencha sur le berceau, le nouveau-né le dévisagea avec son regard neuf.

— Comment tu vas, toi ?

Il prit le bébé dans ses bras avant de s'installer sur une chaise et d'apprécier ce moment à la fois magique et solennel qui suit la naissance d'un enfant.

Il éprouvait une joie profonde mâtinée de regrets et d'impuissance. Lorsque Annabelle quitterait la clinique, elle ne rentrerait pas avec lui à la maison. Elle retournerait auprès de son mari, Richard, qui serait le père légal de Thomas. Une situation inconfortable, dont il était bien obligé de s'accommoder. Annabelle était la femme de sa vie, mais c'était aussi un être hors normes. Une grande amoureuse qui avait une vision très personnelle de l'engagement et qui mettait l'amour au-dessus de tout.

Francis avait fini par se laisser convaincre de ne pas révéler leur relation. « C'est aussi la clandestinité de notre amour qui en fait le prix, lui assurait-elle. Exposer son amour aux yeux du monde le rend commun et lui fait perdre de son mystère. » Lui y voyait un autre avantage : camoufler ce qu'il avait de plus précieux à ses ennemis potentiels. Inutile de montrer au monde ce à quoi nous tenons vraiment, car cela nous rend trop vulnérables.

★

Francis soupira. Le personnage de blaireau qu'il s'amusait à jouer était une mascarade. À part Annabelle, personne ne le connaissait vraiment. Personne ne savait la violence et l'instinct de mort qu'il portait en lui. Cette fureur s'était déchaînée pour la première fois en 1961 à Montaldicio lorsqu'il avait quinze ans. C'était un soir d'été, près de la fontaine de la place. Les jeunes du village s'étaient alcoolisés. L'un d'eux s'était approché trop près d'Annabelle. Elle l'avait repoussé plusieurs fois, mais le type avait continué à la toucher. Francis était jusqu'alors resté à l'écart. Les gars étaient plus âgés que lui. C'étaient des peintres et des vitriers de Turin qui étaient venus construire et réparer des serres dans une propriété du village. Puis, quand il avait compris que personne n'interviendrait, il s'était rapproché du groupe et avait demandé au type de déguerpir. À cette époque, il n'était pas très grand et pouvait même donner l'impression d'être un peu lourdaud. Lorsqu'on lui avait ri au nez, il avait attrapé l'agresseur à la gorge et lui avait balancé un crochet au visage. Malgré son physique, il avait une force de taureau et était habité par la rage. Une fois qu'il avait commencé, il avait continué à frapper le jeune ouvrier sans que personne parvienne à lui faire lâcher sa proie. Depuis tout petit, il avait des problèmes d'élocution qui l'avaient toujours dissuadé de parler à Annabelle. Les mots restaient bloqués dans sa gorge. Alors, ce soir-là, il parla avec ses poings. En fracassant la tête de ce pauvre type, il envoyait un message à Annabelle qui disait : *avec moi, personne ne te fera jamais de mal.*

Lorsqu'il en eut fini, le type était inconscient, le visage en sang, la bouche pleine de ses propres dents.

L'affaire avait causé un grand émoi dans la région. Dans les jours qui avaient suivi, les carabiniers avaient cherché à interroger Francis, mais il avait quitté l'Italie pour la France.

Lorsqu'il avait retrouvé Annabelle, des années plus tard, elle l'avait remercié de l'avoir défendue, mais elle lui avait avoué qu'elle avait peur de lui. Ils s'étaient rapprochés malgré tout et, grâce à elle, il était parvenu à domestiquer sa violence.

Alors qu'il berçait son fils, Francis se rendit compte que le bébé s'était endormi. Il osa déposer un baiser sur le front de Thomas. Douce et enivrante, l'odeur du bébé le bouleversa, lui rappela à la fois des effluves de pain au lait et de fleur d'oranger. Entre ses bras, Thomas était minuscule. La sérénité qui émanait de son beau visage était porteuse de promesses pour l'avenir. Mais cette petite merveille paraissait si fragile.

Francis se rendit compte qu'il pleurait. Pas parce qu'il était triste, mais parce que cette fragilité le terrifiait. Il essuya une larme qui coulait sur sa joue et, avec toute la délicatesse dont il était capable, reposa Thomas dans son berceau sans le réveiller.

★

Il ouvrit la porte coulissante de la baie vitrée et sortit sur la terrasse tropézienne de la chambre d'hôpital. Il tira son paquet de Gauloises de la poche de son blouson, alluma une tige et, sur un coup de tête, décida que ce serait sa dernière cigarette. À présent qu'il avait charge de famille, il devait se préserver. Pendant combien de temps les fils ont-ils besoin de leur père ? Quinze ans ? Vingt ans ? Toute leur vie ? Alors qu'il inhalait la fumée âcre du tabac, il ferma les yeux pour mieux profiter des derniers rayons de soleil qui se frayaient un chemin dans le feuillage d'un grand tilleul.

La naissance de Thomas l'investissait d'une responsabilité lourde, mais qu'il était prêt à exercer.

Élever un enfant, le protéger était un combat de très longue haleine qui nécessitait une vigilance de tous les instants. Le pire pouvait survenir sans s'annoncer. Il ne fallait jamais relâcher son attention. Francis ne se déroberait pas. Il avait le cuir épais.

Le bruit de la baie qui coulissait sortit Francis de ses pensées. Il se retourna pour voir Annabelle qui avançait vers lui, le sourire aux lèvres. Lorsqu'elle se réfugia dans ses bras, il sentit toutes ses craintes s'évaporer. Alors que la brise tiède les enveloppait, Francis se dit que tant qu'Annabelle resterait auprès de lui, il saurait faire face à tout. La force brute n'est rien sans l'intelligence. Ensemble, ils auraient toujours un coup d'avance sur le danger.

Un coup d'avance sur le danger

Malgré la menace que faisait planer sur nous le livre de Pianelli, Maxime, Fanny et moi avons continué à vivre comme si elle n'existait pas. Nous avions passé l'âge de vivre dans la peur. Passé l'âge de vouloir convaincre ou nous justifier. Nous nous étions promis une seule chose : quoi qu'il arrive, désormais, nous ferions face ensemble.

Au jour le jour, nous profitions les uns des autres en guettant une tempête dont je gardais le secret espoir qu'elle ne déferlerait jamais.

Quelque chose avait changé en moi et m'avait donné une nouvelle assurance. L'inquiétude qui me bouffait à petit feu avait disparu. Les nouvelles racines que je m'étais découvertes faisaient de moi un autre homme. J'avais des regrets bien sûr : celui de ne m'être réconcilié avec ma mère qu'à travers sa mort, celui d'avoir attendu que Richard se retrouve en prison pour me sentir proche de lui. Le regret aussi de n'avoir jamais discuté avec Francis en sachant qui il était vraiment.

Les itinéraires de mes trois « parents » me donnaient à réfléchir.

Leurs parcours étaient singuliers, traversés par la souffrance, les emballements, les contradictions. Ils avaient parfois manqué de courage, mais parfois fait preuve d'un sens du sacrifice qui forçait le respect. Ils avaient vécu, ils avaient aimé, ils avaient tué. Ils s'étaient quelquefois perdus dans leurs passions, mais ils avaient sans doute essayé de faire de leur mieux. De leur mieux pour ne pas avoir un destin ordinaire. De leur mieux pour concilier aventure personnelle et sens des responsabilités. De leur mieux aussi pour décliner le mot famille selon une grammaire qui leur était propre.

Être issu de cette lignée me forçait non pas à les imiter, mais à défendre cet héritage et à en accepter certaines leçons.

Il était vain de nier la complexité des sentiments et des êtres humains. Nos vies étaient multiples, souvent indéchiffrables, minées par des aspirations contraires. Nos vies étaient fragiles, à la fois précieuses et insignifiantes, baignant tantôt dans les eaux glacées de la solitude, tantôt dans le filet tiède d'une fontaine de Jouvence. Nos vies surtout n'étaient jamais vraiment sous contrôle. Un rien pouvait les faire basculer. Une parole murmurée, un regard qui pétille, un sourire qui s'attarde pouvait nous élever ou nous précipiter dans le néant. Et malgré cette incertitude, nous n'avions d'autre choix que de faire semblant de maîtriser ce chaos en espérant que les inflexions de nos cœurs sauraient trouver leur place dans les desseins secrets de la Providence.

★

Le soir du 14 juillet, pour fêter la sortie de l'hôpital de Maxime, nous nous étions tous réunis dans la maison de mes parents. Olivier, Maxime, leurs petites filles, Fanny et même Pauline Delatour qui s'était révélée être une fille intelligente et drôle avec laquelle je m'étais réconcilié. J'avais fait griller des steaks au barbecue et préparé des hot-dogs pour faire plaisir aux enfants. On avait débouché une bouteille de nuits-saint-georges, puis on s'était installés sur la terrasse pour regarder le feu d'artifice tiré depuis la baie d'Antibes. Le spectacle venait de débuter lorsque retentit le carillon de l'entrée.

J'abandonnai mes invités et j'allumai l'éclairage extérieur avant de descendre l'allée jusqu'au portail. Stéphane Pianelli m'attendait derrière la grille. Il n'avait pas l'air très frais : les cheveux longs, la barbe fournie, les yeux cernés et injectés de sang.

— Qu'est-ce que tu veux, Stéphane ?

— Salut, Thomas.

Son haleine puait l'alcool.

— Tu me laisses entrer ? demanda-t-il en agrippant les barreaux de la grille en fer forgé.

Cette grille que je n'ouvrirais pas symbolisait la barrière qui existerait désormais toujours entre nous. Pianelli était un traître. Jamais il ne serait des nôtres.

— Va te faire foutre, Stéphane.

— J'ai une bonne nouvelle pour toi, l'artiste. Je ne vais pas te faire concurrence en publiant mon livre !

Il sortit de sa poche une feuille pliée en quatre qu'il me tendit à travers les barreaux.

— Ta mère et Francis étaient vraiment deux beaux enfoirés ! lança le journaliste. Une chance que j'ai retrouvé cet article avant que mon livre ne sorte. J'aurais eu l'air trop con !

Je dépliai le papier alors que les pétards et les fusées des feux d'artifice éclataient dans le ciel. C'était la photocopie d'un vieil article de *Nice-Matin* daté du 28 décembre 1997. Cinq ans après le drame.

Vandalisme et dégradations
au lycée Saint-Exupéry

L'établissement de la technopole de Sophia Antipolis a été la cible d'actes de vandalisme dans la nuit de Noël. Les dégradations les plus importantes ont eu lieu dans le gymnase du lycée international.

C'est le matin du 25 décembre que l'étendue des dégâts a été découverte par la directrice des classes préparatoires, Mme Annabelle Degalais. De nombreux tags et inscriptions injurieuses s'étalaient sur les murs de la salle de sport. Le ou les vandales ont également brisé plusieurs vitres, vidé les extincteurs et dégradé les portes des vestiaires.

Pour la directrice – qui a déposé plainte –, il ne fait aucun doute que ces individus sont extérieurs à l'internat.

La gendarmerie a ouvert une enquête et a procédé aux vérifications d'usage. En attendant la suite des investigations, la direction de la cité scolaire a d'ores et déjà entrepris le nettoyage et les travaux nécessaires pour que le gymnase soit remis en l'état dès la rentrée des élèves le 5 janvier prochain.

Claude Angevin

L'article était accompagné de deux photos. Sur la première, on pouvait constater l'étendue des dégradations qui avaient touché le gymnase : le mur tagué, l'extincteur qui gisait sur le sol, les vitres brisées.

— On ne retrouvera jamais les corps de Vinca et de Clément, ragea Pianelli. C'était évident, n'est-ce pas ? Ta mère et Francis étaient bien trop intelligents et machiavéliques pour ne pas assurer leurs arrières. Je vais te dire un truc, l'artiste. Toi et tes copains, vous pouvez remercier vos parents de vous avoir tirés d'une merde noire.

Sur la deuxième photo, on voyait ma mère debout, les bras croisés, dans un tailleur strict, chignon tiré et expression impassible. Derrière elle, la silhouette massive de Francis Biancardini avec son inusable veste en cuir. Il avait pris la pose avec une truelle dans une main et un burin dans l'autre.

L'évidence me sauta aux yeux. En 1997, cinq ans après les meurtres et quelques mois avant que ma mère ne démissionne de ses fonctions, elle avait décidé, avec son amant, d'évacuer les corps du mur du gymnase. Pas question pour eux de vivre avec cette épée de Damoclès au-dessus de la tête. Pour justifier l'intervention de Francis, ils avaient simulé ces actes de vandalisme. Les travaux de réfection s'étaient déroulés en pleines vacances de Noël. Le seul moment de l'année où le lycée était presque désert. Autant dire un boulevard pour que Francis – cette fois sans l'aide d'Ahmed – déplace les corps et s'en débarrasse définitivement.

Nous avions tant redouté la découverte des cadavres alors qu'ils avaient depuis vingt ans quitté l'enceinte du lycée !

Un peu sonné, je revins à l'image de Francis. Ses yeux perçants paraissaient perforer le photographe, et à travers lui, tous ceux qui se mettraient un jour en travers de sa route. Un regard d'acier, un peu bravache, qui disait : je ne crains personne, car j'aurai toujours un coup d'avance sur le danger.

Pianelli était reparti sans demander son reste. Lentement, je remontai l'allée pour rejoindre mes amis. Il me fallut un long moment pour prendre pleinement conscience que nous ne craignions plus rien. Arrivé en haut, je relus une dernière fois l'article de journal. En regardant attentivement ma mère sur la photo, je m'aperçus qu'elle tenait un trousseau de clés entre les mains. Sans doute les clés de ce foutu gymnase. Les clés du passé, mais celles qui m'ouvraient aussi les portes de l'avenir.

Le privilège du romancier

*Ce n'est pas pour devenir écrivain
qu'on écrit. C'est pour rejoindre
en silence cet amour qui manque
à tout amour.*

Christian BOBIN

Posés devant moi, un Bic Cristal à trente centimes
et un bloc-notes à carreaux Seyès. Mes seules armes
depuis toujours.

Je suis assis dans la bibliothèque du lycée, à ma
place de l'époque, dans le petit renfoncement dont la
vue donne sur la cour pavée et la fontaine recouverte
de lierre. La salle d'étude baigne dans l'odeur de cire
et de cierge fondus. Les vieux Lagarde et Michard
prennent la poussière sur les étagères derrière moi.

Après le départ à la retraite de Zélie, la direction
du lycée a décidé de donner mon nom au bâtiment
accueillant le club théâtre. J'ai décliné cette proposition et avancé à la place celui de Jean-Christophe
Graff. Mais j'ai accepté d'écrire et de prononcer un
petit discours d'inauguration devant les étudiants.

J'ôte le capuchon du stylo et je commence à prendre des notes. Toute ma vie, je n'ai fait que ça. Écrire. Dans un double mouvement contraire : construire des murs et ouvrir des portes. Des murs pour endiguer la cruauté ravageuse de la réalité, des portes pour s'échapper dans un monde parallèle – la réalité non pas telle qu'elle est, mais telle qu'elle devrait être.

Ça ne marche pas à tous les coups, mais parfois, pendant quelques heures, la fiction est vraiment plus forte que la réalité. C'est peut-être le privilège des artistes en général et des romanciers en particulier : être quelquefois capables de gagner leur combat contre le réel.

J'écris, je rature, je réécris. Les pages noircies s'accumulent. Peu à peu, une autre histoire prend corps. Une histoire alternative pour expliquer ce qui s'est réellement passé, ce fameux soir de 1992, dans la nuit de 19 au 20 décembre.

Imaginez… La neige, le froid, la nuit. Imaginez ce moment précis où Francis est retourné dans la chambre de Vinca avec l'intention de l'emmurer. Il s'est approché du corps qui reposait dans la chaleur du lit. Il a soulevé la jeune fille et, avec sa force de taureau, il l'a portée comme on porte une princesse. Mais pas pour l'emmener dans un château merveilleux. Il l'a portée jusqu'à un chantier de construction noir et glacé qui sentait le béton et transpirait l'humidité. Il était seul. Uniquement escorté de ses démons et de ses fantômes. Il avait renvoyé Ahmed chez lui. Il a posé le corps de Vinca sur une bâche à même le sol et a allumé toutes les lampes de chantier. Il était hypnotisé par le corps de la jeune fille et n'arrivait pas à se dire qu'il allait couler du béton sur elle. Quelques heures plus tôt, il s'était débarrassé du corps d'Alexis Clément sans se poser de questions. Mais là, ce n'était pas pareil. Là, c'était trop dur. Il l'a regardée longtemps. Puis il s'est approché d'elle pour recouvrir son corps d'une couverture, comme si elle pouvait encore prendre froid. Et pendant un moment, alors que des larmes coulaient sur ses joues, il s'est imaginé qu'elle vivait encore. L'illusion était tellement forte qu'il lui semblait voir sa poitrine se soulever légèrement.

Jusqu'au moment où il a compris que Vinca respirait *vraiment*.

Bordel de Dieu. Comment était-ce possible ? Annabelle lui avait porté un coup sur la tête avec une statue en fonte. La petite avait dans le ventre de l'alcool et des cachetons. Certes, les anxiolytiques ralentissaient le rythme cardiaque, mais lui-même, tout à l'heure, n'avait senti aucun pouls lorsqu'il l'avait examinée. Il posa son oreille sur la poitrine de la jeune fille et il entendit son cœur. Et c'était la plus belle musique qu'il ait jamais entendue.

Francis n'a pas hésité. Il n'allait pas porter un coup de pelle sur la gamine pour finir le travail. Ça, il ne le pouvait pas. Il a transporté Vinca dans son 4 x 4 et l'a couchée sur les sièges arrière. Puis il a roulé en direction du massif du Mercantour où il avait une cabane de chasse. Une sorte de petit chalet dans lequel il passait parfois la nuit lorsqu'il allait tirer le chamois du côté d'Entraunes. Habituellement, il y était en deux heures, mais à cause des conditions de circulation, le trajet lui a pris plus du double. L'aube se levait quand il est arrivé à la frontière des Alpes-de-Haute-Provence. Il a installé Vinca sur le canapé du pavillon de chasse, allumé un feu dans la cheminée, rentré une grande provision de bois et fait bouillir de l'eau.

Il a beaucoup réfléchi en conduisant et il a pris sa décision. Si la petite se réveillait, il l'aiderait à disparaître et à repartir à zéro. Un autre pays, une autre identité, une autre vie. Comme dans un programme de protection des témoins. Sauf qu'il n'allait pas demander de l'aide à une agence gouvernementale. Il a décidé d'aller frapper à la porte de la 'Ndrangheta. Les mafieux calabrais lui tournaient autour depuis quelque temps pour blanchir leur argent. Il allait leur demander d'exfiltrer Vinca. Il savait qu'il mettait le doigt dans un engrenage démoniaque, mais il aimait cette idée que la vie ne vous envoyait jamais que des épreuves que vous pouviez supporter. *Le bien amène le mal, le mal amène le bien*. L'histoire de sa vie.

Francis s'est préparé un gros pot de café, s'est assis sur la chaise et il a attendu. Et Vinca s'est réveillée.

Puis les jours, les mois et les années ont passé. Quelque part, une jeune femme qui avait laissé derrière elle un territoire carbonisé revenait à l'existence, comme si elle naissait une seconde fois.

★

Quelque part donc, Vinca vivait.

★

Voilà ma version de l'histoire. Elle repose sur tous les éléments et les indices que j'ai pu glaner lors de mon enquête : les liens présumés de Francis avec la mafia, les virements d'argent qui repartaient vers New York, ma rencontre fortuite avec Vinca à Manhattan.

J'aime à penser que cette histoire est vraie. Même s'il n'y a peut-être qu'une seule chance sur mille que les choses se soient passées ainsi. En l'état actuel de l'avancée de l'enquête, personne ne pourrait réfuter totalement cette version. C'est ma contribution de romancier à l'affaire Vinca Rockwell.

Je termine mon texte, je range mes affaires et je quitte la bibliothèque. Dehors, portées par le mistral, des feuilles jaunies virevoltent dans le soleil d'automne. Je me sens bien. La vie me fait moins peur. Vous pouvez m'attaquer, vous pouvez me juger, vous pouvez me ruiner. J'aurai toujours à portée de main un vieux Bic mâchouillé et un bloc-notes froissé. Mes seules armes. À la fois dérisoires et puissantes.

Les seules sur lesquelles j'ai toujours pu compter pour m'aider à traverser la Nuit.

Le vrai du faux

Parce que New York a été pour moi une véritable histoire d'amour, les intrigues de mes romans ont d'abord pris place en Amérique du Nord. Puis, peu à peu, elles ont en partie migré vers la France. Depuis plusieurs années, j'avais envie de raconter une histoire qui se déroulerait sur la Côte d'Azur, la région de mon enfance. Et en particulier autour de la ville d'Antibes dans laquelle j'ai tant de souvenirs.

Mais il ne suffit pas d'une envie, l'écriture d'un roman est un processus fragile, complexe et incertain. Quand j'ai commencé à écrire sur ce campus paralysé par la neige, sur ces adultes paralysés par les jeunes gens qu'ils ont été, j'ai su que le moment était venu. C'est ainsi que *La Jeune Fille et la Nuit* a pour décor le sud de la France. J'ai éprouvé un grand plaisir à évoquer ces lieux sur deux époques.

Pour autant, le roman n'est pas la réalité, le narrateur ne se confond pas avec son créateur : ce que Thomas a vécu dans ces pages n'appartient qu'à lui. Le chemin de la Suquette, *Nice-Matin*, le café des Arcades, l'hôpital de la Fontonne ont beau exister, ils ont subi la déformation du romanesque. Le collège de Thomas, son lycée, ses profs, proches et amis sont totalement inventés, ou bien différents de mes souvenirs de jeunesse. Enfin, je vous l'assure, je n'ai encore emmuré personne dans un gymnase…

Références

Page 15 : Transcription musicale des vers de Matthias CLAUDIUS
(«La Jeune Fille et la Mort») dans le second mouvement du quatuor
à cordes n° 14 en ré mineur D. 810, *La Jeune Fille et la Mort*, de
Franz SCHUBERT, in *40 Mélodies choisies avec accompagnement au piano*,
traduction française par Émile Deschamps, Brandus et Cie, 1851 ;
page 27 : Bernhard LLOYD, Marian GOLD et Frank MERTENS, titre
de l'album *Forever Young* du groupe ALPHAVILLE, WEA – Warner
Music Group, 1984 ; page 29 : Haruki MURAKAMI, *1Q84, Livre I :
avril-juin*, traduit par Hélène Morita, Belfond, 2011 ; page 39 : Aldous
HUXLEY, *1984*, traduit par Amélie Audiberti, Gallimard, 1950 ;
page 44 : réplique du personnage Anton Ego dans le film *Ratatouille*,
de Brad BIRD, production Pixar Animations Studio (© Disney), 2007 ;
page 52 : Jean-Jacques GOLDMAN, « Puisque tu pars », EPIC – Sony
Music Entertainment, 1988 ; page 52 : Mylène FARMER, « Pourvu
qu'elles soient douces », Polygram Music, 1988 ; page 56 : « Living
is easy with eyes closed », John LENNON et Paul McCARTNEY,
« Strawberry Fields Forever », extrait de l'album *Magical Mystery Tour*
du groupe The Beatles, EMI, 1967 ; page 69 : P.D. JAMES, *La Prise de
l'ombre*, traduit par Lisa Rosenbaum, Fayard, 2004 ; page 81 : Albert
CAMUS, *L'Étranger*, Gallimard, 1972 ; page 82 : Exercice : © Jean-
Louis ROUGET, 2014, maths-france.fr ; page 105 : Vladimir NABOKOV,
Machenka, traduit par Marcelle Sibon, Gallimard, 1993 ; page 125 :
Françoise SAGAN, *Des bleus à l'âme*, Flammarion, 1972 ; page 141 :
Jesse KELLERMAN, *Les Visages*, traduit par Julie Sibony, Sonatine,
2009 ; page 147 : Henri CARTIER-BRESSON, *Images à la sauvette*, Verve,
1952 ; page 157 : Tennessee WILLIAMS, *Le train de l'aube ne s'arrête pas
ici*, in *Théâtre, vol. IV*, traduit par Michel Arnaud et Matthieu Galey,
Robert Laffont, 1972 ; page 179 : Hervé BAZIN, à l'occasion de la sortie
de *Vipère au poing* ; page 179 : http://quartiermauresconstance.weebly.

com/la-suquette.html; page 186: Les «coulisses de la vie», Antoine de Saint-Exupéry, *Courrier Sud*, Gallimard, 1929; page 188: Lettre de Juliette Drouet à Victor Hugo, 30 juin 1837; page 191: François de Malherbe, «Consolation à M. Du Périer sur la mort de sa fille» (1607), *in* Œuvres poétiques de Malherbe, texte établi par Prosper Blanchemain, Flammarion, 1897; page 196: Roger Martin du Gard, *Jean Barois*, Gallimard, 1913; page 197: Patricia Highsmith, *L'Inconnu du Nord-Express*, traduit par Jean Rosenthal, Calmann-Lévy, 1950; page 205: Sean Lorenz, «Dig Up the Hatchet», vous vous rappelez ce personnage d'*Un appartement à Paris*?; page 223: Richard Avedon, source inconnue; page 245: Patrick Süskind, *Le Parfum. Histoire d'un meurtrier*, traduit par Bernard Lortholary, Fayard, 1986; page 247: Sigmund Freud, *L'Interprétation des rêves*, traduit par Ignace Meyerson, Éditions F. Alcan, 1926; page 273: Anthony Burgess, *Les Puissances des ténèbres*, traduit par Georges Belmont et Hortense Chabrier, Acropole, 1981; page 305: Friedrich Nietzsche, *in* Stéphane Zagdanski, *Chaos brûlant*, Le Seuil, 2012; page 307: Jack London, *Martin Eden*, traduit par Claude Cendrée, Georges Crès et Cie, 1926; page 335: Marc Aurèle, *Pensées pour moi-même*, traduit par A.-I. Trannoy, Les Belles Lettres, 2015; page 357: René Char, «Moulin premier», in *Le Marteau sans Maître suivi de Moulin premier*, Gallimard, 2002; page 365: Jeffrey Eugenides, *Virgin Suicides*, traduit par Marc Cholodenko, Plon, 1995; page 366: Marina Tsvetaïeva, *Mon frère féminin. Lettre à l'Amazone*, coll. «Le Petit Mercure», Gallimard, 1979; page 377: Alain-Fournier, *Le Grand Meaulnes*, Fayard, 1913; page 384: Stendhal, *De l'amour*, Pierre Mongie, 1822; page 403: Stefan Zweig, *Lettre d'une inconnue* in *Amok*, traduit par Alzir Hella et Olivier Bournac, Stock, 2002; page 419: Christian Bobin, *La Part manquante*, Gallimard, 1989; page 422: Denis Diderot, *Jacques le fataliste et son maître*, Buisson, 1796.

Illustrations en début et en fin d'ouvrage: © Matthieu Forichon.

Table

LA JEUNE FILLE ET LA MORT

Du même auteur

SKIDAMARINK, Anne Carrière, 2001

ET APRÈS…, XO Éditions, 2004, Pocket, 2005

SAUVE-MOI, XO Éditions, 2005, Pocket, 2006

SERAS-TU LÀ ?, XO Éditions, 2006, Pocket, 2007

PARCE QUE JE T'AIME, XO Éditions, 2007, Pocket, 2008

JE REVIENS TE CHERCHER, XO Éditions, 2008, Pocket, 2009

QUE SERAIS-JE SANS TOI ?, XO Éditions, 2009, Pocket, 2010

LA FILLE DE PAPIER, XO Éditions, 2010, Pocket, 2011

L'APPEL DE L'ANGE, XO Éditions, 2011, Pocket, 2012

SEPT ANS APRÈS…, XO Éditions, 2012, Pocket, 2013

DEMAIN…, XO Éditions, 2013, Pocket, 2014

CENTRAL PARK, XO Éditions, 2014, Pocket, 2015

L'INSTANT PRÉSENT, XO Éditions, 2015, Pocket, 2016

LA FILLE DE BROOKLYN, XO Éditions, 2016, Pocket, 2017

UN APPARTEMENT À PARIS, XO Éditions, 2017, Pocket, 2018

Impression réalisée par MARQUIS IMPRIMEUR
en mars 2018
Pour les éditions CALMANN LEVY, 21, rue du Montparnasse – 75006 Paris
N° édition : 8261748/01 – Dépôt légal : avril 2018
Imprimé au Canada